↓テスト前1週間でやることを決めよう。（2週間前から取り組む場合は2列使う。）

➡点線にそって切り取りましょう。

WEEKLY STUDY PLAN

Name of the Test ←テスト名を書こう。

Test Period ←テスト期間を書こう。

/ ～ /

Date ←勉強する日付を書こう。

To-do List ←やることを書こう。（例）「英単語を10個覚える」など。

Time Record ←実際に…をぬろう。1マス10分。

Date	To-do List
/ ( )	☐ ☐ ☐ ☐ ☐
/ ( )	☐ ☐ ☐ ☐ ☐
/ ( )	☐ ☐ ☐ ☐ ☐
/ ( )	☐ ☐ ☐ ☐ ☐
/ ( )	☐ ☐ ☐ ☐ ☐
/ ( )	☐ ☐ ☐ ☐ ☐
/ ( )	☐ ☐ ☐ ☐ ☐

Time Record
0分 10 20 30 40 50 60分
1時間 2時間 3時間 4時間 5時間 6時間

Time Record
0分 10 20 30 40 50 60分
1時間 2時間 3時間 4時間 5時間 6時間

Time Record
0分 10 20 30 40 50 60分
1時間 2時間 3時間 4時間 5時間 6時間

Time Record
0分 10 20 30 40 50 60分
1時間 2時間 3時間 4時間 5時間 6時間

Time Record
0分 10 20 30 40 50 60分
1時間 2時間 3時間 4時間 5時間 6時間

Time Record
0分 10 20 30 40 50 60分
1時間 2時間 3時間 4時間 5時間 6時間

Time Record
0分 10 20 30 40 50 60分
1時間 2時間 3時間 4時間 5時間 6時間

Gakken New Course Study Plan Sheet

WEEKLY STUDY P

Name of the Test

Date To-do List

.AN

Test Period

/ ~ /

Time Record
0分 10 20 30 40 50 60分
1時間
2時間
3時間
4時間
5時間
6時間

Time Record
0分 10 20 30 40 50 60分
1時間
2時間
3時間
4時間
5時間
6時間

Time Record
0分 10 20 30 40 50 60分
1時間
2時間
3時間
4時間
5時間
6時間

Time Record
0分 10 20 30 40 50 60分
1時間
2時間
3時間
4時間
5時間
6時間

Time Record
0分 10 20 30 40 50 60分
1時間
2時間
3時間
4時間
5時間
6時間

Time Record
0分 10 20 30 40 50 60分
1時間
2時間
3時間
4時間
5時間
6時間

Time Record
0分 10 20 30 40 50 60分
1時間
2時間
3時間
4時間
5時間
6時間

WEEKLY STUDY PLAN

Name of the Test

Test Period

/ ~ /

Date	To-do List
/ ( )	☐ ☐ ☐ ☐ ☐
/ ( )	☐ ☐ ☐ ☐ ☐
/ ( )	☐ ☐ ☐ ☐ ☐
/ ( )	☐ ☐ ☐ ☐ ☐
/ ( )	☐ ☐ ☐ ☐ ☐
/ ( )	☐ ☐ ☐ ☐ ☐
/ ( )	☐ ☐ ☐ ☐ ☐

Time Record
0分 10 20 30 40 50 60分
1時間
2時間
3時間
4時間
5時間
6時間

Time Record
0分 10 20 30 40 50 60分
1時間
2時間
3時間
4時間
5時間
6時間

Time Record
0分 10 20 30 40 50 60分
1時間
2時間
3時間
4時間
5時間
6時間

Time Record
0分 10 20 30 40 50 60分
1時間
2時間
3時間
4時間
5時間
6時間

Time Record
0分 10 20 30 40 50 60分
1時間
2時間
3時間
4時間
5時間
6時間

Time Record
0分 10 20 30 40 50 60分
1時間
2時間
3時間
4時間
5時間
6時間

Time Record
0分 10 20 30 40 50 60分
1時間
2時間
3時間
4時間
5時間
6時間

←点線にそって切り取りましょう。

【学研ニューコース】

問題集

中3理科

Gakken

学研ニューコース　Gakken New Course for Junior High School Students

もくじ Contents

中3理科 問題集

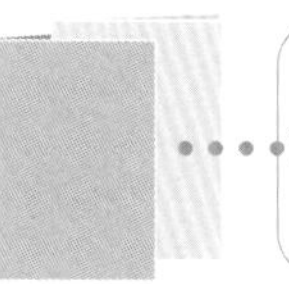

「解答と解説」は別冊になっています。本冊と軽くのりづけされていますので，はずしてお使いください。

本書の特長と使い方

構成と使い方

【1見開き目】

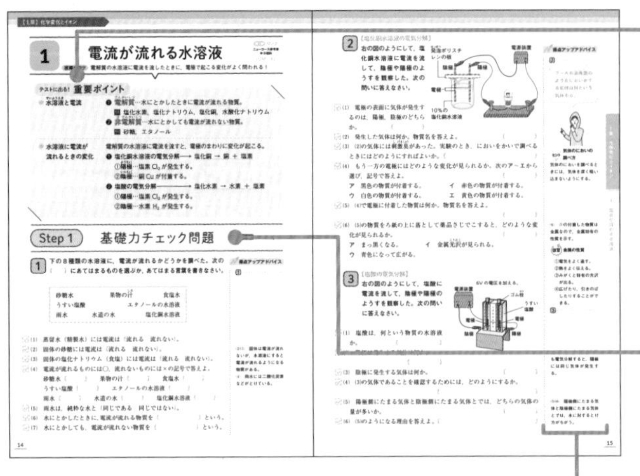

テストに出る！ 重要ポイント

各項目のはじめには，その項目の重要語句や要点，公式・法則などが整理されています。まずはここに目を通して，テストによく出るポイントをおさえましょう。

Step 1　基礎力チェック問題

基本的な問題を解きながら，各項目の基礎が身についているかどうかを確認できます。

わからない問題や苦手な問題があるときは，「得点アップアドバイス」を見てみましょう。

得点アップアドバイス

おさえておくべきポイントや公式・法則。

テストでまちがえやすい内容の解説。

復習　小学校や前の学年までの学習内容の復習。

問題を解くためのヒント。

1項目4ページ構成

【2見開き目】

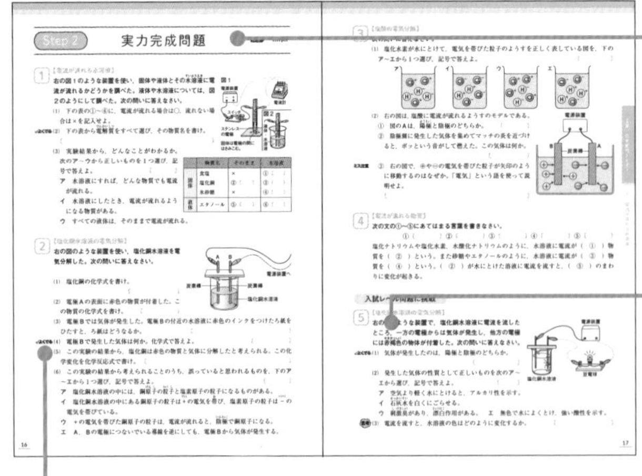

Step 2　実力完成問題

標準レベルの問題から，やや難しい問題を解いて，実戦力をつけましょう。まちがえた問題は解き直しをして，解ける問題を少しずつ増やしていくとよいでしょう。

入試レベル問題に挑戦

各項目の，高校入試で出題されるレベルの問題にとり組むことができます。どのような問題が出題されるのか，雰囲気をつかんでおきましょう。

問題につくアイコン

✓よくでる　定期テストでよく問われる問題。

ミス注意　まちがえやすい問題。

学習内容を応用して考える必要のある問題。

本書の特長

- ステップ式の構成で無理なく実力アップ
- 充実の問題量＋定期テスト予想問題つき
- スタディプランシートでスケジューリングもサポート

数項目ごと

定期テスト予想問題

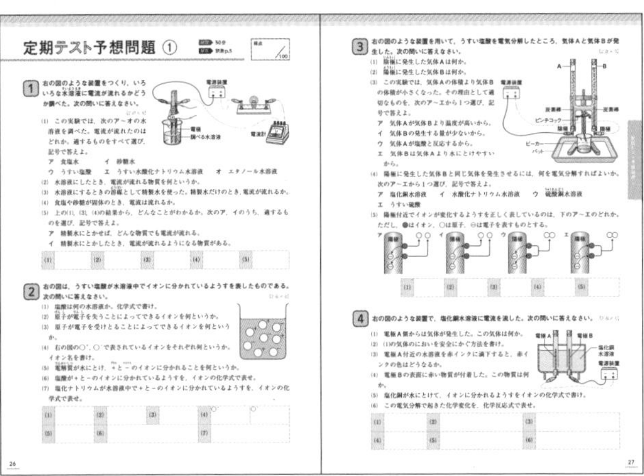

学校の定期テストでよく出題される問題を集めたテストで，力試しができます。制限時間内でどれくらい得点がとれるのか，テスト本番に備えてとり組んでみましょう。巻末には，高校入試対策テストもあります。

解答と解説【別冊】

解答は別冊になっています。くわしい解説がついていますので，まちがえた問題は，解説を読んで，解き直しをすることをおすすめします。
特に誤りやすい問題には，「ミス対策」があり，注意点がよくわかります。

スタディプランシート

定期テストや高校入試に備えて，勉強の計画を立てたり，勉強時間を記録したりするためのシートです。計画的に勉強するために，ぜひ活用してください。

まずはテストに向けて，いつ何をするかを決めよう！

確認しよう！ 1・2年の要点整理

1 植物・動物の分類とからだのつくり

ひとことアドバイス　植物のからだのつくりを復習し，植物のなかま分けの観点を確認しよう。ヒトのからだでは，消化・吸収，血液循環をマーク。動物の分類の観点も確認しよう。

植物と動物の分類

(1) **種子をつくらない植物**…①＿＿植物やコケ植物などは，②＿＿でふえる。シダ植物は根・茎・葉の③＿＿が，コケ植物は根・茎・葉の④＿＿。

(2) **植物のなかま分け**

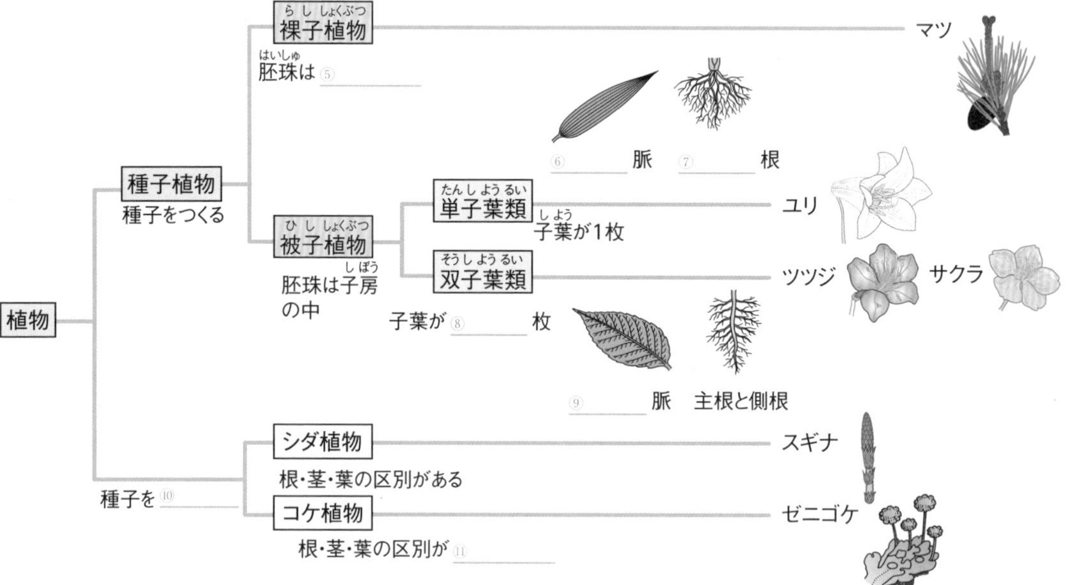

くわしく　根のつくり
双子葉類では主根と側根，単子葉類ではひげ根になっている。根の先端付近には根毛がある。

(3) **脊椎動物のなかま分け**
①**背骨をもつ動物**…脊椎動物。
②**背骨をもたない動物**…⑫＿＿動物（節足動物，軟体動物など）。

	脊椎動物				
	魚類	両生類	は虫類	鳥類	哺乳類
生活場所	水中	子…水中 親…水辺	おもに陸上		
呼吸	⑬	子…えら・皮膚 親…肺・皮膚	⑭		
生まれ方	卵生（卵に殻はない）		卵生（卵に殻がある）		⑮
体表	うろこ	しめった皮膚	うろこやこうら	⑯	毛
例	コイ，マグロ，サケ	カエル，イモリ	カメ，ヘビ，ヤモリ	ハト，ペンギン	ネコ，イルカ，コウモリ

無脊椎動物
- 節足動物
  - 昆虫類
  - 甲殻類
  - その他
- 軟体動物
- その他

植物と動物のからだのつくり

(1) **細胞**…⑰______（１つの細胞に１つ），⑱______（核のまわりをとりまく部分），⑲______（細胞質のいちばん外側のうすい膜）からできている。

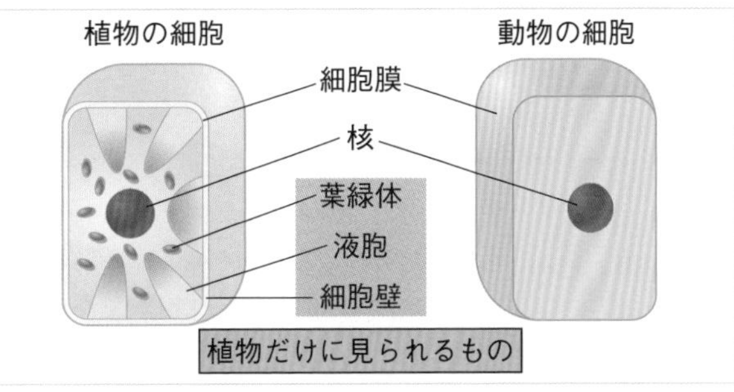

(2) **植物の生活**

①**植物の茎のつくり**…根から吸収した水や水にとけた養分（肥料分）を運ぶ⑳______，葉でできた栄養分を運ぶ㉑______がある。道管と師管が集まって束になった部分を㉒______という。

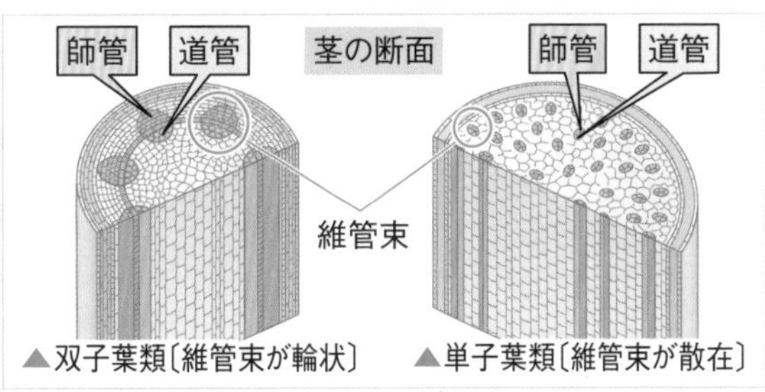

▲双子葉類〔維管束が輪状〕　▲単子葉類〔維管束が散在〕

②**光合成**…光を受けて，葉で水と㉓______から㉔______と酸素をつくるのは，細胞の緑色をした㉕______の部分。

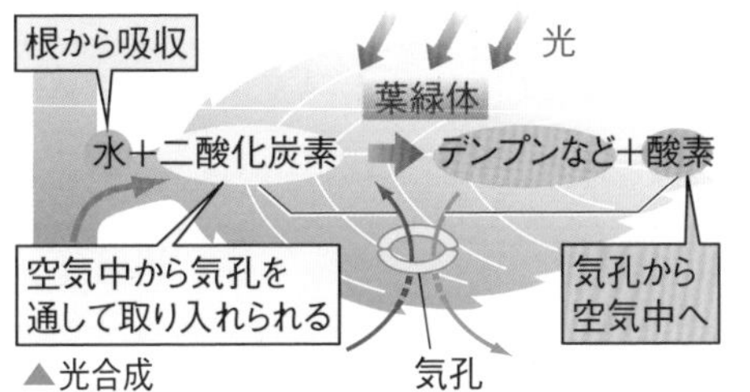

▲光合成

③**蒸散**…植物の体内の水が水蒸気となって，㉖______から放出される現象。

(3) **動物の生活**

①**消化のしくみ**…食物の栄養分は，消化液にふくまれる㉗______のはたらきによって分解される。

デンプンは㉘______，タンパク質は㉙______，脂肪は㉚______と㉛______に分解。

▶分解されたものは，小腸の㉜______から吸収される。

▶ブドウ糖やアミノ酸は，柔毛の㉝______に入る。脂肪酸とモノグリセリドは，再び㉞______になって㉟______に入る。

②**血液の循環**…心臓から肺を通って心臓にもどる㊱______，心臓から全身を通って心臓にもどる㊲______がある。

▶酸素を多くふくんだ血液を㊳______，酸素の少ない血液を㊴______という。

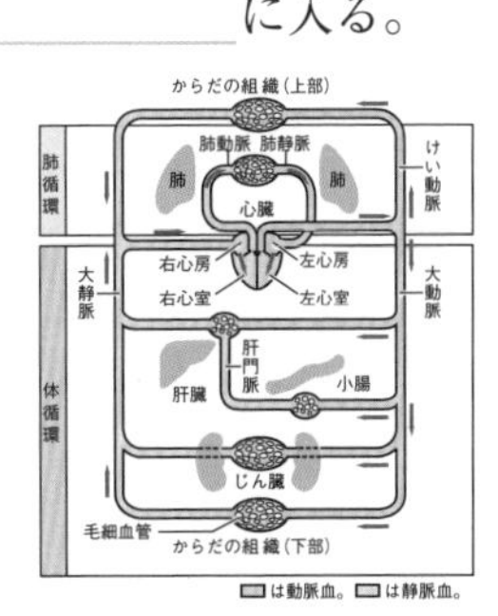

③**不要な物質**…アンモニアを無害な尿素に変えるのは㊵______。

④**反射**…意識に関係なく起こる反応。刺激が脳に伝わる前に㊶______などから命令が出される。

くわしく　核の染色

核は，酢酸オルセインや酢酸カーミンなどの染色液で染まる。

テストで注意　光合成と呼吸

光合成は光が当たったときだけ行われるが，呼吸は１日中行われている。

くわしく　肺のつくり

肺には，肺胞という小さな袋がたくさんある。これにより，表面積が大きくなり，ガス変換の効率がよい。

テストで注意　肺動脈と肺静脈

大動脈には動脈血，大静脈には静脈血が流れているが，肺動脈には静脈血，肺静脈には動脈血が流れているので注意。

2 身のまわりの物質，化学変化と原子・分子

ひとことアドバイス　身のまわりの物質の性質，気体や水溶液の性質を復習しよう。分解や物質が結びつく化学変化と化学変化が起こるときの物質の質量について確認しよう。

身のまわりの物質

(1) いろいろな物質

①有機物と無機物…① ＿＿＿ をふくむ物質が有機物，有機物以外が無機物。（炭素や二酸化炭素などは炭素をふくむが無機物。）

②金属の性質…たたくと広がる。みがくとかがやく（② ＿＿＿）。引っ張るとのびる。③ ＿＿＿ が流れやすく，④ ＿＿＿ が伝わりやすい。

③密度…物質によって固有の値をもつ。

$$密度〔g/cm^3〕= \frac{物質の⑤\_\_\_\_〔g〕}{物質の⑥\_\_\_\_〔cm^3〕}$$

④気体の集め方と気体の特徴

	気体→ 水	気体→ 空気	気体→ 空気
集め方	⑦ ＿＿＿ 置換	⑧ ＿＿＿ 置換	⑨ ＿＿＿ 置換
特徴	水にとけ⑩ ＿＿＿。	空気より⑪ ＿＿＿。	空気より⑫ ＿＿＿。
主な気体	酸素・⑬ ＿＿＿	⑭ ＿＿＿	⑮ ＿＿＿

⑤気体の性質

	酸素	二酸化炭素	水素	窒素	アンモニア
色とにおい	なし	なし	⑯ ＿＿＿	なし	色はなし 刺激臭
水へのとけ方	とけにくい	⑰ ＿＿＿	とけにくい	とけにくい	非常にとけやすい
おもな特徴	ほかの物質を⑱ ＿＿＿	石灰水を白くにごらせる	⑲ ＿＿＿ が最も小さい	空気の約80%	水溶液は⑳ ＿＿＿

(2) 水溶液の性質

①溶液…液体にとけている物質を㉑ ＿＿＿，とかしている液体を㉒ ＿＿＿，液全体を㉓ ＿＿＿ という。

②濃度…

$$質量パーセント濃度〔\%〕= \frac{㉔\_\_\_\_の質量〔g〕}{溶液の質量〔g〕} \times 100$$

③溶解度…水 100 g にとける物質の限度の質量。

④飽和水溶液…物質が溶解度までとけている水溶液。

⑤結晶…いくつかの平面で囲まれた㉕ ＿＿＿ 形の固体。

▶再結晶…固体を水に一度とかし，再び㉖ ＿＿＿ としてとり出す操作。

確認 密度と物体の浮き沈み

物体の密度＞液体の密度
…物体が沈む
物体の密度＜液体の密度
…物体が浮く

確認 溶液

溶液＝溶質＋溶媒

〈溶解度曲線と再結晶〉

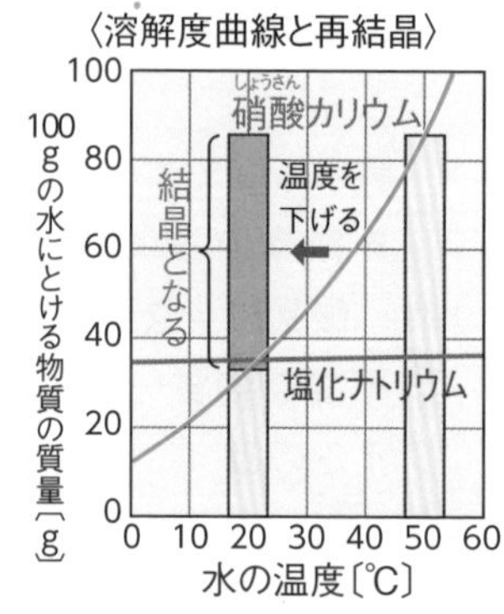

(3) **物質の状態変化**

①**状態変化**…状態変化により㉗______は変わるが，質量は変わらない。物質をつくる粒子の集まり方が変わるだけ。

②**融点**…固体がとけて㉘______に変化するときの温度。

③**沸点**…液体が沸騰して，㉙______に変化するときの温度。

④**蒸留**…液体を加熱して㉚______にし，その気体を冷やして，再び㉛______にして集める操作。

〈水とエタノールの混合物の蒸留〉

温度計
水とエタノールの混合物
枝つきフラスコ
沸騰石
水

化学変化と原子・分子

(1) **物質の成り立ち**

①**分解**…**1種類の物質が**㉜______以上の物質に分かれる化学変化。熱分解と電気分解がある。

②**原子と分子**…それ以上分けることのできない粒子を㉝______といい，㉞______は原子がいくつか結びついてできている。

〈炭酸水素ナトリウムの分解〉

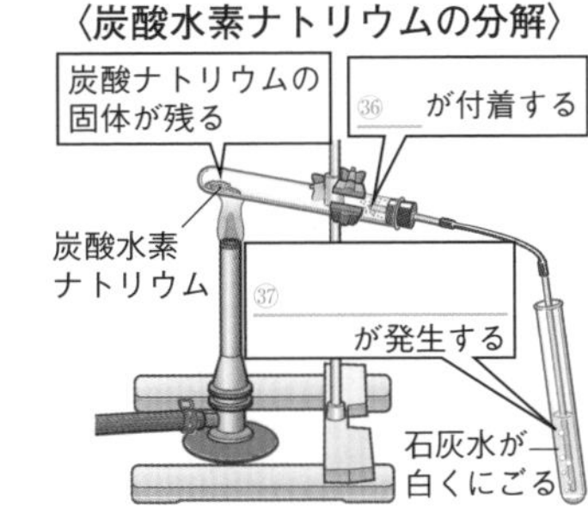

③**単体と化合物**
- ㉟______…1種類の元素だけでできている物質。
- **化合物**…2種類以上の元素でできている物質。

(2) **いろいろな化学変化**

①**物質どうしが結びつく化学変化**…㊳______物質ができる。

②**酸化**…物質が酸素と結びつくこと。

▶**燃焼**…光や熱を出す激しい酸化。

③**還元**…酸化物から㊴______がうばわれる化学変化。還元は酸化と㊵______に起こる。

〈酸化銅の還元〉

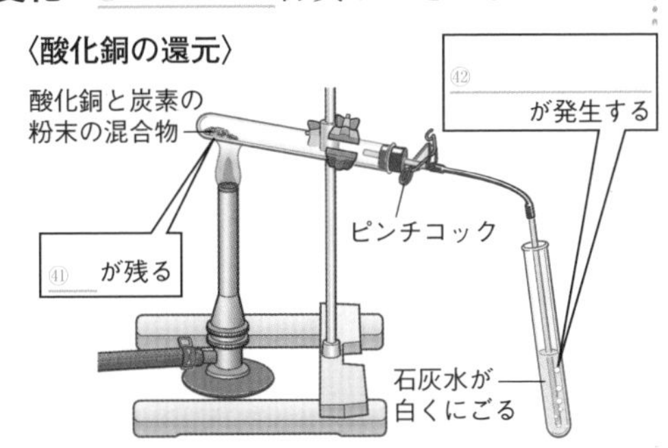

(3) **化学変化のきまり**

①**質量保存の法則**…化学変化の前後で，物質全体の㊸______は変化しない。

②**化学変化と質量の比**…化学変化に関係する物質の質量の比は常に一定である。

(酸化銅)銅：酸素＝4：1

(酸化マグネシウム) マグネシウム：酸素＝3：2

〈金属の酸化と質量〉

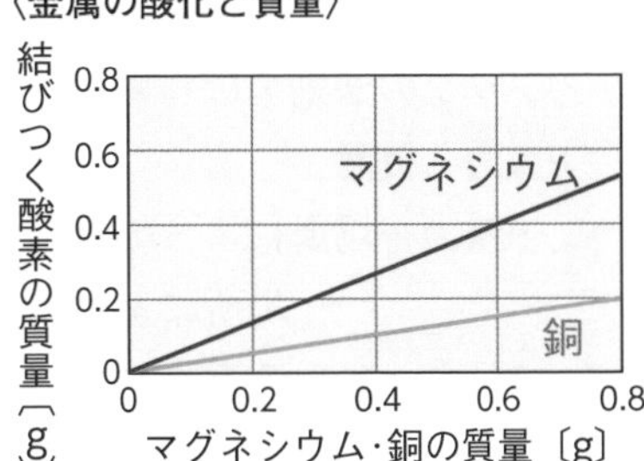

テストで注意 **分解の例**

- 炭酸水素ナトリウム
 →炭酸ナトリウム
 ＋二酸化炭素＋水
- 酸化銀
 →銀＋酸素
- 水
 →水素＋酸素

テストで注意 **化学式に注意**

O →酸素原子1つ
O_2 →酸素分子1つ
$2O_2$ →酸素分子2つ

確認 **還元と酸化の例**

還元
$2CuO + C \rightarrow 2Cu + CO_2$
酸化

3 身のまわりの現象，電気の世界

ひとことアドバイス 光，音，力などの身のまわりの現象と電気の世界について復習しよう。電気に関する公式を覚え，計算問題に活用できるようにしよう。

身のまわりの現象

(1) 光による現象

①**光の反射(はんしゃ)の法則**…光が反射するとき，入射角(にゅうしゃかく)＝①＿＿＿＿。

②**光の屈折(くっせつ)**

空気中から水中…入射角②＿＿＿屈折角(くっせつかく)

水中から空気中…入射角③＿＿＿屈折角

③**全反射(ぜんはんしゃ)**…光が物質の境界面ですべて④＿＿＿＿してしまう現象。

④**凸(とつ)レンズによる像**

・**実像(じつぞう)**…スクリーンにうつる像。

・**虚像(きょぞう)**…スクリーンに像はうつらない。凸レンズを通して見える像。

物体の位置	像の大きさ(物体と比較)	できる像
焦点距離の２倍より離れる。	小さい	⑤＿＿＿＿
焦点距離の２倍	同じ	実像
焦点距離の２倍と焦点距離の間	⑥＿＿＿＿	実像
焦点	像はできない	
焦点距離より近い	大きい	⑦＿＿＿＿

▲凸レンズによる像

⑤**光と色**

・⑧＿＿＿…目に見える白色光や色のついた光。

・光の三原色(さんげんしょく)…赤，青，⑨＿＿＿。

(2) 音による現象

①**音の伝わり方**…固体，液体，気体中を伝わる。音源(おんげん)の振動(しんどう)が，⑩＿＿＿として伝わる。

②**音の速さ**…空気中で約 340 m/s。

③**振幅(しんぷく)と振動数(しんどうすう)**

・**振幅**…音源の振動の振(ふ)れ幅(はば)。

・**振動数(しんどうすう)**…音源などが１秒間に振動する⑪＿＿＿＿。

振幅が大きい(音が⑭＿＿＿)

振動数が多い(音が⑮＿＿＿)

④**音の大小，高低と振動**

・**振幅**…音の⑫＿＿＿＿に関係。

・**振動数**…音の⑬＿＿＿＿に関係。

(3) 力による現象

①**力の種類**

・⑯＿＿＿＿…変形した物体がもとにもどろうとして生じる力。

・⑰＿＿＿＿…物体どうしがふれ合っているときに動きを妨(さまた)げる力。

・⑱＿＿＿＿…地球が中心に向かって物体を引く力。

②**フックの法則**…ばねののびは，ばねを引く力に⑲＿＿＿＿する。

③**重力(じゅうりょく)と質量(しつりょう)**

・**重力**…場所によって変化する。

・⑳＿＿＿＿…場所によって変化しない。

④**つり合っている２力**…２つの力は大きさが等しく，向きが㉑＿＿＿＿で，㉒＿＿＿＿にある。

テストで注意 **力を図で表す方法が問われる**

力は矢印で表し，矢印の長さが力の大きさを示している。

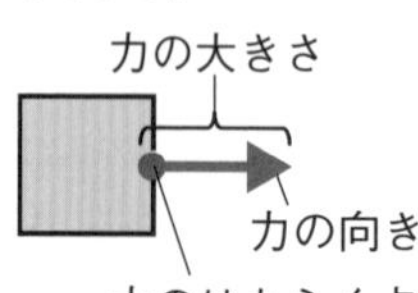

力の大きさは，ニュートン(記号N)で表す。

電気の世界

(1) 電流の性質

①直列回路の電流，電圧，抵抗

- 電流…$I = I_1$ ㉓______ I_2
- 電圧…$V = V_1$ ㉔______ V_2
- 抵抗…全体の抵抗 $R = R_1 + R_2$

〈直列回路〉

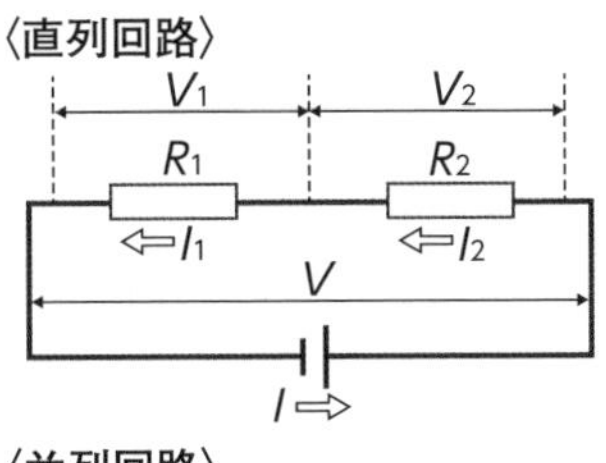

②並列回路の電流，電圧，抵抗

- 電流…$I = I_1$ ㉕______ I_2
- 電圧…$V = V_1$ ㉖______ V_2
- 抵抗…$\dfrac{1}{R} = \dfrac{1}{R_1} + \dfrac{1}{R_2}$（$R$ は全体の抵抗）

〈並列回路〉

③オームの法則…電流 I〔A〕は，加えた電圧 V〔V〕の大きさに㉗______する。抵抗を R〔Ω〕とすると，㉘______。

④電力…電力〔W〕＝電流〔A〕×電圧〔V〕

⑤電流による発熱量…発熱量〔J〕＝電力〔W〕×時間〔s〕

⑥電力量…電力量〔J〕＝電力〔W〕×時間〔s〕

テストで注意　電流計と電圧計のつなぎ方が問われる

電流計は回路に直列に，電圧計は回路に並列につなぐ。

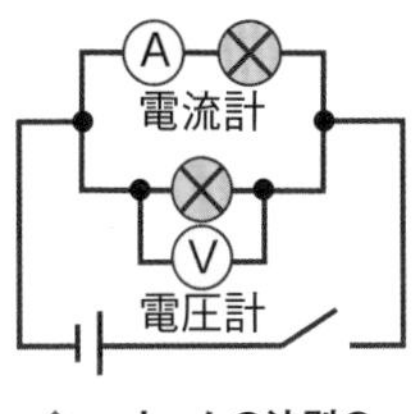

確認　オームの法則の変形式をつくれるようにしよう

電流を求めるとき

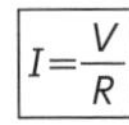

抵抗を求めるとき

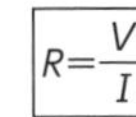

(2) 磁界と磁力線

①磁界の向き…磁針の㉙______がさす向き。

②電流による磁界…右ねじが進む向きが電流の向きのとき，ねじを回す向きが㉚______の向き。

③電流が磁界中で受ける力…㉛______の向きと㉜______の向きで決まる。

④電磁誘導…コイルの中の磁界が変化すると，コイルに電圧が生じる現象。このとき流れる電流を㉝______という。

〈電流と磁界の向き〉

㉞______の向き　㉟______の向き　右手　電流

親指の向きがコイルの㊱______の磁界の向き

〈電流が磁界中で受ける力〉

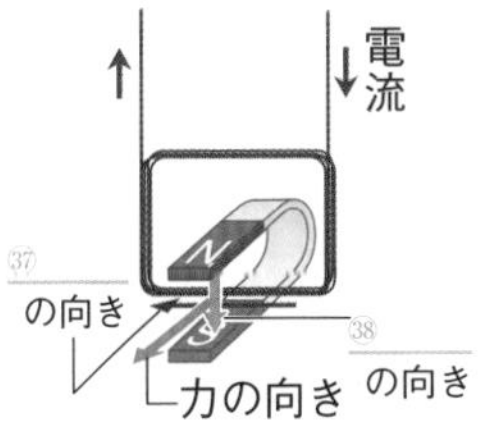

テストで注意　誘導電流の強さに注意

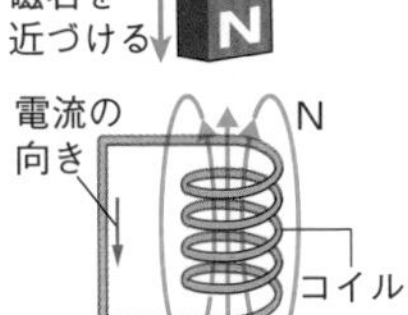

磁界の変化が速いほど，誘導電流は大きくなるので，磁石を速く動かせば誘導電流は大きくなる。また，磁石をコイルの上で止めているとき，誘導電流は流れない。

(3) 静電気と電子

①静電気…異なる物質をこすると，㊴______が一方に移動し生じる。

▶㊵______の電気はしりぞけ合い，㊶______の電気は引き合う。

②真空放電…圧力を低くしたとき，空間を電流が流れる現象。

③電子線（陰極線）…電子の流れ。

④電子…－の電気をもち，㊷______極から出て＋極へ向かって動く。

(4) 放射線の性質

①放射線の種類…㊸______線，α 線，β 線，γ 線。

②放射線の性質…物質を変質させたり，物質を㊹______する性質がある。

4 大地の変化，天気とその変化

ひとこと アドバイス 火山の形，火成岩や堆積岩のつくりや種類をおさえよう。地震のゆれの特徴を確認しよう。空気中の水蒸気の変化や前線と天気の変化を復習しよう。

大地の変化

(1) 火山と火成岩

①火山の噴火

・火山噴出物…火山ガス，火山弾，火山れき，火山灰のほか，マグマが流れ出して①______ができる。

②火山の形とマグマのねばりけ

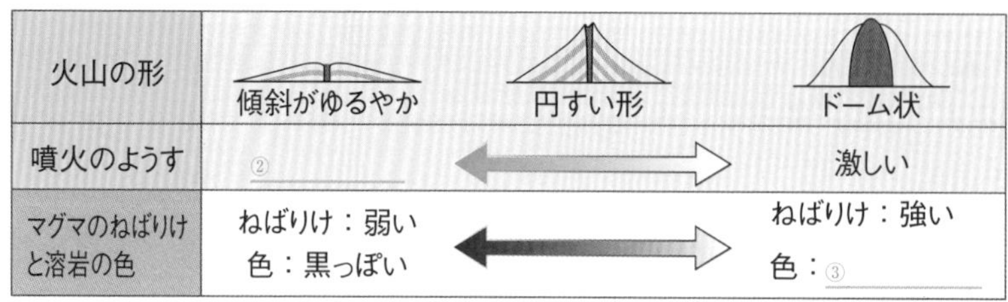

火山の形	傾斜がゆるやか		円すい形		ドーム状
噴火のようす	②______	⟷			激しい
マグマのねばりけと溶岩の色	ねばりけ：弱い 色：黒っぽい	⟷			ねばりけ：強い 色：③______

③火成岩

・火山岩…マグマが地表付近で急速に冷え固まった。

・④______岩…マグマが地下深くでゆっくり冷えた。

・鉱物…火成岩中の結晶。

(2) 地震

①地震のゆれ

・初期微動…はじめの小さなゆれ。⑦______波による。

・⑧______動…あとからくる大きなゆれ。S波による。

②初期微動継続時間…初期微動が続く時間。震源からの⑨______が大きいほど，初期微動継続時間が長くなる。

③震度…ゆれの⑩______。

④マグニチュード…地震の⑪______。

⑤地震の起こる場所…プレートとプレートの境目で起こる。

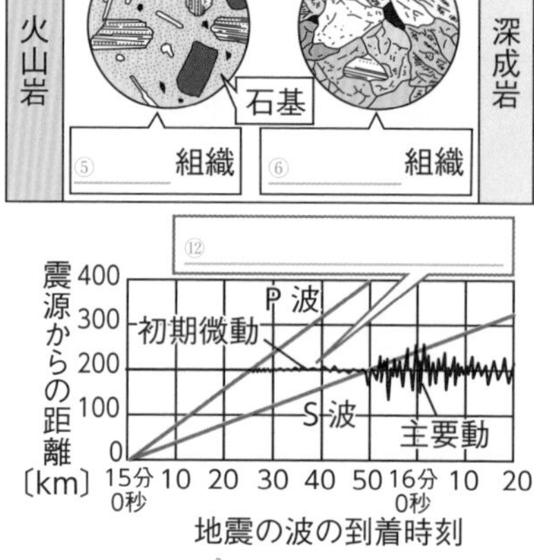

(3) 地層と堆積岩

①地層のでき方…⑬______，砂，泥が海底で積み重なってできる。

②堆積岩…堆積物がおし固められてできる。粒は丸みを帯びている。

・粒の大きさ…⑭______＞砂岩＞泥岩

・粒子の種類…⑮______は，火山灰や軽石が堆積してでき，⑯______はサンゴなどの生物の死がいが堆積してできた。

③化石

・示相化石…地層が堆積した当時の⑰______がわかる。

・示準化石…地層が堆積した⑱______を知ることができる。

④断層としゅう曲

・断層…地層がくいちがった状態。

・⑲______…地層が波打ったように曲がった状態。

テストで注意 火山岩か深成岩かの種類が問われる。名称は確実に覚えておこう。

火山岩	深成岩
流紋岩	花こう岩
安山岩	せん緑岩
玄武岩	斑れい岩

テストで注意 れき岩，砂岩，泥岩のちがいに注意

れき岩，砂岩，泥岩の3つは，つくっている粒の大きさによって分けられる。

れき岩…直径 2 mm 以上

砂岩…直径 2～0.06 mm

泥岩…直径 0.06 mm 以下

確認 おもな示準化石と年代

フズリナ，サンヨウチュウ→古生代

アンモナイト→中生代

ビカリア→新生代

天気とその変化

(1) **大気中の水蒸気の変化**

①**飽和水蒸気量**…空気 1 m^3 中にふくむことのできる水蒸気の質量。

②⑳＿＿＿＿…空気中の水蒸気が凝結し始めるときの温度。

③**湿度**

$$\text{湿度〔\%〕} = \frac{\text{空気 1 } m^3 \text{ 中の水蒸気量〔} g/m^3 \text{〕}}{\text{そのときの温度での㉑＿＿＿＿〔} g/m^3 \text{〕}} \times 100$$

④**雲のでき方**

空気が上昇 → 空気が膨張し温度が下がる → ㉒＿＿＿＿以下になる → 水蒸気が凝結

(2) **大気の動きと天気の変化**

①**圧力**…単位面積あたりの力。単位はPa（パスカル）やN/m^2。

$$\text{圧力〔Pa〕} = \frac{\text{面を垂直に㉓＿＿＿＿〔N〕}}{\text{力がはたらく㉔＿＿＿＿〔} m^2 \text{〕}}$$

②**大気圧**…㉕＿＿＿＿の重さによって生じる圧力。

単位はヘクトパスカル（記号 hPa）。あらゆる向きから物体の面に㉖＿＿＿＿にはたらく。

③**気圧配置**…まわりより気圧が高いところを㉗＿＿＿＿，低いところを㉘＿＿＿＿という。

④**気団**…気温や湿度がほぼ一様な空気のかたまり。

⑤**前線と天気**

㉙＿＿＿＿前線 ▼▼▼▼	㉚＿＿＿＿前線 ●●●●
寒気が暖気の下にもぐりこむ	暖気が寒気の上にはい上がる
・強い上昇気流で，㉛＿＿＿＿の雲ができる。 ・雷雨やにわか雨。通過後気温が下がる。	・ゆるやかな上昇気流で，層雲状の雲ができる。 ・おだやかな雨。通過後気温が上がる。

・**停滞前線**（▲●▲●）…寒気と暖気がぶつかり合い，ほとんど動かない前線。

(3) **大気の動きと日本の四季**

①**偏西風**…日本の上空を1年中ふいている㉜＿＿＿＿寄りの風。

②**季節風**…日本付近では，夏は㉝＿＿＿＿，冬は北西の風がふく。

③**台風**…熱帯低気圧が発達し，最大風速が㉞＿＿＿＿m/s 以上になったもの。前線をともなわない。

冬の天気	・シベリア気団が発達し，㉟＿＿＿＿の気圧配置。 ・日本海側は雨か雪，太平洋側は晴れの日が多い。
夏の天気	・小笠原気団の影響を受け，㊱＿＿＿＿の気圧配置。 ・高温多湿で晴れの日が多い。
春・秋の天気	・低気圧や㊲＿＿＿＿高気圧が交互に日本を通過し，天気は周期的に変わる。
梅雨	・梅雨前線ができ，くもりや雨の日が多い。

確認 気圧と天気の関係をマーク

・高気圧におおわれる…下降気流が生じているので，雲ができにくく，晴れる。

・低気圧におおわれる…上昇気流が生じているので，雲ができやすく，雨となりやすい。

日本に影響を与えるおもな気団

1 電流が流れる水溶液

リンク ニューコース参考書 中3理科 p.38～41

攻略のコツ 電解質の水溶液に電流を流したときに，電極で起こる変化がよく問われる！

テストに出る！ 重要ポイント

水溶液(すいようえき)と電流

❶ **電解質(でんかいしつ)**…水にとかしたときに電流が流れる物質。
例 塩化水素，塩化ナトリウム，塩化銅，水酸化ナトリウム

❷ **非電解質(ひでんかいしつ)**…水にとかしても電流が流れない物質。
例 砂糖，エタノール

水溶液に電流が流れるときの変化

電解質の水溶液に電流を流すと，電極のまわりに変化が起こる。

❶ **塩化銅水溶液の電気分解**⟶ 塩化銅 → 銅 ＋ 塩素
①**陽極(ようきょく)**…塩素 Cl_2 が発生する。
②**陰極(いんきょく)**…銅 Cu が付着する。

❷ **塩酸の電気分解**⟶ 塩化水素 → 水素 ＋ 塩素
①**陽極**…塩素 Cl_2 が発生する。
②**陰極**…水素 H_2 が発生する。

Step 1 基礎力チェック問題

解答 別冊p.3

1 下の８種類の水溶液に，電流が流れるかどうかを調べた。次の〔　〕にあてはまるものを選ぶか，あてはまる言葉を書きなさい。

砂糖水	果物の汁(しる)	食塩水
うすい塩酸	エタノールの水溶液	
雨水	水道の水	塩化銅水溶液

(1) 蒸留水（精製水）には電流は〔流れる　流れない〕。
(2) 固体の砂糖には電流は〔流れる　流れない〕。
(3) 固体の塩化ナトリウム（食塩）には電流は〔流れる　流れない〕。
(4) 電流が流れるものには○，流れないものには×の記号で答えよ。
砂糖水〔　　〕　果物の汁〔　　〕　食塩水〔　　〕
うすい塩酸〔　　〕　エタノールの水溶液〔　　〕
雨水〔　　〕　水道の水〔　　〕　塩化銅水溶液〔　　〕
(5) 雨水は，純粋な水と〔同じである　同じではない〕。
(6) 水にとかしたときに，電流が流れる物質を〔　　　　〕という。
(7) 水にとかしても，電流が流れない物質を〔　　　　〕という。

得点アップアドバイス

1

(2)(3) 固体は電流が流れないが，水溶液にすると電流が流れるようになる物質がある。
(4) 雨水には二酸化炭素などがとけている。

2 【塩化銅水溶液の電気分解】

右の図のようにして，塩化銅水溶液に電流を流して，陰極や陽極のようすを観察した。次の問いに答えなさい。

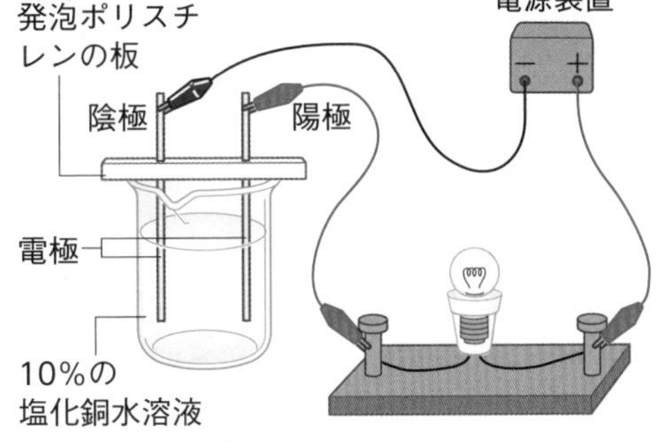

☑(1) 電極の表面に気体が発生するのは，陽極，陰極のどちらか。〔　　　〕

☑(2) 発生した気体は何か。物質名を答えよ。〔　　　〕

☑(3) (2)の気体には刺激臭があった。実験のとき，においをかいで調べるときにはどのようにすればよいか。〔　　　〕

☑(4) もう一方の電極にはどのような変化が見られるか。次のア～エから選び，記号で答えよ。〔　　　〕

ア　黒色の物質が付着する。　　イ　赤色の物質が付着する。

ウ　白色の物質が付着する。　　エ　黄色の物質が付着する。

☑(5) (4)で電極に付着した物質は何か。物質名を答えよ。〔　　　〕

☑(6) (5)の物質をろ紙の上に落として薬品さじでこすると，どのような変化が見られるか。次のア～ウから選び，記号で答えよ。〔　　　〕

ア　まっ黒くなる。　　イ　金属光沢が見られる。

ウ　青色になって広がる。

3 【塩酸の電気分解】

右の図のようにして，塩酸に電流を流して，陰極や陽極のようすを観察した。次の問いに答えなさい。

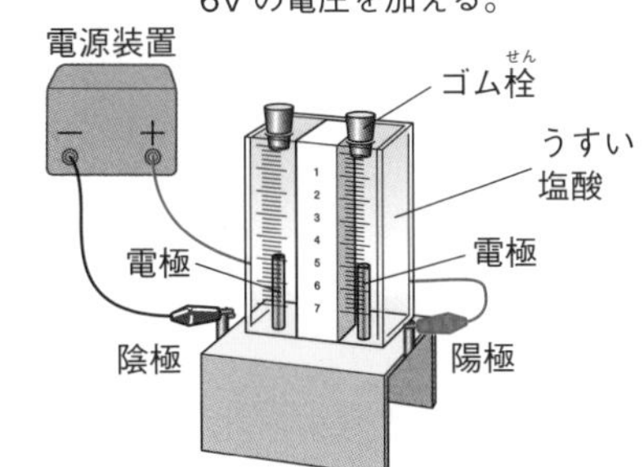

☑(1) 塩酸は，何という物質の水溶液か。〔　　　〕

☑(2) 陽極に発生する気体は何か。〔　　　〕

☑(3) 陰極に発生する気体は何か。〔　　　〕

☑(4) (3)の気体であることを確認するためには，どのようにするか。〔　　　〕

☑(5) 陽極側にたまる気体と陰極側にたまる気体とでは，どちらの気体の量が多いか。〔　　　〕

☑(6) (5)のようになる理由を答えよ。〔　　　〕

得点アップアドバイス

2

プールの消毒薬のようなにおいがする気体は何という気体かな。

ヒント　気体のにおいの調べ方

気体のにおいを調べるときには，気体を深く吸い込まないようにする。

(6) (5)の付着した物質は金属なので，金属特有の性質を示す。

復習　金属の性質

①電気をよく通す。
②熱をよく伝える。
③みがくと特有の光沢が出る。
④広げたり，引きのばしたりすることができる。

3

(2) 塩化銅水溶液も塩酸も電気分解すると，陽極には同じ気体が発生する。

(5)(6) 陽極側にたまる気体と陰極側にたまる気体とでは，水に対するとけ方がちがう。

Step 2　実力完成問題

解答 別冊p.3

1 【電流が流れる水溶液】

右の図１のような装置を使い，固体や液体とその水溶液に電流が流れるかどうかを調べた。液体や水溶液については，図２のようにして調べた。次の問いに答えなさい。

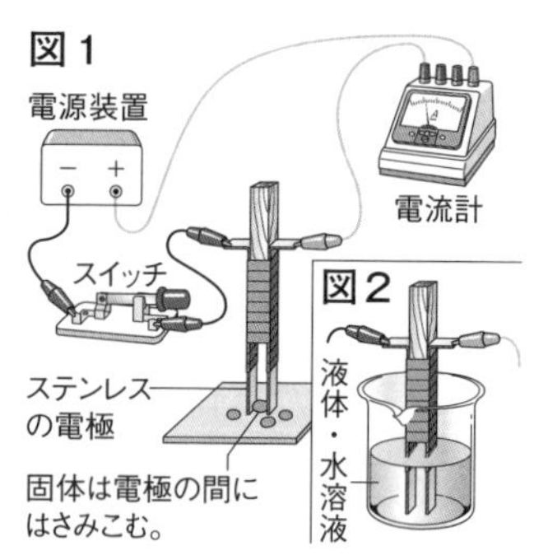

(1) 下の表の①～⑥に，電流が流れる場合は○，流れない場合は×を記入せよ。

✓よくでる (2) 下の表から電解質をすべて選び，その物質名を書け。

〔　　　　　　　　　　　　〕

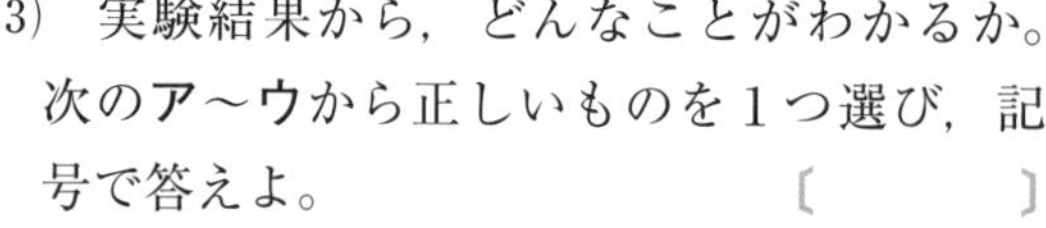

(3) 実験結果から，どんなことがわかるか。次のア～ウから正しいものを１つ選び，記号で答えよ。〔　　　〕

ア　水溶液にすれば，どんな物質でも電流が流れる。

イ　水溶液にしたとき，電流が流れるようになる物質がある。

ウ　すべての液体は，そのままで電流が流れる。

	物質名	そのまま	水溶液
固体	食塩	×	①〔　〕
	塩化銅	②〔　〕	③〔　〕
	氷砂糖	×	④〔　〕
液体	エタノール	⑤〔　〕	⑥〔　〕

2 【塩化銅水溶液の電気分解】

右の図のような装置を使い，塩化銅水溶液を電気分解した。次の問いに答えなさい。

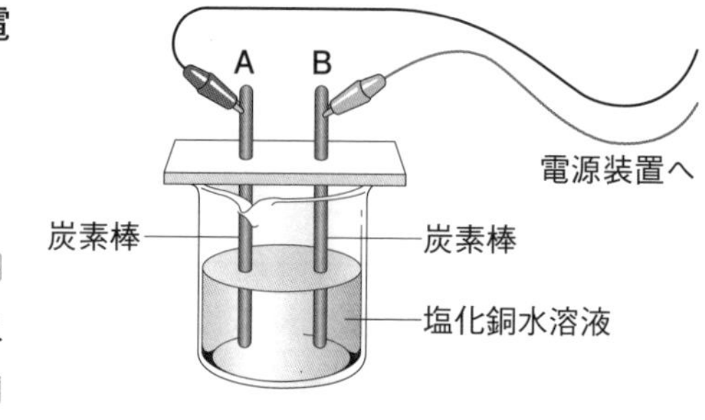

(1) 塩化銅の化学式を書け。

〔　　　　　〕

(2) 電極Aの表面に赤色の物質が付着した。この物質の化学式を書け。〔　　　　〕

(3) 電極Bでは気体が発生した。電極Bの付近の水溶液に赤色のインクをつけたろ紙をひたすと，ろ紙はどうなるか。〔　　　　　　　　〕

✓よくでる (4) 電極Bで発生した気体は何か。化学式で答えよ。〔　　　〕

(5) この実験の結果から，塩化銅は赤色の物質と気体に分解したと考えられる。この化学変化を化学反応式で書け。〔　　　　　　　　　　　　〕

(6) この実験の結果から考えられることのうち，誤っていると思われるものを，下のア～エから１つ選び，記号で答えよ。〔　　〕

ア　塩化銅水溶液の中には，銅原子の粒子と塩素原子の粒子になるものがある。

イ　塩化銅水溶液の中にある銅原子の粒子は＋の電気を帯び，塩素原子の粒子は－の電気を帯びている。

ウ　＋の電気を帯びた銅原子の粒子は，電流が流れると，陰極で銅原子になる。

エ　A，Bの電極につないでいる導線を逆にしても，電極Bから気体が発生する。

3 【塩酸の電気分解】

次の問いに答えなさい。

右の図は，塩酸に電流が流れるようすのモデルである。

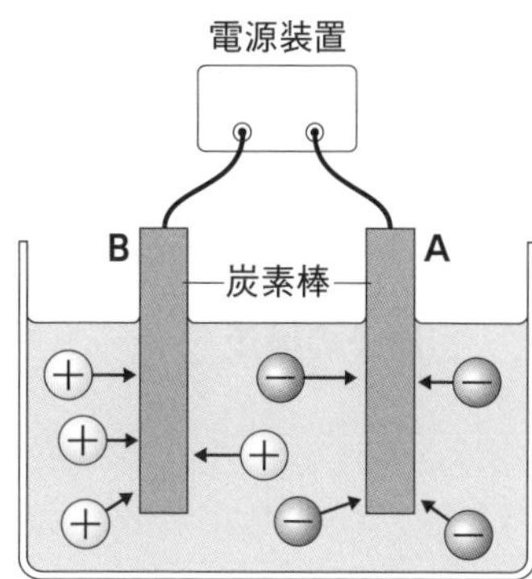

① 図のAは，陽極(ようきょく)と陰極のどちらか。　〔　　　〕

② 陰極側に発生した気体を集めてマッチの炎を近づけると，ポッという音がして燃えた。この気体は何か。

〔　　　〕

ミス注意　③ 右の図で，⊕や⊖の電気を帯びた粒子が矢印のように移動するのはなぜか。「電気」という語を使って説明せよ。

〔　　　　　　　　　　　　　　　　　　〕

4 【電流が流れる物質】

次の文の①〜⑤にあてはまる言葉を書きなさい。

①〔　　　〕②〔　　　〕③〔　　　〕④〔　　　〕⑤〔　　　〕

塩化ナトリウムや塩化水素，水酸化ナトリウムのように，水溶液に電流が（ ① ）物質を（ ② ）という。また砂糖やエタノールのように，水溶液に電流が（ ③ ）物質を（ ④ ）という。（ ② ）が水にとけた溶液に電流を流すと，（ ⑤ ）のまわりに変化が起きる。

入試レベル問題に挑戦

5 【塩化銅水溶液の電気分解】

右の図のような装置で，塩化銅水溶液に電流を流したところ，一方の電極からは気体が発生し，他方の電極には赤褐色(せきかっしょく)の物質が付着した。次の問いに答えなさい。

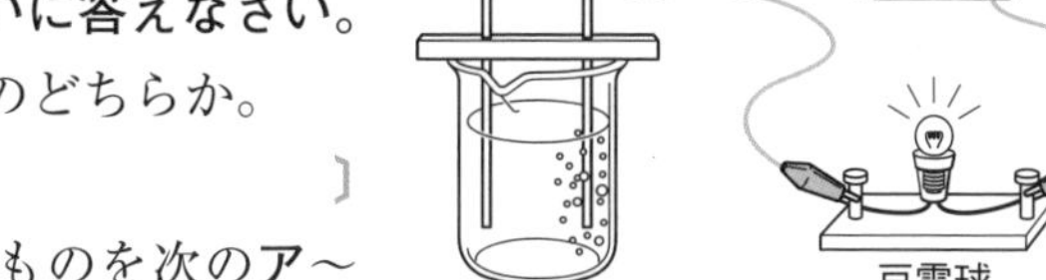

よくでる (1) 気体が発生したのは，陽極と陰極のどちらか。

〔　　　〕

(2) 発生した気体の性質として正しいものを次のア〜エから選び，記号で答えよ。　〔　　〕

ア　空気より軽く水にとけると，アルカリ性を示す。

イ　石灰水(せっかいすい)を白くにごらせる。

ウ　刺激臭(しげきしゅう)があり，漂白(ひょうはく)作用がある。　エ　無色で水によくとけ，強い酸性を示す。

思考 (3) 電流を流すと，水溶液の色（青色）はどのように変化するか。〔　　　　　〕

1章／化学変化とイオン　1 電流が流れる水溶液

2 原子の構造とイオン

リンク ニューコース参考書 中3理科 p.42～53

攻略のコツ 電解質が電離してできるイオンの名称やイオンの化学式がよく出る。

テストに出る! 重要ポイント

- **原子の構造**
  - ● **原子**…原子核のまわりに電子がある。
    - ①**原子核**…**陽子**と**中性子**からなる。陽子は**＋の電気**をもつ。
    - ②**電子**…**－の電気**をもつ。陽子の数と等しい。
- **イオン**
  - ❶ **イオン**…原子が電気を帯びたもの。
    - 原子…電子を失う→**陽イオン**（＋の電気を帯びる。）
    - 原子…電子を受けとる→**陰イオン**（－の電気を帯びる。）
  - ❷ イオンの化学式…例 H^+, Na^+, Cu^{2+}, NH_4^+, Cl^-, OH^-
- **電気分解とイオン**
  - ❶ **電離**…電解質がイオンに分かれること。
  - ❷ 塩化水素の電離…$HCl \rightarrow H^+ + Cl^-$
  - ❸ 塩酸の電気分解…$2HCl \rightarrow H_2 + Cl_2$
    - ① H^+…陰極へ移動→ $2H \rightarrow H_2$ 発生
    - ② Cl^-…陽極へ移動→ $2Cl \rightarrow Cl_2$ 発生

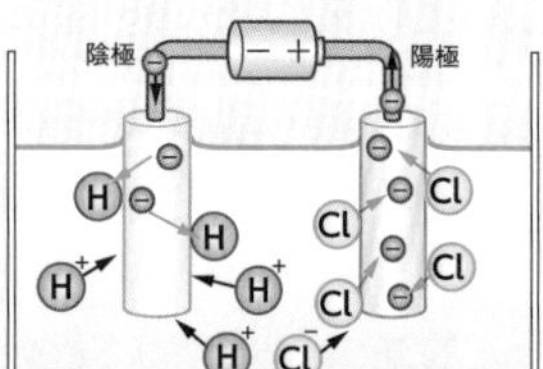

Step 1 基礎力チェック問題

解答 別冊p.3

1 次の〔　〕にあてはまるものを選ぶか，あてはまる言葉を書きなさい。

- ☑(1) 原子は原子核と〔　　　　〕からできている。
- ☑(2) 原子核は〔　　　　〕と中性子からできている。
- ☑(3) 陽子は〔＋　－〕の電気をもっている。
- ☑(4) 電子は〔＋　－〕の電気をもっている。
- ☑(5) 原子がもつ陽子の数と電子の数は〔　　　　〕。
- ☑(6) 原子は全体として電気をもって〔いる　いない〕。
- ☑(7) 原子が電気を帯びたものを〔　　　　〕という。
- ☑(8) 原子が電子を失って，＋の電気をもったものを〔　　　　〕という。
- ☑(9) 原子が電子を受けとって，－の電気をもったものを〔　　　　〕という。
- ☑(10) 水素原子が電子を失うと，〔　　　　〕になる。
- ☑(11) 電解質が水にとけて陰イオンと陽イオンに分かれることを〔　　　　〕という。
- ☑(12) 塩化ナトリウムは水にとけると，ナトリウムイオンと〔　　　　〕に分かれる。

得点アップアドバイス

1

(2) 原子核は(2)と中性子からできている。(2)は＋の電気をもっているが，中性子は電気をもっていない。そのため，原子核は全体として＋の電気を帯びている。

(8)(9) 原子は電子を受けとったり，失ったりすることで，イオンになる。

2 【原子のつくり】

右の図は原子のつくりを表している。次の問いに答えなさい。

(1) 図の①～④にあてはまる語句を，下のア～エから選び，記号で答えよ。

①〔　　　〕　②〔　　　〕

③〔　　　〕　④〔　　　〕

ア　原子核　　イ　電子

ウ　中性子　　エ　陽子

原子 ─ ①（－の電気をもつ）
原子 ─ ② ─ ③（＋の電気をもつ）
　　　　② ─ ④（電気をもたない）

(2) 電子がもっている電気は＋の電気か，－の電気か。〔　　　〕

(3) 原子核が帯びている電気は，＋の電気か，－の電気か。〔　　　〕

3 【イオン】

原子が電子を失ったり，受けとったりすると，原子全体が電気を帯びる。次の問いに答えなさい。

(1) 原子が電子を失ったり，受けとったりすると何になるか。

〔　　　〕

(2) 原子が電子を失うと何になるか。〔　　　〕

(3) 原子が電子を受けとると何になるか。〔　　　〕

(4) ナトリウム原子 Na と銅原子 Cu が電子を失い，塩素原子 Cl は電子を受けとった。このときできるイオンの名称とイオンの化学式を，右の表の空欄に書け。

原子	イオンの名称	化学式
Na		
Cu		
Cl		

4 【イオンの化学式】

次の問いに答えなさい。

(1) 塩化ナトリウム（食塩）を水にとかしたとき，水溶液（すいようえき）中にふくまれる2種類のイオンの名称を書け。〔　　　〕〔　　　〕

(2) 電解質が水にとけて陽イオンと陰イオンに分かれることを，何というか。〔　　　〕

(3) 塩化ナトリウムが水溶液中で陽イオンと陰イオンに分かれるようすを，イオンの化学式で書け。

〔　　　〕

(4) 塩化水素が水溶液中で陽イオンと陰イオンに分かれるようすを，イオンの化学式で書け。

〔　　　〕

得点アップアドバイス

2

(1) 元素は，原子核中の陽子の数で決まる。例えば，陽子を1個もつ元素は水素で，2個もつ元素はヘリウムである。

元素によって陽子の数がちがうんだね。質量も元素によってちがうのかな。

3

(1) 陽子1個と電子1個がもつ電気の量は等しく，電気の＋，－の符号が反対。

確認 原子の中の陽子と電子の数

原子の中では，陽子の数と電子の数が等しいため，原子全体では電気をもっていない。

4

確認 電解質

塩化ナトリウムは水溶液中では，下図のように電離している。

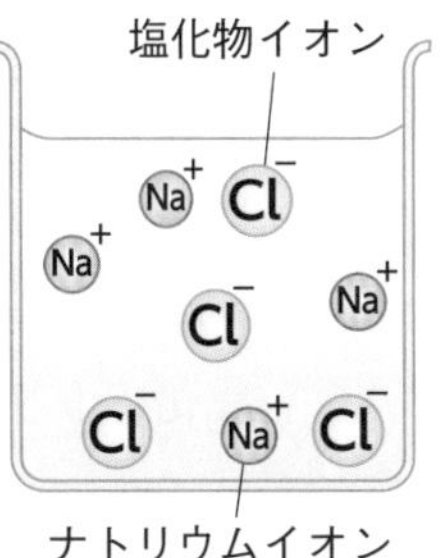

Step 2 実力完成問題

解答 別冊p.4

1 【原子の構造】

右の図はヘリウム原子の構造を模式的に示している。次の問いに答えなさい。

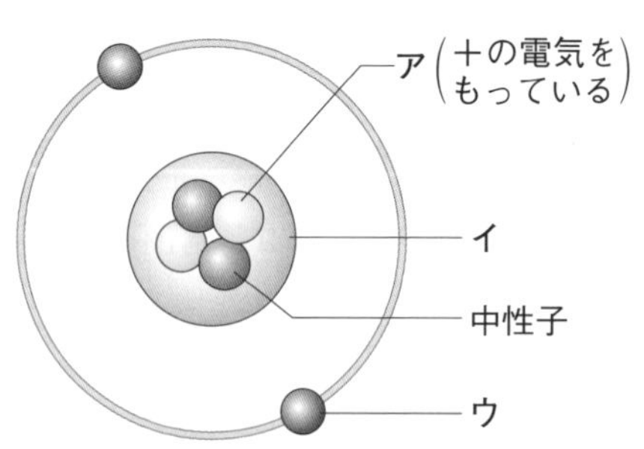

よくでる (1) 図のア～ウにあてはまる名称を書け。

ア〔　　　〕　イ〔　　　〕

ウ〔　　　〕

(2) 図のウは＋と－のどちらの電気をもっているか。〔　　　〕

(3) 次の文ア～エの中で，誤っているものを選び，記号で答えよ。〔　　　〕

ア 原子は原子核と電子からできている。

イ 原子核は＋の電気をもつ陽子と，－の電気をもつ中性子からできている。

ウ 陽子の数と，電子の数は等しい。

エ 原子は全体として，電気をもっていない。

2 【イオンとイオンの化学式】

次の問いに答えなさい。

ミス注意 (1) 右の表は，代表的な陽イオンと陰イオンを示している。表の①～⑧にあてはまる言葉や化学式を書け。

①〔　　　〕　⑤〔　　　〕

②〔　　　〕　⑥〔　　　〕

③〔　　　〕　⑦〔　　　〕

④〔　　　〕　⑧〔　　　〕

陽イオン		陰イオン	
イオン名	化学式	イオン名	化学式
水素イオン	①	⑤	Cl^-
ナトリウムイオン	②	⑥	OH^-
銅イオン	③	⑦	SO_4^{2-}
マグネシウムイオン	④	硝酸イオン	⑧

(2) イオンになるとき，電子を2個受けわたしするものを，下のア～カからすべて選び，記号で答えよ。〔　　　〕

ア 水素　**イ** ナトリウム　**ウ** 銅　**エ** 亜鉛　**オ** カリウム

カ マグネシウム

3 【電　離】

次の2つの物質が電離するようすをイオンの化学式で表した。下の①～⑧にあてはまるイオン名やイオンの化学式を書きなさい。ただし，陽イオン，陰イオンの順に書くこと。

①〔　　　〕　②〔　　　〕　③〔　　　〕　④〔　　　〕

⑤〔　　　〕　⑥〔　　　〕　⑦〔　　　〕　⑧〔　　　〕

塩化ナトリウムの電離　NaCl → [①] ＋ [②]

〔 ③ 〕イオン　〔 ④ 〕イオン

塩化水素の電離　HCl → [⑤] ＋ [⑥]

〔 ⑦ 〕イオン　〔 ⑧ 〕イオン

4 【塩酸の電気分解】

右の図はうすい塩酸を電気分解するときのようすを，モデルで表したものである。次の問いに答えなさい。

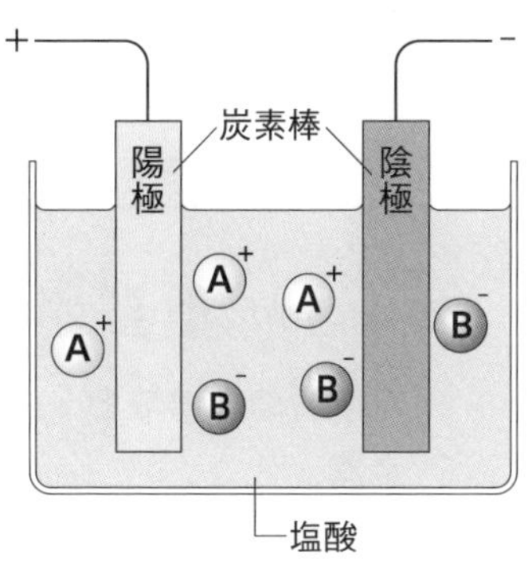

よくでる (1) 図のⒶ$^{+}$は何イオンか。イオンの化学式で書け。　〔　　　　〕

(2) 図のⒷ$^{-}$は何イオンか。イオンの化学式で書け。　〔　　　　〕

(3) Ⓐ$^{+}$で表されるイオンは，陰極(いんきょく)，陽極(ようきょく)のどちらへ引かれるか。　〔　　　　〕

(4) 陰極へ引かれたイオンは，電極から電子を受けとる，電極へ電子をわたす，のどちらか。　〔　　　　　　　〕

(5) 陽極から発生した気体の化学式を書け。　〔　　　　〕

5 【塩化銅水溶液の電気分解】

右の図のような装置で，塩化銅水溶液(すいようえき)を電気分解したところ，陽極から塩素が発生し，陰極には銅が付着した。次の問いに答えなさい。

直流電源
− +
炭素棒
塩化銅水溶液

(1) 塩化銅の電離のようすを，イオンの化学式を使って表せ。　〔　　　　　　　〕

思考 (2) 塩化物イオンが−の電気をもっていることは，次のどのことからわかるか。最も適するものを，ア〜ウから1つ選び，記号で答えよ。　〔　　　　〕

ア　塩化物イオンは青色をしている。　　イ　塩素は陽極から発生する。

ウ　塩化銅は電解質(でんかいしつ)である。

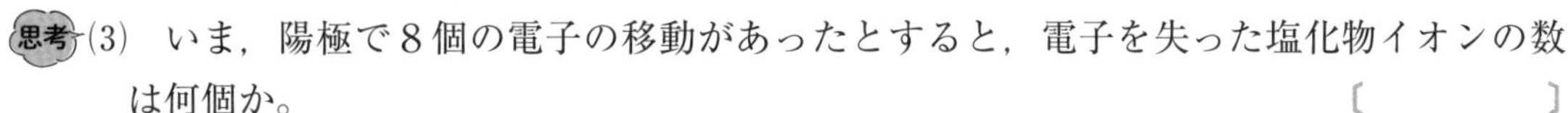

思考 (3) いま，陽極で8個の電子の移動があったとすると，電子を失った塩化物イオンの数は何個か。　〔　　　　〕

入試レベル問題に挑戦

6 【電子の移動】

右の装置でうすい塩酸の電気分解を行った。次の文の①〜⑤に適する語を，下のア〜キから選び，記号で答えなさい。

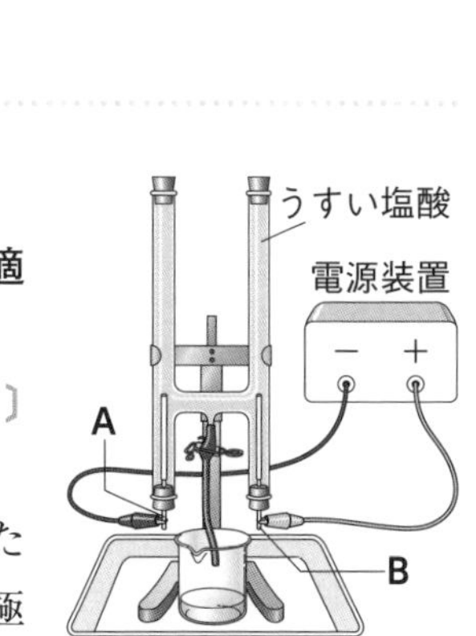

①〔　　　　〕　②〔　　　　〕　③〔　　　　〕

④〔　　　　〕　⑤〔　　　　〕

A極に移動した〔　①　〕イオンは，電源の〔　②　〕から出た電子を受けとる。一方，B極に移動した〔　③　〕イオンはB極に電子を与(あた)え，それが電源の〔　④　〕の方へ流れこむ。このようにして導線中を〔　⑤　〕が移動する。

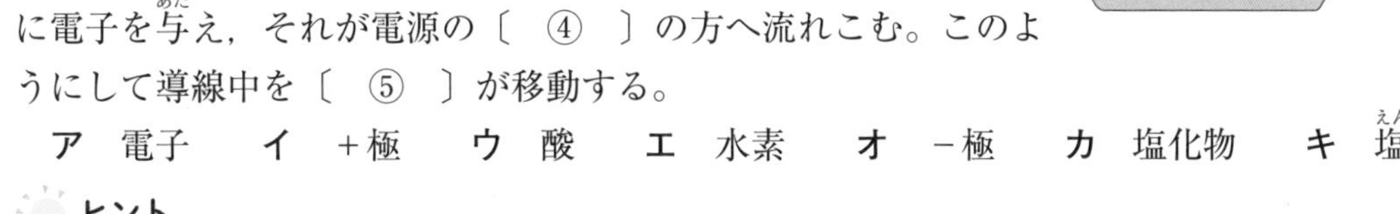

ア　電子　　イ　+極　　ウ　酸　　エ　水素　　オ　−極　　カ　塩化物　　キ　塩(えん)

ヒント

陰イオンがもっていた電子が電極に移動することで，電流が流れる。

3 電池

ニューコース参考書 中3理科 p.54～65

攻略のコツ 銅と，銅以外の金属を用いた電池では，銅板が＋極になることが多い。

テストに出る！ 重要ポイント

- **電解質の水溶液と金属**
  - ● **電池**…電解質の水溶液に２種類の金属→電圧が生じる。物質の化学エネルギー→電気エネルギーに変換する装置。
- **金属のイオンへのなりやすさ**
  - ● 金属の陽イオンへのなりやすさの順 マグネシウム＞亜鉛＞銅
- **電池とイオン**
  - ❶ 亜鉛と銅の電池（うすい塩酸中で）
    - ①－極…亜鉛板；電子を電極にわたす。
    - ②＋極…銅板；水素イオンが電子を受けとる。
  - ❷ **ダニエル電池**…亜鉛と銅を２種類の水溶液に入れた装置。
    - ①－極…硫酸亜鉛水溶液に入れた亜鉛板
    - ②＋極…硫酸銅水溶液に入れた銅板

- **いろいろな電池**
  - ❶ 一次電池…マンガン乾電池など。
  - ❷ 二次電池…鉛蓄電池など。充電することができる。
  - ❸ 燃料電池…水の電気分解と逆の化学反応を利用。

Step 1 基礎力チェック問題

解答 別冊p.4

1 次の〔　〕にあてはまるものを選ぶか，あてはまる言葉を書きなさい。

(1) 電解質の水溶液に2種類の金属を入れて導線でつなぐと，〔　　　〕が生じる。

(2) (1)を利用して，電流をとり出す装置を〔　　　〕という。

(3) 銅，亜鉛，マグネシウムのうち，最もイオンになりやすい金属は〔　　　〕である。

(4) うすい塩酸に亜鉛板と銅板を入れて電池をつくった。このとき，亜鉛板は〔＋極　－極〕になる。

(5) (4)の電池の銅板の表面では，水溶液中の〔　　　〕が電子を受けとって水素原子→水素分子になり，気体となって出て行く。

(6) ダニエル電池の銅板の表面では，水溶液中の〔　　　〕が電子を受けとって銅になり，銅板の表面に付着する。

(7) マンガン乾電池のように，使うと電圧が低下し，もとにもどらない電池を〔　　　〕という。

得点アップアドバイス

1

(1) 同じ種類の金属では，電圧が生じないので，電流は流れない。

(3) 金属には，イオンになりやすいものとそうでないものがある。

テストで注意 イオン化傾向

イオンになりやすい度合いをイオン化傾向といい，次の順になっている。
Na＞Mg＞Al＞Zn＞Fe＞(H)＞Cu

電池では，イオン化傾向が大きいほうが－極になる。

2 【電解質の水溶液と金属】

右の図のような装置に，電子オルゴールをつなぐと，オルゴールが鳴った。次の問いに答えなさい。

電子オルゴール
A
B
銅板
亜鉛板
うすい塩酸

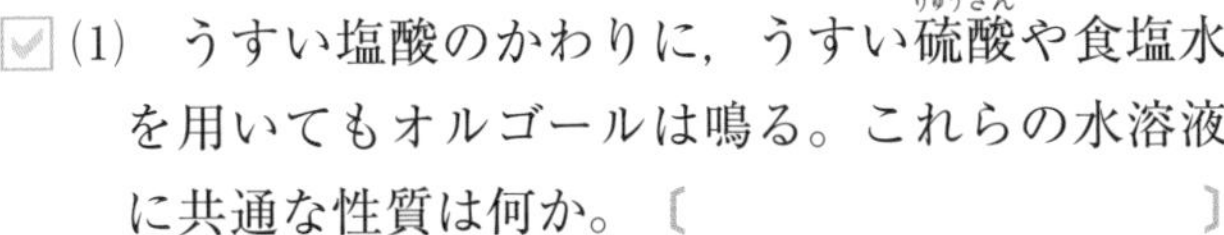

(1) うすい塩酸のかわりに，うすい硫酸(りゅうさん)や食塩水を用いてもオルゴールは鳴る。これらの水溶液に共通な性質は何か。〔　　　〕

(2) ＋極になるのは，銅板と亜鉛板のどちらか。〔　　　〕

(3) 電流の流れる向きは，図のA，Bのどちらか。〔　　　〕

(4) この装置のように，うすい塩酸などの中に2種類の金属を入れて，電流をとり出せるようにしたものを何というか。〔　　　〕

(5) 時間がたつにつれて，オルゴールの鳴り方はどのようになっていくと考えられるか。次のア，イから選び，記号で答えよ。〔　　　〕

ア　いつまでも同じ大きさで鳴り続ける。

イ　しだいに音が小さくなり，やがて止まる。

3 【電池】

右の図のような装置をつくった。液体と固体の物質A，Bに，下の表のア～エの物質を使ったとき，電圧計の針が振(ふ)れるものはどれか。記号で答えなさい。

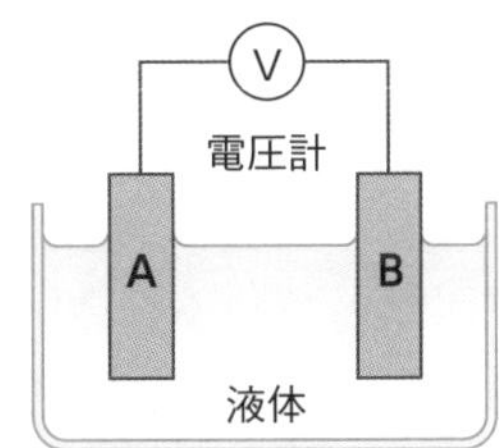

〔　　　〕

	液体	A	B		液体	A	B
ア	うすい塩酸	ガラス板	鉄板	**ウ**	レモンの果汁	亜鉛板	銅板
イ	うすい砂糖水	アルミニウム板	銅板	**エ**	うすい硫酸	亜鉛板	亜鉛板

4 【電池の中で起こる変化】

うすい塩酸の中に亜鉛板と銅板を入れて電池をつくった。右の図は－極の表面での反応のモデルである。次の問いに答えなさい。

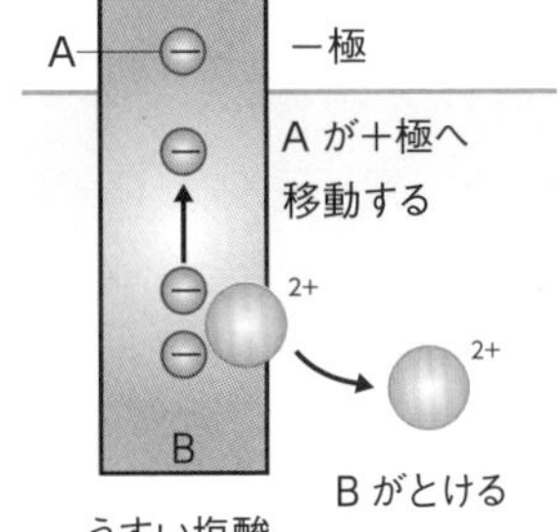

(1) ＋極へ移動するAは何か。〔　　　〕

(2) うすい塩酸にとける金属Bは何か。〔　　　〕

(3) 次の文の①，②にあてはまる言葉を書け。
①〔　　　〕　②〔　　　〕

〔 ① 〕の水溶液と，電池の－極および＋極の表面では，それぞれ〔 ② 〕の受けわたしが行われている。

得点アップアドバイス

2

(1) 水溶液中にイオンがあると電流が流れ，オルゴールが鳴る。

電解質

うすい塩酸や硫酸，食塩水は，水溶液中に陰(いん)イオンと陽イオンがある。

(3) 電子が導線内を移動するとき，電流の流れる向きは，電子が移動する向きとは逆になる。

3

確認 **電圧が生じる条件**

砂糖は電解質ではなく，水にとけても電離(でんり)しない。ガラスは電流が流れない。同種の金属では電圧は生じない。

4

(1) －極の表面では，亜鉛原子が⊖を2個失って陽イオンとなり，うすい塩酸中にとけ出していく。電極に残った⊖は，導線を通って，＋極へ向かって流れる。

Step 2 実力完成問題

解答 ▶ 別冊 p.4

1 【電解質の水溶液】

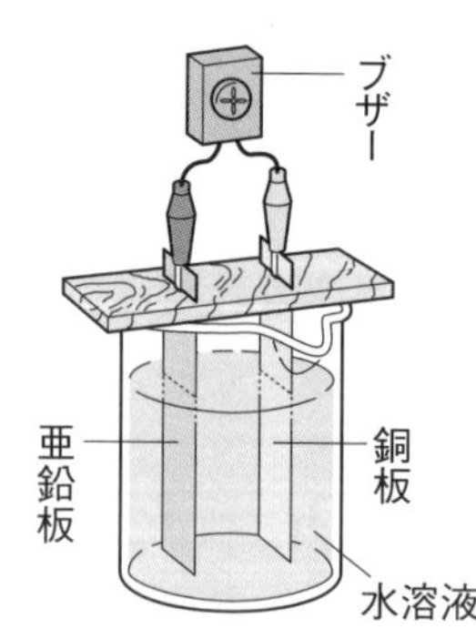

精製水に，食塩，砂糖，塩化水素，塩化銅の４種類の物質をそれぞれとかし，水溶液(すいようえき)をつくった。次に，右の図のように，各水溶液の中に亜鉛(あえん)板と銅板を電極として入れ，ブザーが鳴るかどうかを調べた。次の問いに答えなさい。

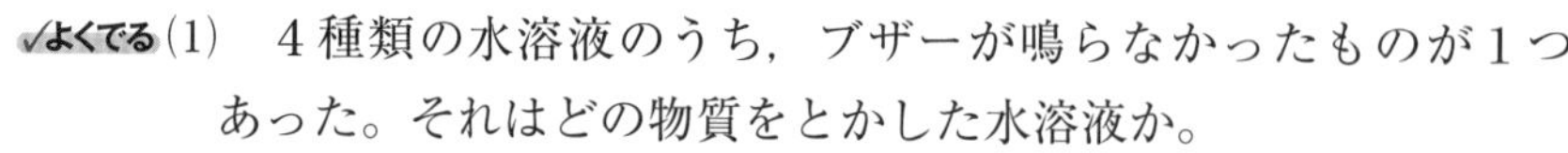

✓よくでる (1)　４種類の水溶液のうち，ブザーが鳴らなかったものが１つあった。それはどの物質をとかした水溶液か。

〔　　　　　　　　〕

(2)　(1)の水溶液でブザーが鳴らなかったのは，その水溶液にどのような性質があるからか。簡単に書け。〔　　　　　　　　　　　　　　　　　　　　〕

(3)　ブザーが鳴るのは，金属と水溶液が化学変化を起こしたとき，あるエネルギーが生じるためである。あるエネルギーとは何か。〔　　　　　　　　　　　　〕

2 【電池とイオン】

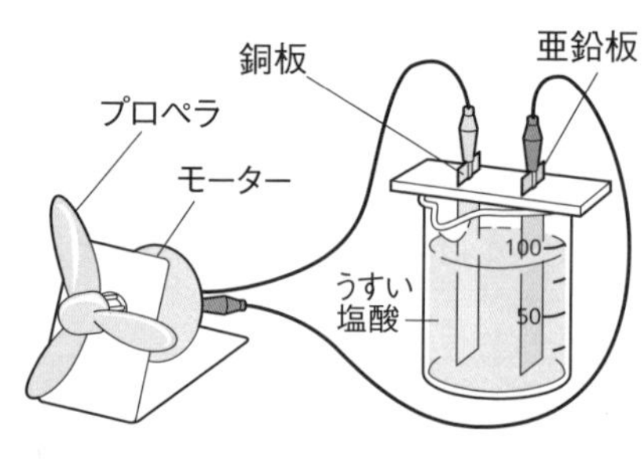

右の図のような装置で，プロペラが回転した。次の問いに答えなさい。

(1)　プロペラが回転しているとき，銅板上で発生する気体は何か。〔　　　　　　〕

(2)　(1)の化学変化を，電子(でんし)を⊖として表すと，次のようになった。ア，イに適するイオンと分子(ぶんし)の化学式を書け。

ア〔　　　　　　　　〕　イ〔　　　　　　　　〕

2［　ア　］＋　⊖⊖　→　［　イ　］

(3)　実験後の亜鉛板は，水溶液につかっていた部分がざらざらしていた。それはなぜか。理由を簡単に書け。〔　　　　　　　　　　　　　　　　　　　　〕

(4)　(3)の化学変化を，電子を⊖として，(2)の式と同じように表せ。

〔　　　　　　　　　　　　　　　　　　　　〕

(5)　この実験では，化学エネルギーを何に変換しているか。

〔　　　　　　　　　　　　〕

思考 (6)　この装置を次のようにかえた場合，プロペラの回転が止まるものを，次の**ア**～**ウ**からすべて選び，記号で答えよ。〔　　　　　　〕

ア　亜鉛板を銅板にかえた。

イ　亜鉛板と銅板を入れかえた。

ウ　うすい塩酸を砂糖水にかえた。

3 【身のまわりの電池】

右の図はマンガン乾電池の内部を示している。次の問いに答えなさい。

(1) マンガン乾電池で電解質の水溶液の役割をするのは，二酸化マンガンと黒鉛の粉末とを塩化アンモニウムをふくむ塩化亜鉛の水溶液でねり合わせたものである。それはA，B，Cのどれか。〔　　〕

(2) －極は，A，B，Cのどれか。〔　　〕

(3) マンガン乾電池のように，使うと電圧が低下してもとにもどらない電池を何というか。〔　　〕

(4) 次の文の①，②にあてはまる言葉を下の□から選んで書け。①〔　　〕②〔　　〕

外部から逆向きの電流を流すと〔 ① 〕が回復し，くり返し使うことができる電池を〔 ② 〕または蓄電池という。

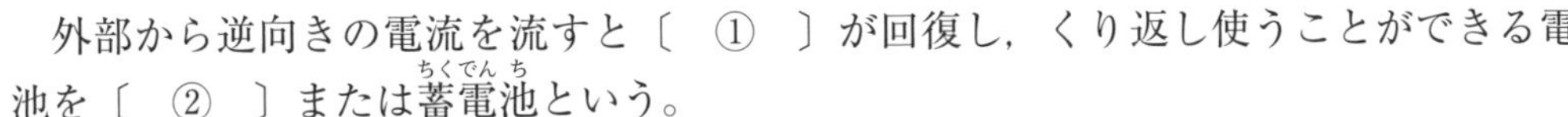

4 【燃料電池】

燃料電池について，次の問いに答えなさい。

燃料電池のしくみを正しく表したものを，次のア～エから1つ選び，記号で答えよ。〔　　〕

ア 水素 ＋ 酸素 ＋ 電気エネルギー ⟶ 水

イ 水素 ＋ 酸素 ⟶ 電気エネルギー ＋ 水

ウ 水 ＋ 酸素 ⟶ 電気エネルギー

エ 水 ＋ 水素 ＋ 電気エネルギー ⟶ 酸素

入試レベル問題に挑戦

5 【ダニエル電池】

右の図のダニエル電池の装置で，電子オルゴールが鳴った。次の問いに答えなさい。

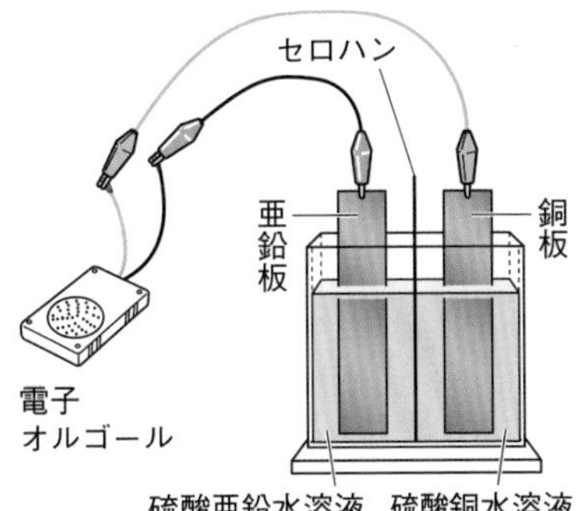

(1) 電子オルゴールが鳴っているとき，銅板の表面の電子の受けわたしのようすはどうなっているか。次のア～エから選び，記号で答えよ。〔　　〕

ア 銅原子が電子を失って銅イオンになる。

イ 銅原子が電子を受けとって銅イオンになる。

ウ 銅イオンが電子を失って銅原子になる。

エ 銅イオンが電子を受けとって銅原子になる。

思考 (2) 2つの水溶液の間にセロハンの仕切りがないと，電子オルゴールは鳴らなくなる。その理由を説明せよ。

〔　　〕

定期テスト予想問題 ①

時間 50分
解答 別冊p.5

得点 /100

1

右の図のような装置をつくり，いろいろな水溶液(すいようえき)に電流が流れるかどうか調べた。次の問いに答えなさい。

【2点×5】

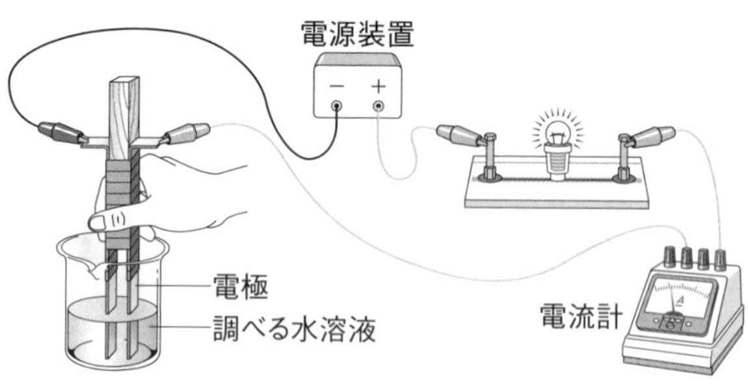

(1) この実験では，次のア～オの水溶液を調べた。電流が流れたのはどれか。適するものをすべて選び，記号で答えよ。

ア 食塩水　**イ** 砂糖水

ウ うすい塩酸　**エ** うすい水酸化ナトリウム水溶液　**オ** エタノール水溶液

(2) 水溶液にしたとき，電流が流れる物質を何というか。

(3) 水溶液にするときの溶媒(ようばい)として精製水を使った。精製水だけのとき，電流が流れるか。

(4) 食塩や砂糖が固体のとき，電流は流れるか。

(5) 上の(1)，(3)，(4)の結果から，どんなことがわかるか。次の**ア**，**イ**のうち，適するものを選び，記号で答えよ。

ア 精製水にとかせば，どんな物質でも電流が流れる。

イ 精製水にとかしたとき，電流が流れるようになる物質がある。

(1)		(2)		(3)		(4)		(5)	

2

右の図は，うすい塩酸が水溶液中でイオンに分かれているようすを表したものである。次の問いに答えなさい。

【2点×8】

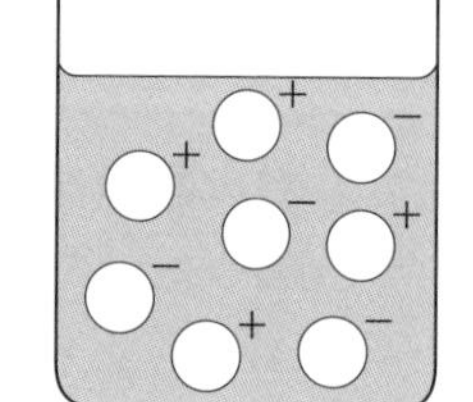

(1) 塩酸は何の水溶液か。化学式で書け。

(2) 原子(げんし)が電子(でんし)を失うことによってできるイオンを何というか。

(3) 原子が電子を受けとることによってできるイオンを何というか。

(4) 右の図の○$^{+}$，○$^{-}$で表されているイオンをそれぞれ何というか。イオン名を書け。

(5) 電解質(でんかいしつ)が水にとけ，＋(プラス)と－(マイナス)のイオンに分かれることを何というか。

(6) 塩酸が＋と－のイオンに分かれているようすを，イオンの化学式で表せ。

(7) 塩化ナトリウムが水溶液中で＋と－のイオンに分かれているようすを，イオンの化学式で表せ。

(1)		(2)		(3)		(4)	○$^{+}$	○$^{-}$
(5)		(6)				(7)		

3 右の図のような装置を用いて，うすい塩酸を電気分解したところ，気体Aと気体Bが発生した。次の問いに答えなさい。 【2点×5】

(1) 陰極（いんきょく）に発生した気体Aは何か。

(2) 陽極（ようきょく）に発生した気体Bは何か。

(3) この実験では，気体Aの体積より気体Bの体積が小さくなった。その理由として適切なものを，次のア～エから1つ選び，記号で答えよ。

ア 気体Aが気体Bより温度が高いから。

イ 気体Bの発生する量が少ないから。

ウ 気体Aが塩酸と反応するから。

エ 気体Bは気体Aより水にとけやすいから。

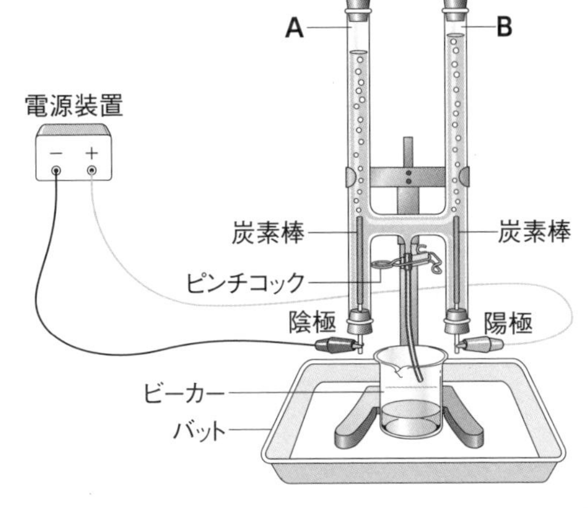

(4) 陽極に発生した気体Bと同じ気体を発生させるには，何を電気分解すればよいか。次のア～エから1つ選び，記号で答えよ。

ア 塩化銅水溶液　イ 水酸化ナトリウム水溶液　ウ 硫酸銅（りゅうさんどう）水溶液

エ うすい硫酸

(5) 陽極付近でイオンが変化するようすを正しく表しているのは，下のア～エのどれか。ただし，●はイオン，○は原子，⊖は電子を表すものとする。

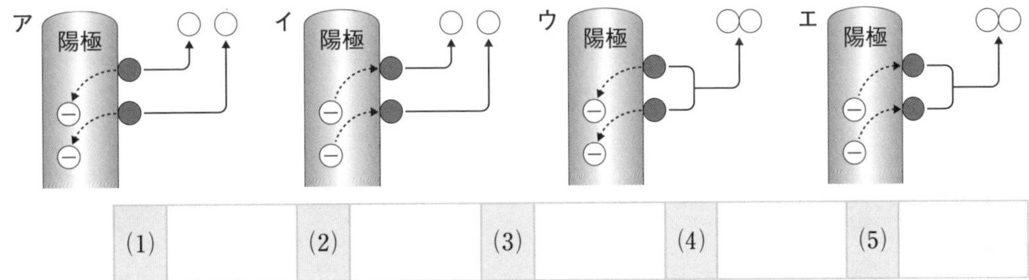

(1)		(2)		(3)		(4)		(5)	

4 右の図のような装置で，塩化銅水溶液に電流を流した。次の問いに答えなさい。 【2点×6】

(1) 電極A側からは気体が発生した。この気体は何か。

(2) (1)の気体のにおいを安全にかぐ方法を書け。

(3) 電極A付近の水溶液を赤インクに滴下すると，赤インクの色はどうなるか。

(4) 電極Bの表面に赤い物質が付着した。この物質は何か。

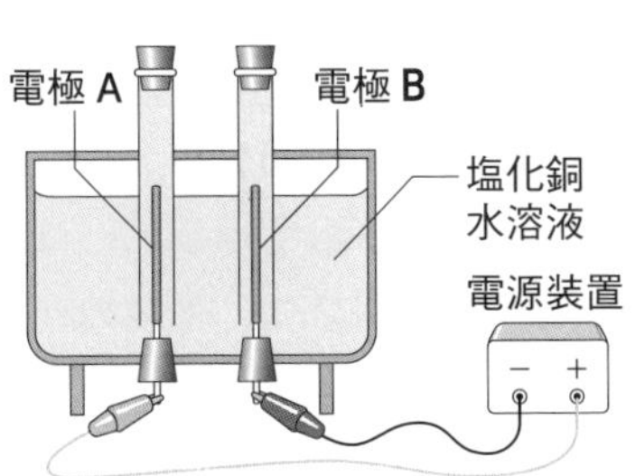

(5) 塩化銅が水にとけて，イオンに分かれるようすをイオンの化学式で書け。

(6) この電気分解で起きた化学変化を，化学反応式で表せ。

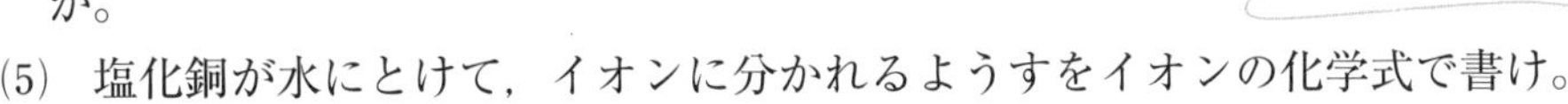

(1)		(2)		(3)	
(4)		(5)		(6)	

定期テスト予想問題①

5 右の図はヘリウム原子の構造を示している。次の問いに答えなさい。 【3点×6】

ア
イ
ウ
エ

(1) アは＋の電気をもっており，ウは電気をもっていない。ア～エはそれぞれ何か。あてはまる名称を答えよ。

(2) エがもっている電気は＋の電気か－の電気か。

(3) 次のア～オの中で正しいものをすべて選び，記号で答えよ。

ア　原子は原子核と電子からできている。

イ　陽子と電子の質量はほぼ等しい。

ウ　原子核の中には，＋の電気をもつ陽子と－の電気をもつ電子がある。

エ　陽子の数と電子の数が等しいので，原子は全体として電気を帯びていない。

オ　原子が電子を受けとれば陽イオンになり，失えば陰イオンになる。

(1)	ア	イ	ウ	エ
(2)		(3)		

6 右の図1のように，うすい硫酸の中に亜鉛板と銅板を入れ，導線をつないだところ，電圧計の針が動き，電流が流れることがわかった。次の問いに答えなさい。 【2点×10】

図1

亜鉛板
銅板
電圧計
うすい硫酸

(1) このような装置を何というか。

(2) 金属板を次の組み合わせにしたとき，電流は流れるか，流れないか。流れる場合は○，流れない場合は×を書け。

ア　銅板とアルミニウム板

イ　アルミニウム板と鉄板

ウ　銅板と銅板

エ　鉄板と亜鉛板

(3) 電流が流れる理由について述べている次の文中の①，②にあてはまる言葉を書け。

> この装置で電流が発生するのは，亜鉛板などがもっていた（　①　）エネルギーが（　②　）エネルギーに移り変わったためである。

(4) 右の図2は，この装置の金属板上での化学変化を示している。⊖は何を表しているか。

(5) 図2で，電流の向きはA，Bのどちらか。

(6) ＋極で起きている変化は，下のア，イのどちらか。

ア　$Zn \rightarrow Zn^{2+} + ⊖\ ⊖$

イ　$2H^{+} + ⊖\ ⊖ \rightarrow H_2$

図2

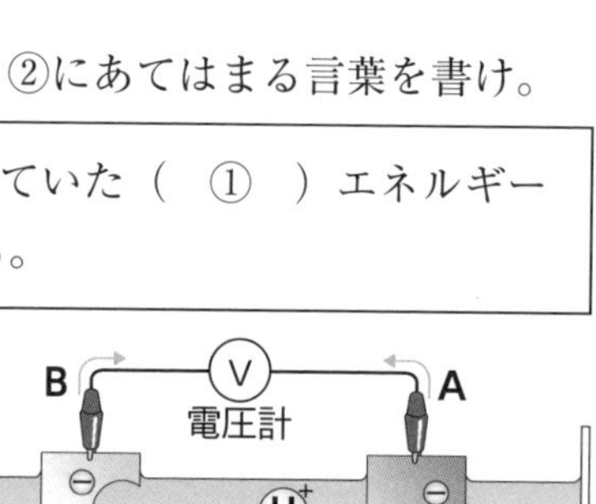

(1)		(2)	ア	イ	ウ	エ
(3)	①	②	(4)		(5)	(6)

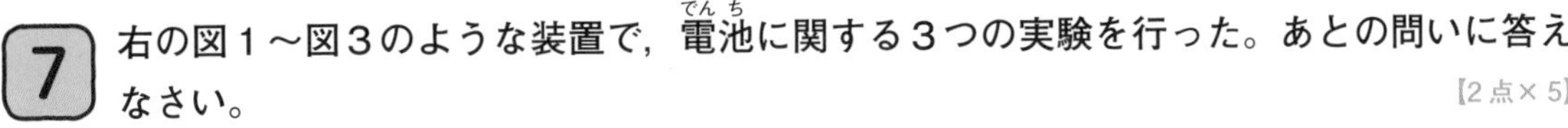

7 **右の図1～図3のような装置で，電池に関する3つの実験を行った。あとの問いに答えなさい。** 【2点×5】

〈実験〉**図1**はうすい塩酸に銅板と亜鉛板を入れた電池である。**図2**はうすい水酸化ナトリウム水溶液を満たした簡易電気分解装置である。**図1**の端子**A**を**図2**の端子**E**に，端子**B**を端子**F**に接続すると，**X**と**Y**から気体が発生した。発生した気体の体積比は**X**：**Y**＝2：1であった。**図3**は木炭の棒に食塩水でしめらせたろ紙を巻き，その上にアルミニウムはくを巻いた木炭電池である。

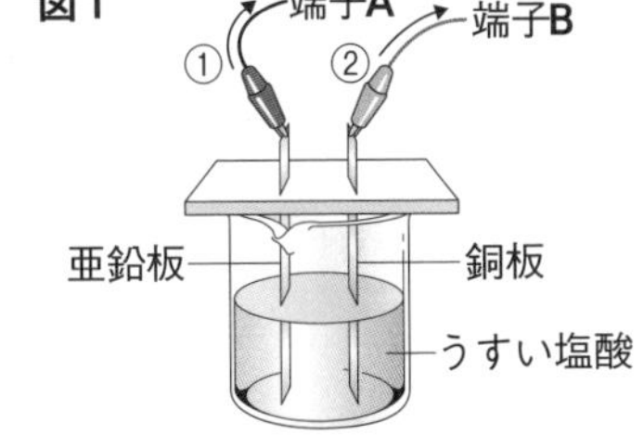

図2
X
Y
端子E
端子F
簡易電気分解装置

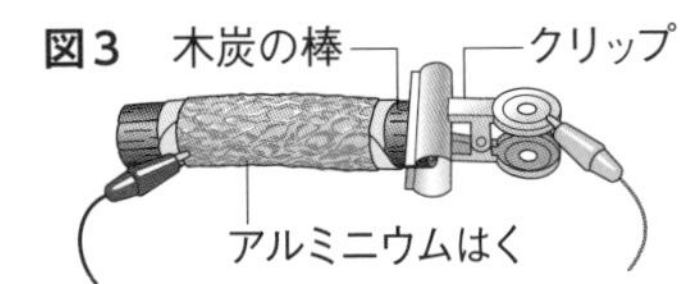

(1) **図1**で電流が流れる向きは，①と②のどちらか。

(2) **図2**の**X**，**Y**で発生する気体の名称をそれぞれ答えよ。

(3) **図2**で電気分解したあと，端子**E**と端子**F**を電子オルゴールにつなぐと，電子オルゴールが鳴った。このように水の電気分解とは逆の化学反応を利用する電池を何というか。

(4) 下の電池に関する文**ア**～**オ**の中で，正しいものをすべて選び，記号で答えよ。

ア **図1**で電流が流れている間観察すると，銅板の表面では気泡が発生しない。

イ **図1**でうすい塩酸のかわりに，濃いレモン水を用いても電池になる。

ウ **図1**で銅板と亜鉛板の表面積を2倍にすると，電圧も2倍になる。

エ **図3**で長時間電流を流すと，アルミニウムはくはぼろぼろになるが，木炭は変化しない。

オ **図3**で木炭の棒のかわりに，鉄の棒を用いても電池になる。

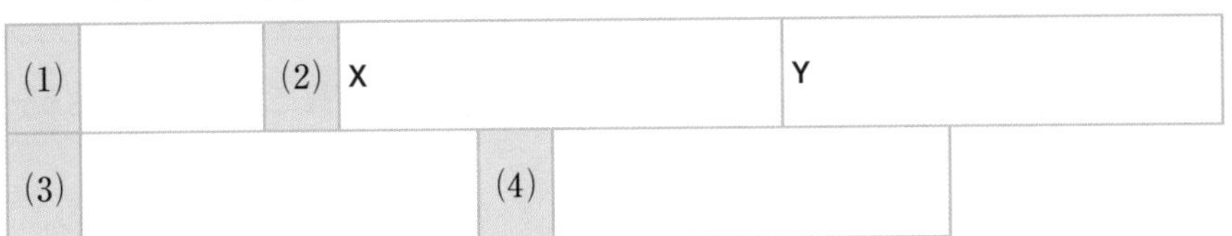

(1)		(2)	X	Y
(3)		(4)		

8 **右の図は，日常よく使われているマンガン乾電池のつくりを示している。これについて，次の問いに答えなさい。** 【2点×2】

(1) ＋極になるのは亜鉛の缶か，炭素棒か。

(2) 次の文の（　　）にあてはまる言葉を書け。

> 亜鉛原子が（　　　）になるとき電子を出し，電解質の水溶液中にとけ出し，電流が流れる。

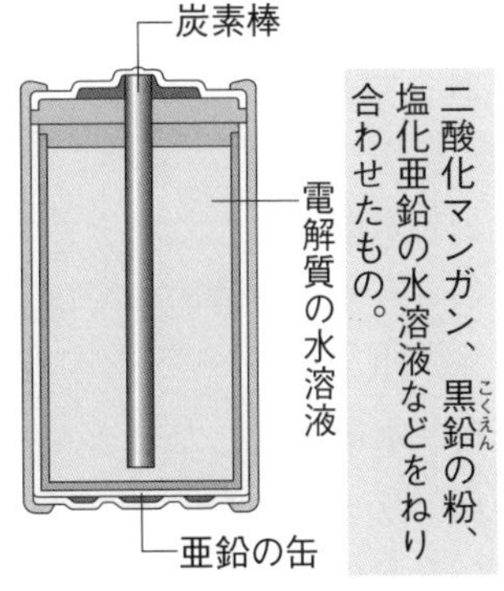

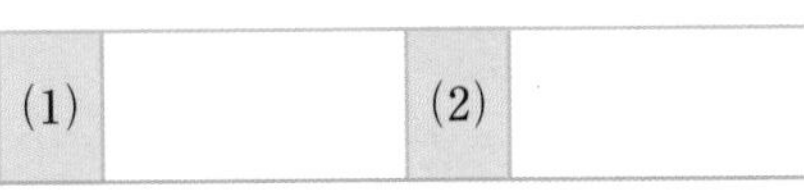

(1)		(2)	

4 酸・アルカリ

リンク
ニューコース参考書
中3理科
p.66～73

攻略のコツ リトマス紙やBTB溶液の色の変化を正確におさえておこう。

テストに出る! 重要ポイント

● 酸(さん)

❶ 酸性の水溶液(すいようえき)…青色リトマス紙を**赤変**。BTB溶液で**黄変**。金属との反応→**水素発生**。電解質(でんかいしつ)の水溶液。

❷ 酸…水溶液→水素イオンH^+を生じる。

例 塩酸 HCl，硫酸(りゅうさん) H_2SO_4，硝酸(しょうさん) HNO_3

● アルカリ

❶ アルカリ性の水溶液…赤色リトマス紙を**青変**。BTB溶液で**青変**。フェノールフタレイン溶液で**赤変**。電解質の水溶液。

❷ アルカリ…水溶液→水酸化物イオンOH^-を生じる。

例 水酸化ナトリウム NaOH，水酸化バリウム $Ba(OH)_2$

● pH(ピーエイチ)

❶ pH…酸性・アルカリ性の強さの程度を表す数値。

❷ pH＝7…中性
pH＜7…酸性
pH＞7…アルカリ性

Step 1 基礎力チェック問題

解答 別冊p.6

1 次の〔　〕にあてはまるものを選ぶか，あてはまる言葉を書きなさい。

(1) 酸性の水溶液は，〔赤色　青色〕リトマス紙を〔赤色　青色〕に変え，BTB溶液を加えると，〔黄色　青色〕に変わる。

(2) アルカリ性の水溶液は，フェノールフタレイン溶液を加えると，〔　　　〕に変わる。

(3) 水溶液にしたとき，〔　　　〕を生じる化合物を酸という。

(4) うすい塩酸の中では，塩化水素は次のように電離(でんり)している。
$HCl \rightarrow$〔　　　〕$+ Cl^-$

(5) 水溶液にしたとき，〔　　　〕を生じる化合物をアルカリという。

(6) リトマス紙を用いたイオン移動の実験器で，水素イオンは＋(プラス)の電気をもつので，〔陽極(ようきょく)　陰極(いんきょく)〕側に移動し，〔　　　〕色リトマス紙の色が変化する。

(7) 酸性・アルカリ性の強さの程度を表す数値を〔　　　〕という。

(8) pH＝7の状態の水溶液は〔　　　〕である。

得点アップアドバイス

1

(1) リトマス紙は酸性で青色→赤色に変わる。この性質を忘れたときは「青い梅の実が，赤くて酸(す)っぱい梅干(ぼ)しになる」ことを思い出そう。

(6) 同じ種類の電気はしりぞけ合い，異なる種類の電気は引き合う。

2 【身のまわりの酸・アルカリとpH】

下に示した液体ア～キについて，次の問いに答えなさい。

ア 食酢（しょくす）	イ せっけん水	ウ レモン汁（じる）	エ 胃液
オ 炭酸飲料水	カ 食塩水	キ 植物の灰を入れた水	

☑(1) 酸性の液はどれか。ア～キからすべて選び，記号で答えよ。〔　　　　〕

☑(2) (1)の液のpHは，7より大きいか，小さいか。〔　　　　〕

☑(3) アルカリ性の液はどれか。ア～キからすべて選び，記号で答えよ。〔　　　　〕

3 【酸性・アルカリ性の水溶液】

酸性・アルカリ性の水溶液について，次の問いに答えなさい。

☑(1) 次のア～オのうち，アルカリ性の水溶液にだけあてはまる性質をすべて選び，記号で答えよ。〔　　　　〕

ア 赤色リトマス紙を青くする。　イ BTB溶液を黄色にする。
ウ pHは7より大きい。　エ 電解質（でんかいしつ）の水溶液である。
オ マグネシウムリボンを入れると，水素を発生する。

☑(2) アルカリ性の水溶液に共通して存在するイオンの名称を書け。〔　　　　〕

4 【酸性・アルカリ性の正体】

右の図のような実験装置をつくった。次の問いに答えなさい。

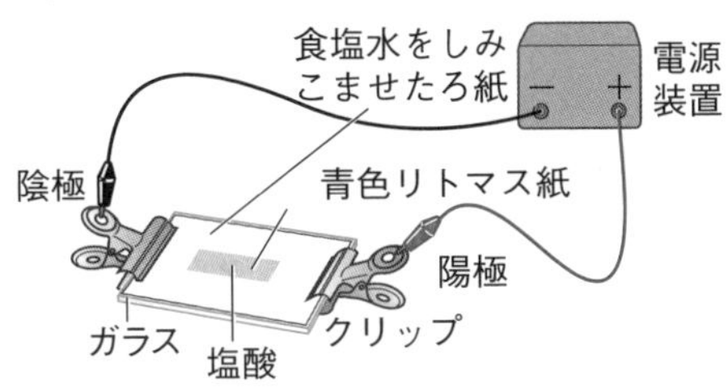

☑(1) この実験で電圧をかけたあと，青色リトマス紙についた赤色は，陽極，陰極のどちらに移動したか。〔　　　　〕

☑(2) (1)の結果から，酸性を示すイオンは陽（よう）イオンと陰（いん）イオンのどちらといえるか。〔　　　　〕

☑(3) 塩酸のかわりに水酸化ナトリウム水溶液を用い，赤色リトマス紙を使って，同様の実験を行った。リトマス紙の中央についた青色は，陽極，陰極のどちらに移動したか。〔　　　　〕

☑(4) (3)の結果から，アルカリ性を示すイオンは，陽イオンと陰イオンのどちらといえるか。〔　　　　〕

☑(5) 酸性を示す水溶液に共通してあるイオンの名称と化学式を書け。

名称〔　　　　〕　化学式〔　　　　〕

得点アップアドバイス

2

(1) 胃液には塩酸がふくまれている。

(3) 植物の灰を入れた水は，せっけん水と同じ性質を示す。

3

(1) アルカリ性では，ほとんどの金属が反応しない。

確認 金属との反応

酸性の水溶液に金属を入れると，金属がとけて水素が発生する。

(2) 例えば水酸化ナトリウム水溶液には，どのようなイオンがあるか思い出してみよう。

4

確認 リトマス紙の色の変化

青色リトマス紙が赤色に変わるのは，塩酸中の＋の電気をもったイオンによる。

Step 2 実力完成問題

解答 別冊p.6

1 【アルカリ性・酸性の水溶液と pH】

次のア～キの水溶液(すいようえき)について，あとの問いに答えなさい。

ア　食塩水　　イ　炭酸水　　ウ　せっけん水　　エ　アンモニア水
オ　砂糖水　　カ　うすい塩酸　　キ　水酸化ナトリウム水溶液

よくでる (1)　青色リトマス紙につけると，リトマス紙が赤色に変化する水溶液はどれか。すべて選び，記号で答えよ。また，このことからわかる水溶液の性質も答えよ。

記号〔　　　　　〕　性質〔　　　　　〕

(2)　フェノールフタレイン溶液を加えたとき，赤色を示す水溶液はどれか。すべて選び，記号で答えよ。また，このことからわかる水溶液の性質も答えよ。

記号〔　　　　　〕　性質〔　　　　　〕

(3)　緑色の BTB 溶液を加えたとき，液が緑色のままの水溶液はどれか。すべて選び，記号で答えよ。また，この水溶液の pH(ピーエイチ) の数値を答えよ。

記号〔　　　　　〕　数値〔　　　　　〕

2 【いろいろな水溶液】

水溶液A～Cがある。これらは食塩水，食酢(しょくす)，石灰水のいずれかである。それぞれの水溶液の性質を調べるため，次の実験を行った。これについて，あとの問いに答えなさい。

〈実験１〉　３つの水溶液のにおいを調べたところ，Cだけ刺激臭(しげきしゅう)があった。

〈実験２〉　３つの水溶液をそれぞれ赤色リトマス紙につけたところ，Aだけリトマス紙を青色に変えた。

よくでる (1)　実験室で水溶液のにおいを調べるとき，右の図のア，イのどちらのようにしてかぐのがよいか。記号で答えよ。〔　　　〕

ア　手であおぐようにしてにおいをかぐ。
イ　鼻に近づけてにおいをかぐ。

(2)　実験２より，Aの水溶液の性質は何性とわかるか。〔　　　〕

(3)　３つの水溶液にマグネシウムリボンを入れたところ，１つの水溶液だけ気体が発生した。この水溶液はどれか。A～Cから１つ選び，記号で答えよ。また，発生した気体は何か。気体名を書け。　水溶液〔　　　〕　気体名〔　　　　　〕

3 【酸とアルカリ】

うすい硫酸(りゅうさん)とうすい塩酸に，それぞれ亜鉛(あえん)の小片を入れると下の表のような結果になった。次の文の〔　　　〕にあてはまる言葉やイオンの化学式を書きなさい。

①〔　　　〕　②〔　　　〕
③〔　　　〕　④〔　　　〕
⑤〔　　　〕　⑥〔　　　〕

亜鉛との反応	気体が発生し，亜鉛がとけた
発生した気体の色とにおい	無色でにおわない
発生した気体の可燃性	火をつけると音を出して燃えた

表の結果から，硫酸や塩酸には共通の何かがふくまれていると考えられる。この共通のものをイオンの化学式で表すと〔 ① 〕と書ける。また，〔 ① 〕をたくさんふくむ水溶液にBTB溶液を少し加えると，〔 ② 〕色になる。
一般(いっぱん)に水にとかすと〔 ① 〕を生じる物質をまとめて〔 ③ 〕という。水酸化ナトリウムやアンモニアのように，水にとかすと〔 ④ 〕イオンを生じる物質を〔 ⑤ 〕という。④をイオンの化学式で表すと〔 ⑥ 〕と書ける。

4 【イオンの移動】

右の図のような装置で，食塩水でしめらせたpH試験紙の中央に水酸化ナトリウム水溶液をしみこませたろ紙をのせ，両端(りょうはし)から電圧を加えて色の変化を調べた。次の問いに答えなさい。

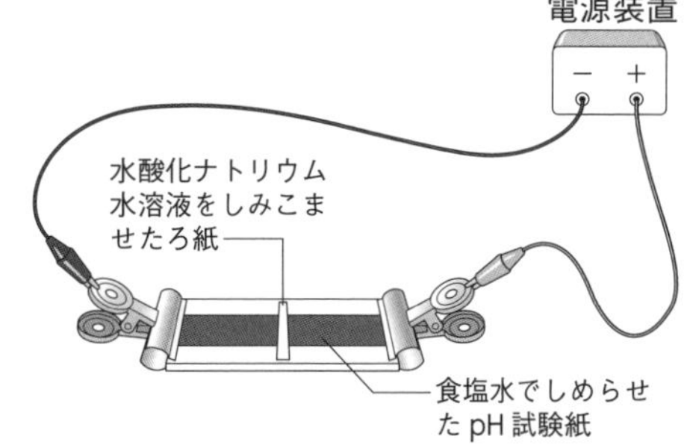

✓よくでる (1) 水酸化ナトリウムが電離(でんり)するとき生じる陽(よう)イオンと陰(いん)イオンの名称(めいしょう)を書け。
陽イオン〔 〕
陰イオン〔 〕

(2) 水酸化ナトリウムが電離しているようすを，イオンの化学式を使って書け。
〔 〕

思考 (3) 電圧を加えてしばらくすると，水酸化ナトリウム水溶液をしみこませたろ紙のまわりの青色は，どのように移動したか。簡潔に書け。
〔 〕

入試レベル問題に挑戦

5 【酸・アルカリとイオン】

水溶液中のイオンと酸・アルカリの関係を調べるため，下の図のように台紙（ろ紙）の上にリトマス紙A～Dを置いた装置をつくった。次の問いに答えなさい。

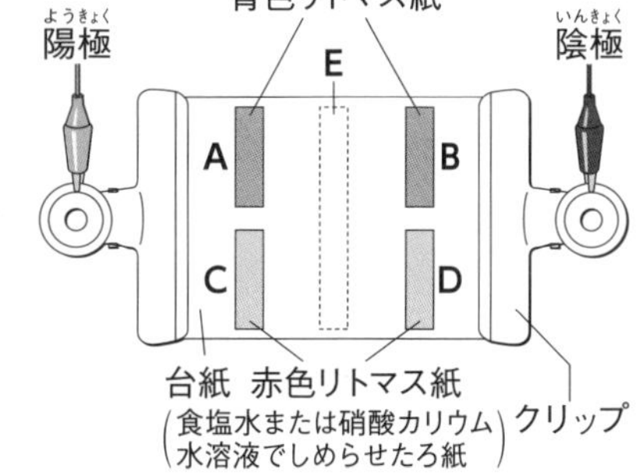

(1) 右の図の台紙を，食塩水（または硝酸(しょうさん)カリウム水溶液）でしめらせた理由を書け。
〔 〕

✓よくでる (2) うすい硫酸をしみこませたろ紙をEに置いて電圧を加えたとき，そのろ紙から右に移動するイオンをイオンの化学式で書け。
〔 〕

ミス注意 (3) 水酸化ナトリウム水溶液をしみこませたろ紙をEに置いて電圧を加えたとき，色が変化するリトマス紙はどれか。記号で答えよ。
〔 〕

ヒント
H^+とOH^-は水溶液中で水H_2Oになるので，同じ水溶液中に存在しないと覚えておくこと。

5 中和反応

リンク
ニューコース参考書
中3理科
p.74～81

攻略のコツ 中和反応が起こっても，中性とはいえない。中和と中性を区別しよう。

テストに出る！ 重要ポイント

- **酸とアルカリの水溶液の反応**
  - ● 塩酸に水酸化ナトリウム水溶液を加えたときの反応
    ①水溶液の性質の変化…酸性→中性→アルカリ性
    ②中性の水溶液を加熱→塩化ナトリウムの結晶が残る。
- **中和と中性**
  - ❶ **中和**…水素イオンH^+と水酸化物イオンOH^-が結びついて，水H_2Oができる反応。
  - ❷ **中性**…水溶液中にH^+もOH^-も存在せず，酸性もアルカリ性も示さない状態。

$$H^+ + OH^- \rightarrow H_2O$$

水素イオン　水酸化物イオン　水

- **塩**
  - ●塩…酸の陰イオンとアルカリの陽イオンが反応してできる。
    酸 ＋ アルカリ → 水 ＋ 塩
    例 塩化ナトリウム，硝酸カリウム，硫酸バリウム

Step 1 基礎力チェック問題

解答 別冊p.7

1 次の〔　〕にあてはまるものを選ぶか，あてはまる言葉を書きなさい。

(1) うすい塩酸に2～3滴のBTB溶液を加えると〔　　　〕になる。

(2) (1)の水溶液にうすい水酸化ナトリウム水溶液を少しずつ加えていくと，青色になった。このとき水溶液は〔酸性　中性　アルカリ性〕である。

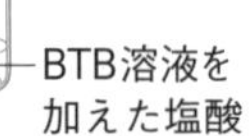

(3) 次に(2)の水溶液にうすい塩酸を少しずつ加えていくと，液の色が緑色になった。このとき，水溶液は〔酸性　中性　アルカリ性〕である。

(4) 緑色になった(3)の水溶液の水を蒸発させると，白色の物質が残った。これは〔　　　〕である。

(5) 酸の水素イオンとアルカリの水酸化物イオンが反応すると，水ができる。この反応を〔　　　〕という。

(6) 酸とアルカリが中和して〔　　　〕になった水溶液中には，水素イオンも水酸化物イオンもない。

(7) 硝酸に水酸化カリウム水溶液を加えると，塩の〔　　　〕ができる。

得点アップアドバイス

1

(1) BTB溶液は，水溶液のpHによって，次のように色が変わる。

pH<7	酸性	黄色
pH=7	中性	緑色
pH>7	アルカリ性	青色

(7) この反応は次の式で表される。

$$HNO_3 + KOH \rightarrow KNO_3 + H_2O$$

2 【酸とアルカリの水溶液の反応】

右の図のように，BTB 溶液を加えたうすい塩酸に，X を使って水酸化ナトリウム水溶液を少しずつ加えていったとき，混合液は緑色になった。次の問いに答えなさい。

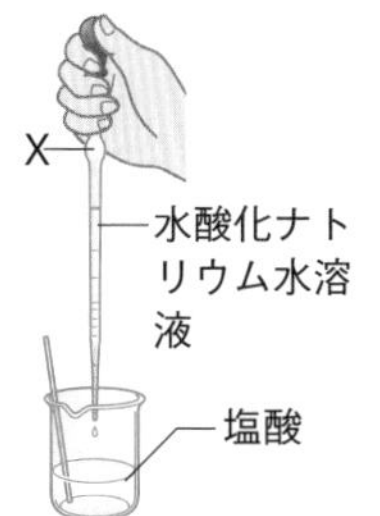

(1) BTB 溶液を加えた塩酸の色は何色か。 〔　　　　〕

(2) 図の X で示された器具の名称を書け。 〔　　　　〕

(3) 緑色の混合液の一部をとり，水を蒸発させると白い固体が残った。この物質は何か。物質名を書け。 〔　　　　〕

(4) この実験のように，酸性の水溶液とアルカリ性の水溶液を混ぜたとき，塩と水ができる反応を何というか。 〔　　　　〕

3 【中和とイオン】

下の図ア～ウは，水酸化ナトリウム水溶液と塩酸を混ぜ合わせたときのイオンのようすを表している。ア，イ，ウを時間の経過順にならべなさい。 〔　　〕→〔　　〕→〔　　〕

ア
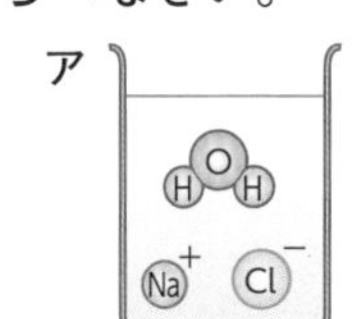

イ
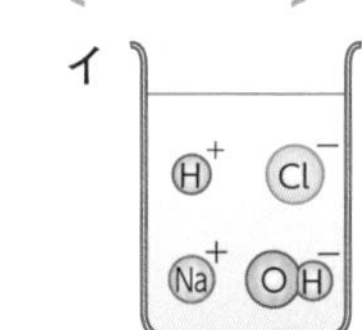

ウ
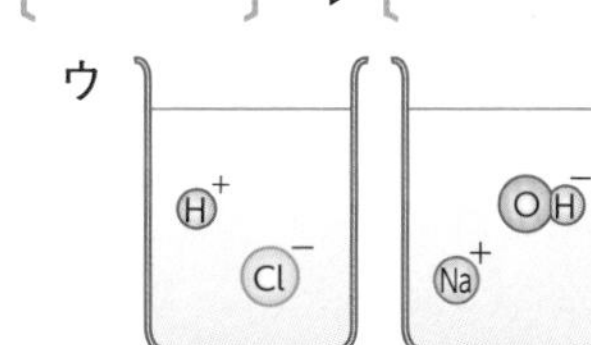

（混ぜたときの液量は，考えないものとする）

4 【中和】

5個のビーカーA～Eに硫酸と水酸化バリウム水溶液を表に示すように入れて混ぜ合わせた。この混ぜ合わせた溶液の性質を調べると，Aは酸性で，Cは中性であった。次の問いに答えなさい。

(1) この実験ではすべてのビーカーに白い沈殿（ちんでん）ができた。この沈殿は何か。物質名を答えよ。 〔　　　　〕

	A	B	C	D	E
硫酸〔cm^3〕	30	30	30	30	30
水酸化バリウム水溶液〔cm^3〕	5	10	15	20	25

(2) ビーカーDの水溶液の性質をリトマス紙で調べるとどうなるか。次のア～ウから1つ選び，記号で答えよ。 〔　　〕

ア 赤色リトマス紙が青変する。　**イ** 青色リトマス紙が赤変する。

ウ 赤色リトマス紙も青色リトマス紙も変化しない。

(3) Aの混合液を中性にするには，この実験に用いたのと同じ濃度（のうど）の水溶液のどちらを，何 cm^3 加えればよいか。

水溶液〔　　　　〕　体積〔　　　　〕

得点アップアドバイス

2

(2) この器具は，少量の液体を必要な量だけとるもの。液体がゴム球に流れこむと，ゴム球がいたむので，安全球がつけられている。

(3) 中性の水溶液中では中和により，塩ができている。

確認 中性

BTB 溶液を入れた塩酸が，緑色になったときが中性。

3

● 最初は塩酸と水酸化ナトリウム水溶液は，別々。

4

(1) 硫酸と水酸化バリウム水溶液を混ぜ合わせると，次の反応がおこる。

$H_2SO_4 + Ba(OH)_2 \rightarrow BaSO_4 + 2H_2O$

(3) 水溶液が中性のCのとき，硫酸と水酸化バリウム水溶液の体積の割合は，30：15＝2：1
Aの混合液もこの割合になるようにすればよい。

Step 2 実力完成問題

解答 別冊p.7

1 【酸とアルカリの水溶液の反応】

うすい塩酸15 cm^3の入ったビーカーにBTB溶液(ようえき)を加えると，黄色を示した。このビーカーに水酸化ナトリウム水溶液を右下の図のように少しずつ加えて，そのつどかき混ぜたところ，18 cm^3加えたところで液の色が中性を示した。さらに2 cm^3加えると，また液の色は変化した。次の問いに答えなさい。

(1) この液の色はどのように変化していったか。次のア～エから1つ選び，記号で答えよ。〔　　　〕

ア　黄色→赤色→緑色　　イ　黄色→青色→緑色

ウ　黄色→緑色→赤色　　エ　黄色→緑色→青色

ミス注意 (2) 塩酸にマグネシウムリボンを入れると気体が発生する。この実験で水酸化ナトリウム水溶液を18 cm^3加えてできた水溶液にマグネシウムリボンを入れると，気体は発生するか。〔　　　〕

(3) この実験で用いたのと同じ濃度(のうど)の塩酸45 cm^3に水酸化ナトリウム水溶液を40 cm^3加えて混ぜ合わせた。このときできた混合液の性質は何性か。〔　　　〕

2 【中和と塩】

酸(さん)とアルカリの水溶液について，次の問いに答えなさい。

(1) 酸を水溶液にしたときに生じる陽(よう)イオンは何か。〔　　　〕

(2) アルカリを水溶液にしたときに生じる陰(いん)イオンは何か。〔　　　〕

(3) 右の**図1**は，塩酸と水酸化ナトリウム水溶液を混ぜ合わせたときの反応を表している。図の①～③にあてはまるイオンの化学式，または化学式を書け。

①〔　　　〕②〔　　　〕

③〔　　　〕

図1

$$HCl \rightarrow (\ ①\ ) + Cl^-$$

$$NaOH \rightarrow Na^+ + (\ ②\ )$$

$$HCl + NaOH \rightarrow (\ ③\ ) + H_2O$$

(4) **図1**の③と水ができるような反応を何というか。〔　　　〕

(5) 酸の陰イオンとアルカリの陽イオンからできる物質を何というか。〔　　　〕

(6) **図2**は，塩酸と水酸化ナトリウム水溶液をイオンで表したものである。この2つの水溶液を混ぜ合わせたときのイオンのようすを，右のビーカーの中にかけ。ただし水は H_2O で表すものとする。

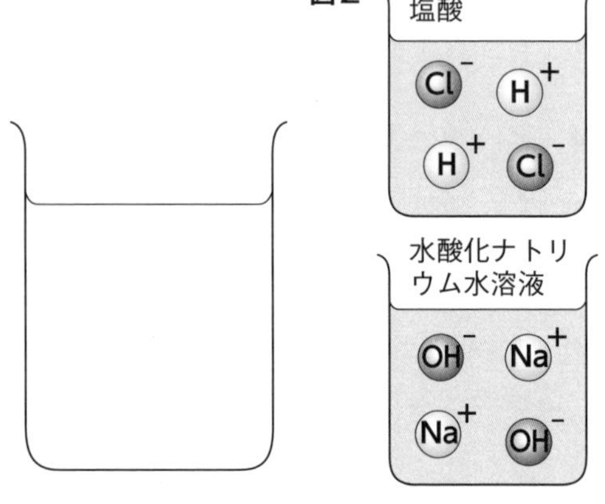

3 【酸とアルカリの水溶液の反応】

A，B，C，Dのビーカーに，塩酸と水酸化ナトリウム水溶液を，それぞれ下に示す体積で混合した。次の問いに答えなさい。

	A	B	C	D
塩酸〔cm^3〕	10	20	30	40
水酸化ナトリウム水溶液〔cm^3〕	50	40	30	20
性　質	アルカリ性	アルカリ性	中性	酸性

(1) 塩酸と水酸化ナトリウム水溶液を混ぜ合わせることで，おたがいの性質を打ち消す反応が起きた。このような反応を何というか。〔　　　〕

(2) Bの混合液を中性にするには，この実験で用いたのと同じ濃度の塩酸を何cm^3加えればよいか。〔　　　〕

よくでる (3) Dのビーカーにマグネシウムリボンを入れたところ，気体が発生した。この気体は何か。〔　　　〕

(4) (3)の気体の発生しているビーカーに，ある水溶液を加えていくと気体は発生しなくなった。このとき加えた水溶液として適切なものはどれか。次のア～ウから１つ選べ。

ア　食塩水　　イ　硫酸（りゅうさん）　　ウ　水酸化カルシウム水溶液　〔　　　〕

4 【酸の性質】

塩酸について，次の問いに答えなさい。

(1) 塩酸は何という物質の水溶液か。物質名を答えよ。〔　　　〕

(2) 塩酸の電離（でんり）のようすをイオンの化学式を使って表せ。〔　　　〕

(3) 塩酸が酸の性質を示すもとになっているものは何か。イオンの名称（めいしょう）を答えよ。

〔　　　〕

入試レベル問題に挑戦

5 【中和と塩】

うすい水酸化ナトリウム水溶液 25 cm^3 をビーカーに入れ，フェノールフタレイン溶液を２～３滴（てき）加えた。この水溶液に，うすい塩酸を加えていくと，塩酸を 20 cm^3 加えたとき，ビーカー内の色が変化した。次の問いに答えなさい。

(1) 下線部の色の変化は，何色から何色に変わったか。

〔　　　〕色から〔　　　〕色に変わった。

思考 (2) ビーカー内の水溶液中の① Na^+，② OH^- の数の変化を表したグラフはどれか。次のア～エからそれぞれ１つ選べ。　①〔　　　〕②〔　　　〕

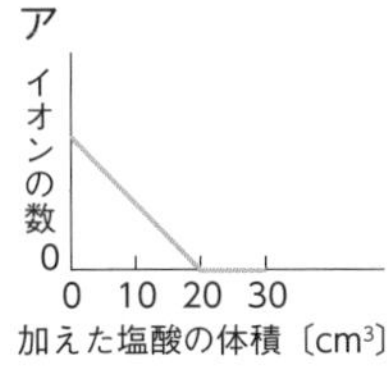

イ
イオンの数
0
0 10 20 30
加えた塩酸の体積〔cm³〕

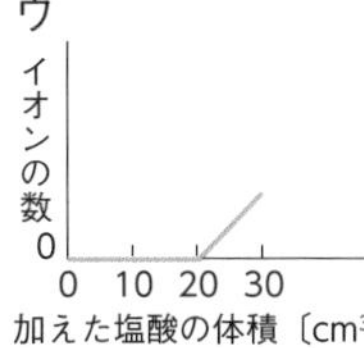

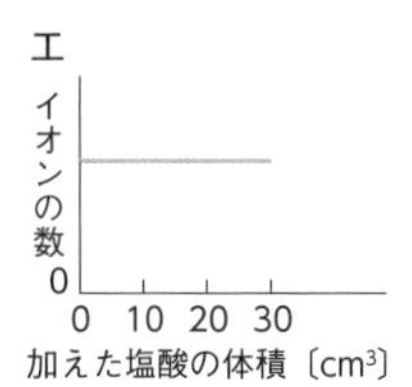

ヒント

(2) うすい水酸化ナトリウム水溶液は，アルカリ性なので水溶液中にはOH^-がある。

定期テスト予想問題 ②

時間 50分
解答 別冊p.8

得点 /100

1 **5種類の水溶液A～Eについて，次の実験を行った。下の表はその結果をまとめたものである。あとの問いに答えなさい。ただし，A～Eは，石灰水，炭酸水，食塩水，アンモニア水，砂糖水のどれかであることがわかっている。** 【2点×5】

〈実験１〉それぞれの水溶液を赤色リトマス紙につけ，色の変化を調べた。

〈実験２〉それぞれの水溶液を蒸発皿にとり，ガスバーナーで熱した。水分が蒸発したあと，何が残るかを調べた。

〈実験結果〉

	A	B	C	D	E
実験１	変化しなかった	青色に変化した	変化しなかった	変化しなかった	青色に変化した
実験２	こげた黒い固体が残った	何も残らなかった	何も残らなかった	白色の固体が残った	白色の固体が残った

(1) 実験１で，赤色リトマス紙を青色に変えた水溶液は何性か。

(2) DとEの水溶液は，それぞれ何か。

(3) 気体のとけている水溶液はどれか。A～Eからすべて選び，記号で答えよ。

(4) 実験２のAで残った，こげた黒い固体は，何がこげたものか。物質名を答えよ。

(1)		(2)	D	E	(3)		(4)	

2 **水酸化カリウム水溶液を使い，いろいろな実験をした。これについて，次の問いに答えなさい。** 【2点×5】

(1) 水酸化カリウムを水にとかすと，その水溶液は，酸性・中性・アルカリ性のどれになるか。

(2) 右の図で，うすい水酸化カリウム水溶液を6 cm^3 加えたところ，ビーカー内の液は中性になった。このとき，液は何色か。

(3) (2)のとき，液のpHの値はいくらか。

(4) (2)の液を蒸発皿に入れて水分を蒸発させたところ，白色の固体が残った。この固体の化学式を書け。

(5) この実験で用いたうすい硝酸5 cm^3（BTB溶液を加えてある）に，この実験で用いたうすい水酸化カリウム水溶液を少しずつ4 cm^3 まで加えたとき，この混合液は何色を示すか。

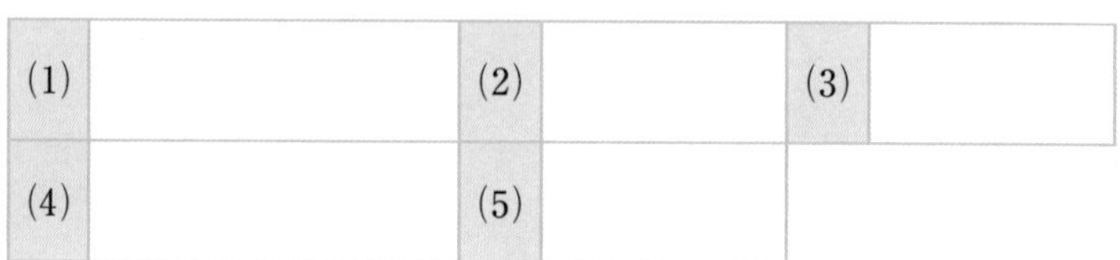

(1)		(2)		(3)	
(4)		(5)			

3 水溶液の性質を調べるために，次の実験１～４を行った。あとの問いに答えなさい。

【2点×5】

〈実験１〉うすい塩酸をガラス棒で青色リトマス紙につけたところ，リトマス紙は（ ① ）色になった。

〈実験２〉水酸化ナトリウムが少量とけている水溶液をかき混ぜながら，緑色のBTB溶液を数滴加えたところ，水溶液は（ ② ）色になった。

〈実験３〉実験２で（ ② ）色になった水溶液をかき混ぜながら，その中にうすい塩酸を１滴ずつ加えたところ，水溶液が緑色になったので，加えるのをやめた。

〈実験４〉実験３で緑色になった水溶液を，さらにかき混ぜながら，うすい塩酸を１滴ずつ加えたところ，水溶液は（ ③ ）色になった。

⑴ 上の①～③にあてはまる色は何色か。

⑵ 実験３で，塩酸を加えていくためにこまごめピペットを片手で持って使うとき，最も適切な持ち方を，次の**ア**～**エ**から１つ選び，記号で答えよ。

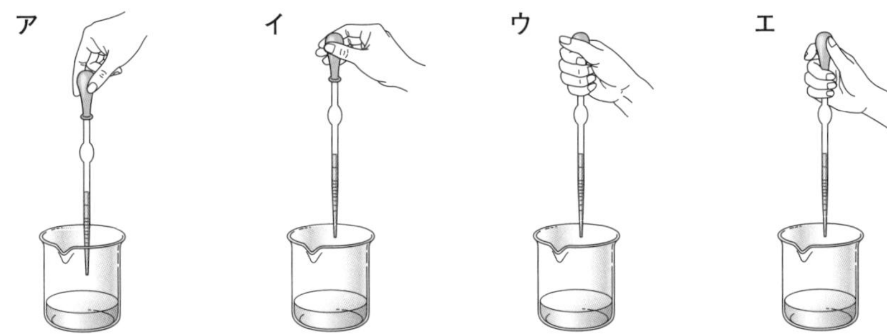

⑶ 実験３では，酸性の性質とアルカリ性の性質がたがいに打ち消し合っている。この反応を何というか。漢字２字で答えよ。

⑴	①	②	③	⑵		⑶	

4 右の図の装置で，ろ紙Aにいろいろな水溶液をしみこませて電圧をかけた。次の問いに答えなさい。

【2点×4】

⑴ ろ紙Aに硝酸をしみこませて実験をすると，**ア**～**エ**のリトマス紙のうちで色が変わるものはどれか。記号で答えよ。

⑵ ろ紙Aに水酸化ナトリウム水溶液をしみこませて実験をすると，**ア**～**エ**のリトマス紙のうちで色が変わるものはどれか。記号で答えよ。

⑶ ⑵の原因になるイオンは何か。イオンの名称とイオンの化学式をそれぞれ答えよ。

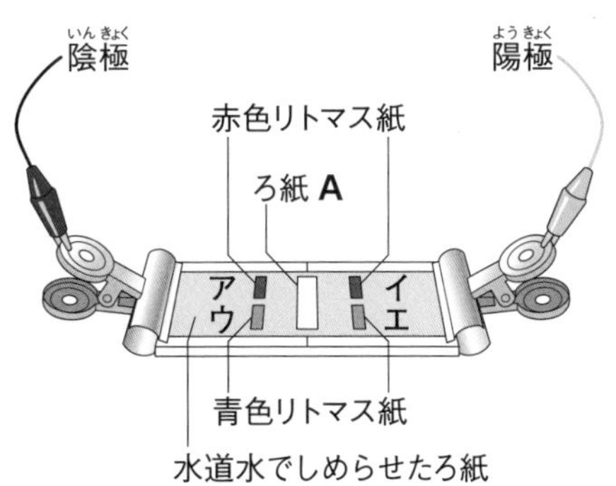

⑴		⑵		⑶	名称	化学式

5 試験管にうすい塩酸 5 cm³ をとり，BTB 溶液を数滴加えた。この水溶液に水酸化ナトリウム水溶液を少しずつ加えていったところ，3 cm³ 加えたところで緑色に変わった。次の問いに答えなさい。

【2 点 × 6】

(1) 水酸化ナトリウム水溶液を加える前，塩酸に BTB 溶液を加えると何色になっていたか。

(2) 液が緑色になった水溶液を加熱し，水を蒸発させると白い固体の物質が残った。この物質の名称を書け。

(3) 液が緑色になったとき，この液の性質を何というか。

(4) この実験で，マグネシウムリボンをうすい塩酸に加えておき，水酸化ナトリウム水溶液を加えていくと，気体の発生はどのように変化するか。次のア～ウから 1 つ選び，記号で答えよ。

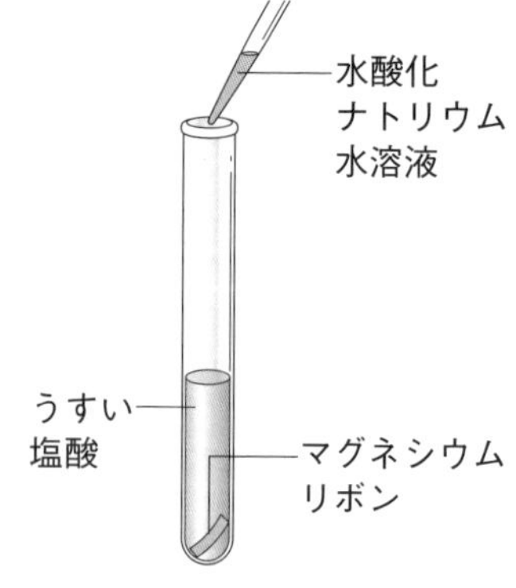

ア 気体は，最初発生していたが，しだいに発生しなくなる。
イ 気体は，最初発生していないが，しばらくすると発生する。
ウ 気体は，最初から最後まで同じように発生している。

(5) (4)で発生した気体は何か。その名称を書け。

(6) 同じ濃度の塩酸 40 cm³ に BTB 溶液を加え，同じ濃度の水酸化ナトリウム水溶液を加えていくとき，緑色になるのには何 cm³ 加えればよいか。

(1)		(2)		(3)	
(4)		(5)		(6)	

6 右の図のように，うすい水酸化カリウム水溶液にフェノールフタレイン溶液を加え，うすい硝酸を少しずつ加えていったところ，8 cm³ 加えたときに溶液の色が変化した。次の問いに答えなさい。

【(2)は 3 点，ほかは 2 点 × 6】

(1) 硝酸を 2 cm³ 加えたときの水溶液の色は何色か。

(2) 硝酸を 8 cm³ 加えるまでの水溶液中で起こっている水ができる反応を，イオンの化学式を使って書け。

(3) 硝酸を 8 cm³ 加えた水溶液中にあるイオンを，化学式を用いてすべて答えよ。

(4) 次の文の①～④にあてはまる言葉を書け。

この実験のように，酸の水溶液とアルカリの水溶液を混ぜ合わせると，酸の（ ① ）とアルカリの（ ② ）が結びついて（ ③ ）をつくり，たがいの性質を打ち消し合う。この反応を（ ④ ）という。

(1)		(2)		(3)	
(4)	①	②	③	④	

7 ある濃度の水溶液(A)と水酸化ナトリウム水溶液(B) 60 cm^3 を，下の図のようなモデルで表した。次の問いに答えなさい。

【(2)は 4 点，ほかは 2 点× 5】

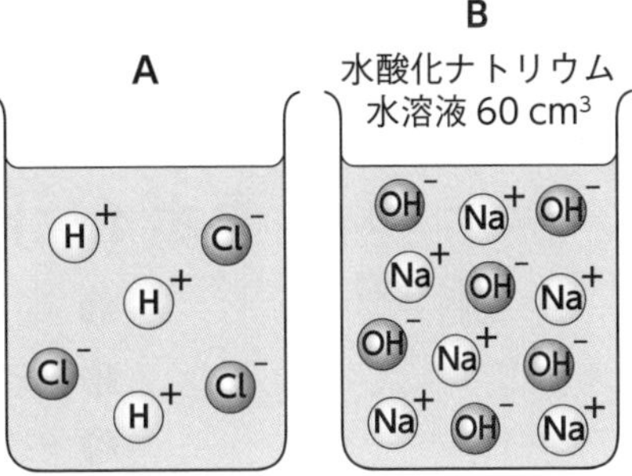

(1) Aのモデルで表される水溶液は何か。物質名で答えよ。

(2) Aの水溶液に，Bの水酸化ナトリウム水溶液 10 cm^3 を加えたときのモデルを右下の図の中にかけ。ただし水は H_2O で表すものとする。

(3) (2)のときの水溶液の性質をリトマス紙で調べると，何色リトマス紙を何色に変えるか。

(4) (2)の混合液をスライドガラス上にとり，加熱して液体を蒸発させたときに残る白色の物質は何か。化学式で答えよ。

(5) (2)のときのAを完全に中和(ちゅうわ)するには，右上の図のBの水酸化ナトリウム水溶液をあと何 cm^3 加えればよいか。

(6) Aの水溶液にBの水酸化ナトリウム水溶液を 60 cm^3 加えたとき，混合液の pH(ピーエイチ) はどうなるか。下のア～ウから選び，記号で答えよ。

ア pH>7　　**イ** pH＝7　　**ウ** pH<7

(1)		(2)	図に記入	(3)	
(4)		(5)		(6)	

8 右の図のように，塩酸と水酸化ナトリウム水溶液を混ぜて，液の性質を調べる実験を行った。次の問いに答えなさい。

【3 点× 7】

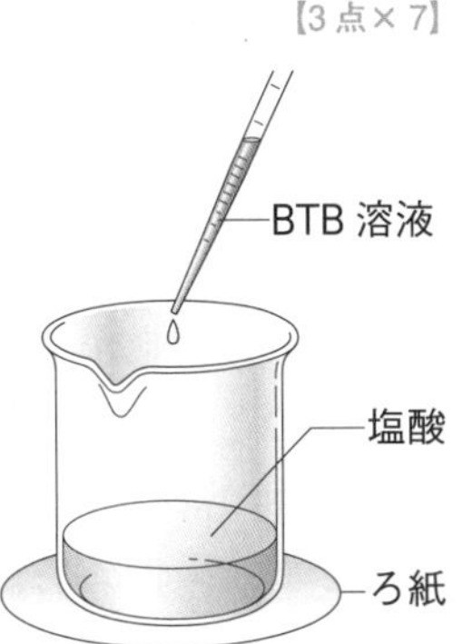

〈操作 1〉 塩酸 10 cm^3 に緑色の BTB 溶液を加えた。

〈操作 2〉 操作 1 の塩酸に水酸化ナトリウム水溶液を少しずつ加えた。20 cm^3 加えたときに液の色が緑色になった。

〈操作 3〉 操作 2 の液にさらに 8 cm^3 の水酸化ナトリウム水溶液を加えた。

(1) 操作 1 のとき，溶液の色は何色になるか。

(2) 塩酸の電離(でんり)をイオンの化学式を使って書け。

(3) 水酸化ナトリウムの電離をイオンの化学式を使って書け。

(4) 操作 2 のときに起こっている変化を化学反応式で書け。

(5) 酸(さん)とアルカリが中和(ちゅうわ)すると，塩(えん)のほかに何ができるか。

(6) 中和によってできた塩はすべて水にとけるといえるか。

(7) 操作 3 を行ったとき，液の色は何色になるか。

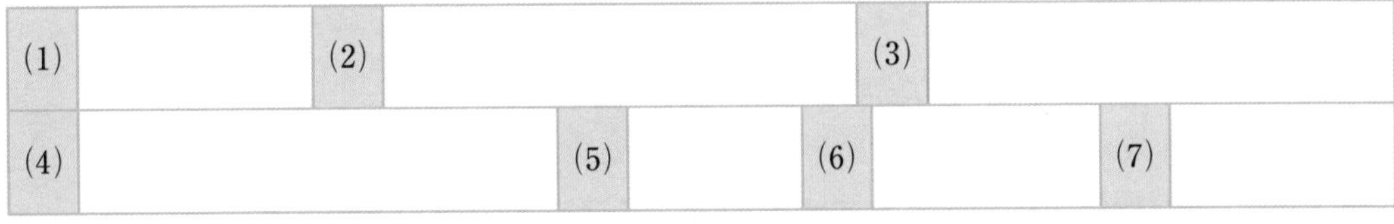

(1)		(2)		(3)			
(4)		(5)		(6)		(7)	

1 生物の成長と細胞分裂

リンク ニューコース参考書 中3理科 p.90～94

攻略のコツ 細胞分裂のしくみ，生物の成長のしかたが問われる。

テストに出る！ 重要ポイント

● **細胞分裂**(さいぼうぶんれつ)

❶ **細胞分裂**…1つの細胞が2つに分かれること。
❷ **染色体**(せんしょくたい)…細胞分裂のとき，核(かく)の中に現れるひも状のもの。
❸ **形質**(けいしつ)…生物の形や性質などの特徴(とくちょう)。
❹ **遺伝子**(いでんし)…生物の形質を決めるもの。染色体にある。
❺ **体細胞分裂**(たいさいぼうぶんれつ)…からだをつくる細胞の細胞分裂。

①分裂前　②染色体が現れる。　③染色体が中央に並ぶ。　④染色体が両端(りょうたん)に移動する。　⑤中央にしきりができる。　⑥細胞が2つに分かれる。

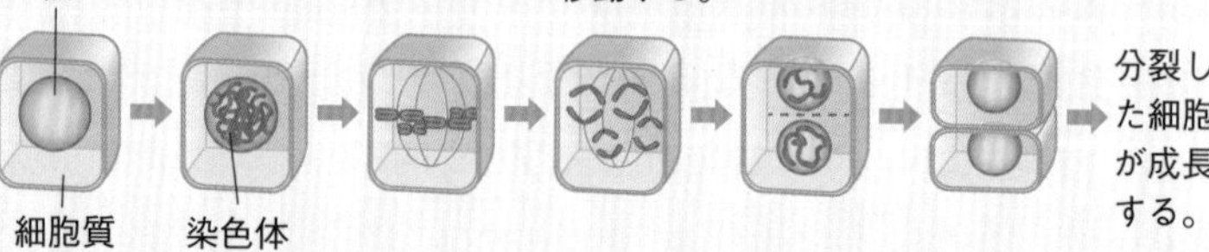

● **生物の成長**

細胞分裂で細胞の数がふえ，その細胞が成長して（大きくなって），からだが成長する。

Step 1 基礎力チェック問題

解答 別冊p.9

1 次の〔　　〕にあてはまるものを選ぶか，あてはまる言葉を書きなさい。

(1) 1つの細胞が2つに分かれることを〔　　　　　〕という。
(2) (1)のときに核の中に現れるひも状のものを〔　　　　　〕という。
(3) 生物の形や性質をまとめて〔　　　　　〕という。
(4) (2)には生物の形質を子孫に伝える〔　　　　　〕がふくまれている。
(5) からだをつくる細胞が分裂する細胞分裂を〔　　　　　〕という。
(6) 染色体は，いつでも，顕微鏡(けんびきょう)で観察することが〔できる　できるわけではない〕。
(7) 細胞分裂では，まず核の中に〔葉緑体　染色体〕が現れる。さらに，細胞分裂が進んでいくと，最終的に細胞は〔2つ　3つ〕の新しい細胞になる。
(8) 分裂直後の細胞は，もとの細胞よりも〔小さい　大きい〕。
(9) 染色体は酢酸(さくさん)オルセイン液で〔青く　赤く〕染(そ)まる。
(10) 細胞分裂の観察では〔オオカナダモの葉　タマネギの根の先端(せんたん)〕を使う。

得点アップアドバイス

1

確認 **細胞分裂の順序**

①染色体が複製される。
②染色体が現れる。
③染色体が中央に並ぶ。
④染色体が分かれていく。
⑤中央にしきりが現れ，2つに分かれていく。

2 【根の成長】

ソラマメの種子を発芽(はつが)させ，根が2cmくらいにのびたとき，先端から2mm間隔(かんかく)に印をつけ，3日後にもう一度観察した。下の図は，そのときに観察したスケッチである。次の問いに答えなさい。

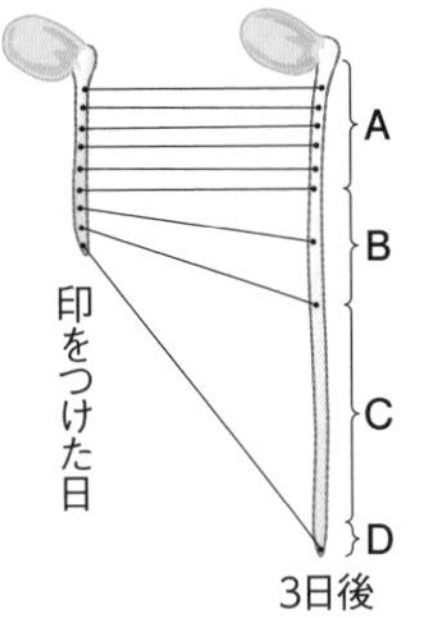

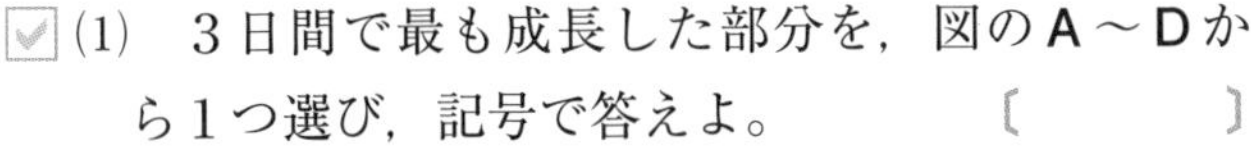

(1) 3日間で最も成長した部分を，図のA～Dから1つ選び，記号で答えよ。　〔　　　　〕

(2) AとDの部分を顕微鏡で観察したとき，小さい細胞が多いのはどちらか。　〔　　　　〕

(3) ソラマメの根はどのようにしてのびるか。簡単に説明せよ。

〔　　　　　　　　　　　　　　　　　　　　〕

3 【染色体】

右の図は，細胞分裂中の一時期の模式図である。これについて，次の問いに答えなさい。

(1) 右の図のひも状のものを何というか。〔　　　　〕

(2) (1)のひも状のものはどんなはたらきをするものをふくんでいるか。次のア～エから選べ。〔　　　　〕

ア　親の特徴(とくちょう)を子に伝える。　　イ　呼吸をさかんにする。

ウ　細胞内の不要物を排出(はいしゅつ)する。　エ　細胞分裂をさかんにする。

(3) (1)のひも状のものは，酢酸オルセイン液で何色に染まるか。

〔　　　　〕

(4) 図のような細胞は，どこを観察するとよいか。次のア～ウから選べ。

〔　　　　〕

ア　タマネギの表皮　　イ　タマネギの葉のつけ根

ウ　タマネギの根の先端

4 【細胞分裂】

右の図は，細胞分裂のそれぞれの過程にある細胞を模式的に表したものである。これについて，次の問いに答えなさい。

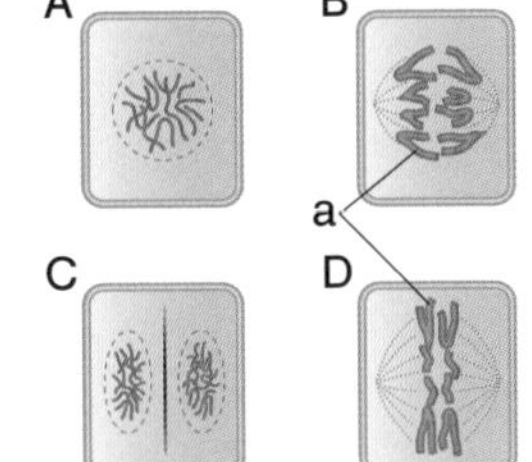

(1) BやDに見られるaを何というか。その名称を答えよ。　〔　　　　〕

(2) aは，ふだんの細胞中には見られない。ふだんaはどこに入っているか。その名称を答えよ。〔　　　　〕

(3) A～Dを，Aをはじめとして細胞分裂の行われる順に正しく並べ，記号で答えよ。　〔　A　→　　→　　→　　〕

得点アップアドバイス

2

テストで注意　細胞分裂が起こる部分

ソラマメなどの植物では，細胞分裂は特定の部分で起こる。根では，先端に近い部分で細胞分裂が起こり，さらにその細胞が大きくなる。

3

(2) 染色体は，遺伝子をふくんでいる。

ヒント　染色体の名前の由来

染色体という名前は，酢酸オルセイン液などの染色液に染まりやすい性質から名づけられた。

(4) 細胞分裂がさかんな部分を選ぶ。

4

テストで注意　染色体

染色体は核の中に現れる。したがって，染色体をつくるものも，核の中に存在する。

テストで注意　細胞分裂

まずはじめに核の中に染色体が現れ，それが両端に分かれて2つの細胞ができる。

Step 2 実力完成問題

解答 別冊p.9

1 【細胞分裂と成長】

下の図1は，ソラマメの根の先端部分の細胞がふえるようすを顕微鏡で観察してスケッチしたものである。次の問いに答えなさい。

図1

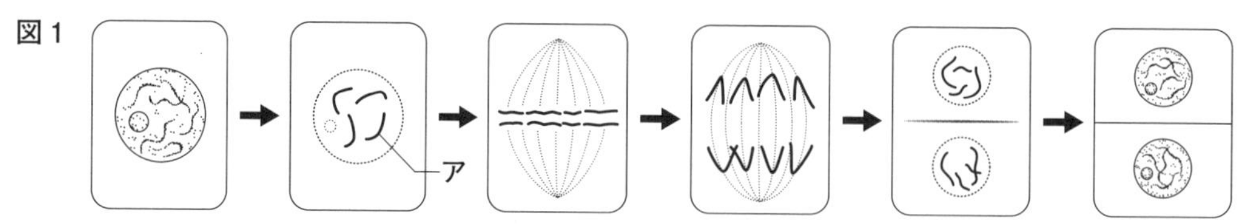

よくでる (1) 図1は，細胞がふえるときのようすを順序正しく示したものである。このような過程を何というか。 〔　　　〕

よくでる (2) 図中のひも状のアを何というか。その名称を答えよ。 〔　　　〕

ミス注意 (3) 図中のアは，その後何本に分かれるか。 〔　　　〕

ミス注意 (4) 右の図2は，ソラマメの根が約 2 cm にのびたとき，根の先端から等間隔に目盛りをつけたものである。根が約 4 cm にのびたとき，図2の目盛りの間隔はどのようになっているか。次のア～エから選べ。

図2

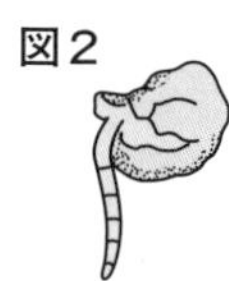

〔　　　〕

ア 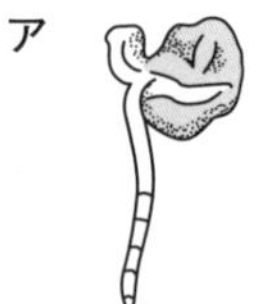 イ 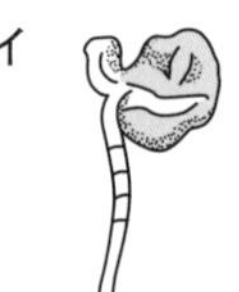 ウ 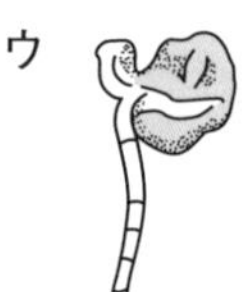 エ 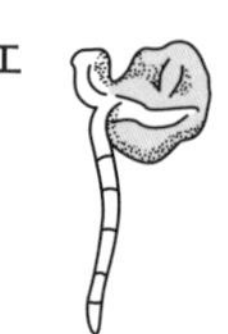

2 【細胞の観察】

右の図は，ソラマメの根の先端部分を切りとって，顕微鏡で観察し，スケッチしたものである。これについて，次の問いに答えなさい。

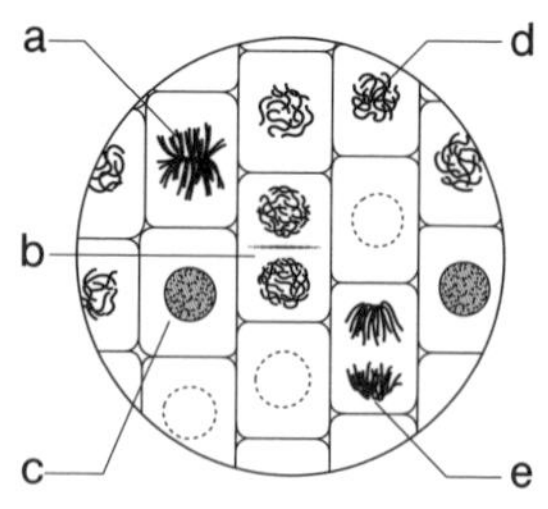

よくでる (1) 図のa～eの細胞のうち，cを細胞分裂の最初の段階とすると，細胞分裂が最も進んでいるものはどれか。1つ選べ。 〔　　　〕

(2) プレパラートをつくるとき，酢酸オルセイン液を使用した。酢酸オルセイン液は何のために使うか。次のア～エから選べ。 〔　　　〕

ア 葉緑体を染めるため。

イ 細胞内のひも状に見えるものを染めるため。

ウ 細胞が重ならないようにして見やすくするため。

エ 細胞をつくっている成分を調べるため。

3 【細胞分裂】

下の図は，細胞が分裂するときのいくつかの過程をばらばらに示したものである。これについて，次の問いに答えなさい。

A 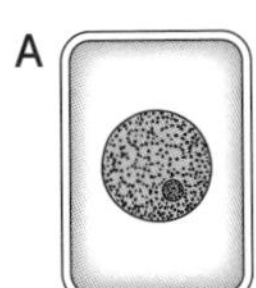 B 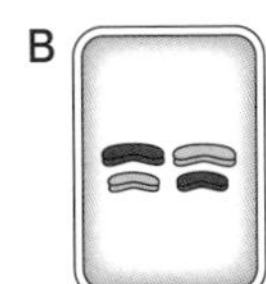 C 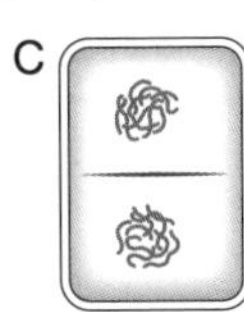 D 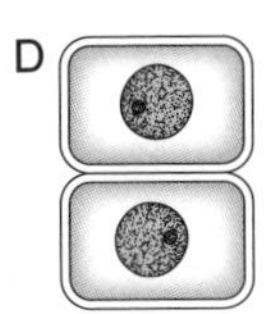 E 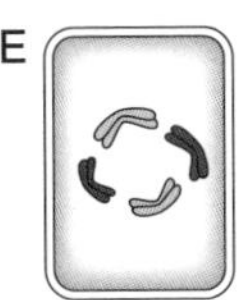 F 

(1) 図のA～Fを，Aをはじめとして細胞分裂の正しい順序に並べるとどうなるか。次のア～エから選べ。 〔　　　　　　〕

ア　A→E→F→B→D→C　　イ　A→B→E→F→D→C

ウ　A→E→B→F→C→D　　エ　A→B→C→F→E→D

(2) 新しくできた2つの細胞の大きさは，その後どうなるか。簡単に説明せよ。

〔　　　　　　　　　　　　　　　　　　〕

入試レベル問題に挑戦

4 【細胞分裂の観察】

細胞分裂の観察について，次の問いに答えなさい。

〈観察〉

① タマネギの根の先端約5mmを切りとり，約60℃にあたためたうすい塩酸に約1分間ひたす。

② ピンセットで根をとり出し，スライドガラスにのせて，柄(え)つき針で細かくほぐした後に，酢酸カーミン液を1滴落とす。

③ カバーガラスをかけ，静かに親指で押(お)しつぶす。

④ 顕微鏡で観察して，スケッチする。

(1) 細胞分裂の観察に，タマネギの根の先端を使う理由はどのようなことか。簡単に書け。

〔　　　　　　　　　　　　　　　　　　〕

(2) 下線の操作を行う理由について，正しいものはどれか。次のア～エから選び，記号で答えよ。 〔　　　〕

ア　1つ1つの細胞をやわらかくするため。

イ　細胞の活動を止めるため。

ウ　細胞どうしを離(はな)れやすくするため。

エ　細胞分裂を活発にするため。

✓よくでる (3) 根がのびるしくみについて，「細胞」という言葉を用いて簡単に書け。

〔　　　　　　　　　　　　　　　　　　〕

ヒント

(3) 根がのびるためには，細胞の数と大きさがどうなることが必要だったか考えよう。

2 生殖のしくみ

リンク ニューコース参考書 中3理科 p.95～105

攻略のコツ 無性生殖，有性生殖のしくみとその特徴が問われる。

テストに出る！ 重要ポイント

- **無性生殖**
  1. **無性生殖**…雄と雌が関係しない生殖のしかた。
  2. **無性生殖の特徴**…子は親と全く同じ形質（すがた・形や性質など）を受けつぐ。
  3. **いろいろな無性生殖**…**分裂**→からだが2つに分かれる。**出芽**→からだの一部がふくらんでふえる。**栄養生殖**→植物の根・茎・葉などの一部から，新しい個体ができる。
- **有性生殖**
  1. **有性生殖**…雄と雌が関係する生殖のしかた。
  2. **受精**…雌の卵（卵細胞）の核と雄の精子（精細胞）の核が合体すること。受精した卵を**受精卵**という。
  3. **有性生殖の特徴**…子は両親の特徴（形質）を半分ずつ受けつぐ。→子は親に似るが，どちらとも少しずつ異なる。
- **発生**
  発生…受精卵が細胞分裂をくり返して成長する過程。受精卵は細胞分裂をくり返して，**胚**とよばれるものになる。

Step 1 基礎力チェック問題

解答 別冊p.9

1 次の〔　　〕にあてはまる言葉を書きなさい。

(1) 生物が子孫をふやしていくはたらきを〔　　　　〕という。

(2) 生物の雄，雌が関係しない子孫のふやし方を〔　　　　〕という。

(3) ゾウリムシは，1個の細胞が2つに分かれてなかまをふやす。このようなふえ方は(2)のふえ方の1つで，〔　　　　〕という。

(4) 酵母は，からだの一部がふくらんでふえる。このようなふえ方は(2)のふえ方の1つで，〔　　　　〕という。

(5) ヤマノイモやジャガイモ，サツマイモなどのふえ方は，(2)のふえ方の1つで，〔　　　　〕という。

(6) 雄，雌が関係した子孫のふやし方を〔　　　　〕という。

(7) 雌の卵（卵細胞）の核と，雄の精子（精細胞）の核が合体することを〔　　　　〕といい，核が合体した卵を〔　　　　〕という。

(8) (7)の卵が，細胞分裂をくり返しながら新しい個体に成長する過程を〔　　　　〕という。

得点アップアドバイス

1

確認 無性生殖のふえ方

無性生殖には，分裂，出芽，栄養生殖などのふえ方がある。

(5) いもやむかごは葉でつくられた栄養分がたくわえられたもので，栄養体とよばれる。

テストで注意 受精と受粉の違い

植物の場合にも動物の場合にも，雄と雌の生殖細胞の核が合体することを，受精という。受粉と受精の意味を正確に理解し，混同しないように。

2 【無性生殖】

次の文は，いろいろな生殖のしかたについて述べたものである。このうち，無性生殖について述べたものはどれか。次のア～オからすべて選びなさい。 〔　　　　　〕

ア　新しく生まれた子の形質（生物のもつ形や性質などの特徴）は，親のものと全く同じである。

イ　雄と雌のカエルを水そうで飼っていたら，おたまじゃくしが生まれて，子のカエルに育った。

ウ　ジャガイモの種いもから，新しい芽と根が出てきて育ち始めた。

エ　黒色どうしの親イヌから，茶色の毛の子イヌが生まれた。

オ　風に飛ばされてきたタンポポの種子が発芽して成長した。

3 【被子植物のふえ方】

右の図は，ある被子植物の断面の模式図とその拡大図である。これについて，次の問いに答えなさい。

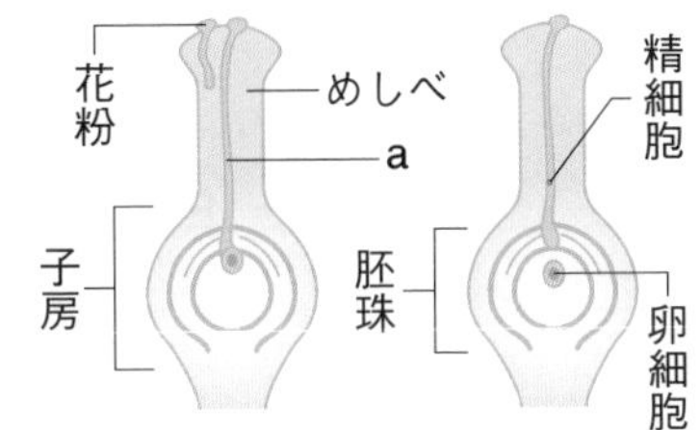

(1)　花粉はおしべの何という部分でつくられるか。〔　　　　　〕

(2)　花粉がめしべの先端につくと，花粉から a の管がのびていく。この a を何というか。〔　　　　　〕

(3)　a の中を精細胞の核が移動していき，胚珠の中の卵細胞の核と合体する。このことを何というか。〔　　　　　〕

(4)　精細胞の核と合体した卵細胞は，細胞分裂をくり返して何というものになるか。〔　　　　　〕

4 【分裂によるふえ方】

右の図は，ある単細胞生物のふえ方を模式的に表したものである。これについて，次の問いに答えなさい。

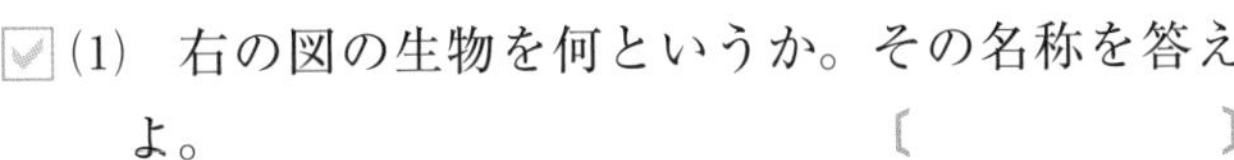

(1)　右の図の生物を何というか。その名称を答えよ。〔　　　　　〕

(2)　図のように，１つの個体が分かれて２つになるようなふえ方を何というか。〔　　　　　〕

(3)　図のように，雌と雄が関係しないふえ方を何生殖というか。〔　　　　　〕

(4)　多細胞生物でも，(3)のようなふえ方をする生物がいる。そのような例を１つあげよ。〔　　　　　〕

得点アップアドバイス

2

確認　無性生殖ではない生殖
雄と雌がかかわる生殖は，無性生殖ではない。また，植物が種子をつくる場合も，花粉の精細胞と胚珠中の卵細胞がかかわるふえ方であり，無性生殖ではない。

3

確認　発生
受精卵が細胞分裂をくり返して新しい個体に成長する過程を，発生という。

(4)　新しい個体のもとになるもの。

4

確認　単細胞生物のふえ方
単細胞生物は一般に，細胞が２つに分かれることによって新しい個体をつくる。

(4)　栄養生殖を行うジャガイモ，サツマイモなど，出芽でふえるヒドラなど，接ぎ木でふえるバラなどは，多細胞生物である。

Step 2 実力完成問題

解答 別冊p.10

1 【カエルの発生】

右の図1は，ヒキガエルの雄と雌のすがたを，図2は，ヒキガエルの受精卵の変化を示している。これについて，次の問いに答えなさい。

図1

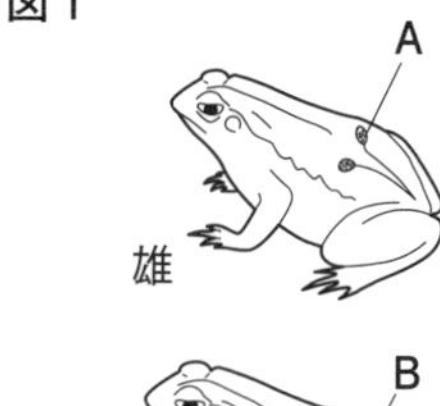

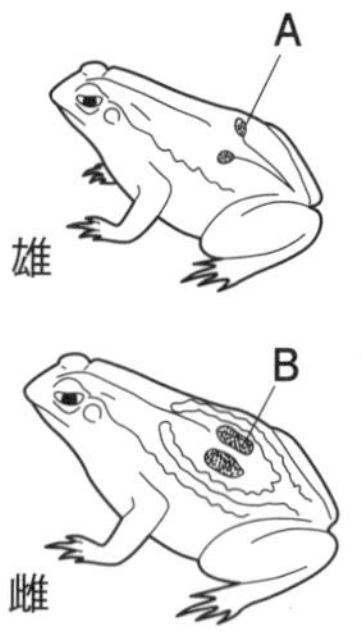

(1) ヒキガエルの精子および卵は，それぞれ図1のA，Bの器官でつくられる。A，Bの名称をそれぞれ答えよ。

A〔　　　　　　〕
B〔　　　　　　〕

よくでる (2) 精子が卵の中に入り，精子の核と卵の核が合体することを何というか。

〔　　　　　　〕

ミス注意 (3) 図2のAは，精子と卵の核が合体した直後の卵である。図2のA～EをAを最初として育つ順に正しく並べよ。

図2

A 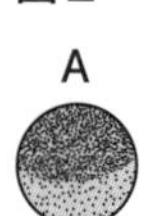 B 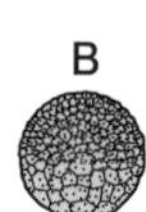 C 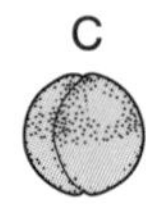 D 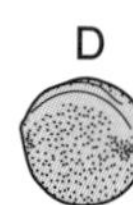 E 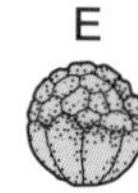

〔 A →　　　→　　　→　　　→　　　〕

(4) 図2のAの細胞が3回分裂したとき，細胞の数は何個になっているか。

〔　　　　　　〕

よくでる (5) ヒキガエルのように，雄，雌が関わってなかまをふやすふえ方を何というか。

〔　　　　　　〕

2 【花粉】

ホウセンカの花粉を用いて，次の実験を行った。これについて，あとの問いに答えなさい。

〈実験〉 砂糖をふくんだ寒天溶液をスライドガラスの上に1滴落とし，冷やして固めた。

図1のように，固まった寒天に筆の先につけたホウセンカの花粉を落とし，カバーガラスをかけて顕微鏡で観察した。

図2は，観察を始めてから10分後のスケッチである。

図1

図2

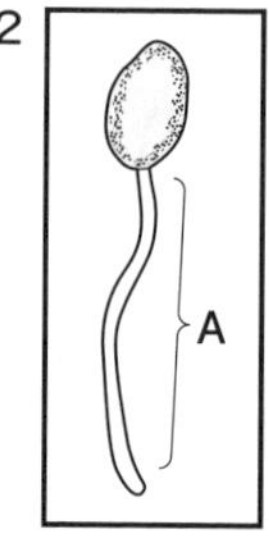

(1) 花粉を観察するのに，15倍の接眼レンズと40倍の対物レンズを用いた。観察倍率は何倍になるか。

〔　　　　　　〕

(2) **図2のA**の部分は何というか。その名称を答えよ。〔　　　　　　〕

(3) **図2のA**の中を移動して，胚珠の中の卵細胞に達するのは何か。〔　　　　　　〕

ミス注意 (4) 花粉がAをのばし始めるには，花粉がめしべの先につくことが必要である。花粉がめしべの先につくことを何というか。

〔　　　　　　〕

3 【分裂】

右の図は，アメーバが新しい個体をつくっていくようすを模式的に表したものである。これについて，次の問いに答えなさい。

よくでる (1) このような増え方を何生殖(せいしょく)というか。

〔　　　　〕

(2) 次のうち，(1)の生殖のしかたにあてはまるものはどれか。ア～エから１つ選べ。 〔　　　　〕

ア アブラナの花がさいたあとにできた種子が，地面に落ちて新しい芽を出した。

イ セイロンベンケイの葉をしめった土の上に置くと，葉から芽が出て新しい個体ができている。

ウ 水そうに飼(か)っていたメダカが卵を産み，卵がふ化して子メダカが生まれた。

エ トキの人工ふ化に成功し，新たにひなが生まれた。

ミス注意 (3) (1)の生殖について，正しく述べているものはどれか。次のア～エから１つ選べ。

〔　　　　〕

ア 単細胞生物(たんさいぼうせいぶつ)だけに見られ，もとの個体と全く同じ形質(けいしつ)をもつ。

イ 単細胞生物だけに見られ，もとの個体とは異なる形質をもつ。

ウ 単細胞生物にも多細胞生物(たさいぼうせいぶつ)にも見られ，もとの個体と全く同じ形質をもつ。

エ 単細胞生物にも多細胞生物にも見られ，もとの個体とは異なる形質をもつ。

入試レベル問題に挑戦

4 【生物のふえ方】

図のように，ジャガイモはいもから出た芽を育てて新しい個体をつくることができる。次の問いに答えなさい。

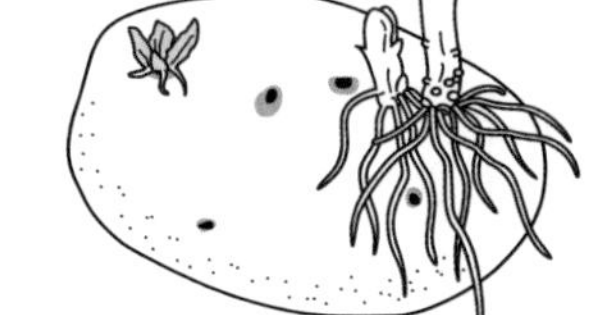

ジャガイモ

(1) ジャガイモのように，植物が親のからだの一部から新しい個体をつくるふえ方を，無性生殖の中で何というか。

〔　　　　〕

(2) (1)の方法でふえるなかまを，次のア～エからすべて選び，その記号を書け。 〔　　　　〕

ア バッタ　　**イ** カエル　　**ウ** サツマイモ　　**エ** ヤマノイモ

思考 (3) 作物を栽培(さいばい)する際に，(1)のふえ方が利用されることがある。このふえ方を利用するのは，このふえ方ならではの特長があるためである。それは何か。「形質」という言葉を用いて簡単に説明せよ。

〔　　　　　　　　　　　　〕

ヒント

(3) 作物は，同じ形質のものを多くつくる必要がある。(1)のふえ方では，親と子の形質がどのようになるかを考えてみよう。

3 遺伝の規則性(1)

リンク
ニューコース参考書
中3理科
p.103～107

攻略のコツ 形質を子孫に伝える遺伝のしくみの基本的な理解が問われる。

テストに出る! 重要ポイント

- **減数分裂**

減数分裂…生殖細胞をつくるときの，染色体の数が半分になる細胞分裂。

▶生殖細胞の受精により，染色体の数はもとにもどる。

母親の細胞　父親の細胞
染色体
卵　精子

- **形質**

❶ **形質**…生物の形や性質などの特徴。

❷ **対立形質**…対になっている形質。

例 種子の形…丸としわ
草たけ…高い，低い

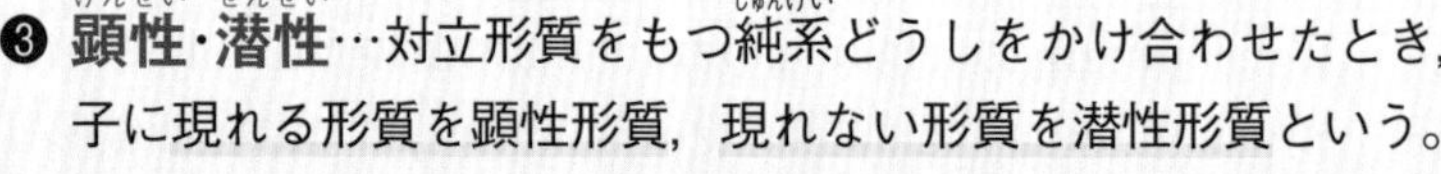

❸ **顕性・潜性**…対立形質をもつ純系どうしをかけ合わせたとき，子に現れる形質を顕性形質，現れない形質を潜性形質という。

- **遺伝・遺伝子**

❶ **遺伝**…形質が親から子へと受けつがれること。

❷ **遺伝子**…形質を現すもとになるもの。核の中の染色体にふくまれ，形質を子孫に伝えるはたらきをしている。

Step 1 基礎力チェック問題

解答 別冊p.10

1 次の〔　　〕にあてはまるものを選ぶか，あてはまる言葉を書きなさい。

☑(1) エンドウの種子には，形が丸いものとしわのものがある。このような生物の形や性質などの特徴を〔　　　　　〕という。

☑(2) 親の特徴が子に伝わることを〔　　　　　〕という。

☑(3) 生物の特徴を現すもとになるものを〔遺伝子　細胞質〕といい，細胞の核の中の〔染色体　葉緑体〕にふくまれている。

☑(4) 卵や精子などの生殖細胞をつくるときに行われる，特別な細胞分裂を〔　　　　　〕という。

☑(5) (4)の細胞分裂では，新しくできた細胞の染色体の数はもとの細胞の〔2分の1　4分の1〕になる。

☑(6) 対立形質をもつ純系の交配で，子の代に現れる形質を〔　　　　　〕形質という。現れない方の形質は，〔　　　　　〕形質という。

☑(7) (4)のあと受精により，染色体の数は〔もとにもどる　2倍になる〕。

得点アップアドバイス

1

(1) 「形」や「性質」を1つのことばで表したものである。

(3) 1組の対立形質に関する遺伝子は，対になって存在する染色体上の同じ位置にある。生殖細胞には，その遺伝子が片方ずつ存在することになる。

(6) 親，子，孫と代を重ねても，形質がすべて親と同じであるものを純系という

2 【メンデルの実験】

メンデルは，遺伝のしくみについて８年間研究し，遺伝のきまりを発見した。これについて，次の問いに答えなさい。

(1) メンデルは，何という植物を使って実験を行ったか。その植物名を答えよ。〔　　　〕

(2) メンデルは，(1)の植物の種子の形や色，さやの形や色などの特徴に着目した。このような生物の特徴を何というか。〔　　　〕

(3) メンデルが(1)の植物を使ったのはなぜか。その理由を，次の**ア**～**オ**からすべて選べ。〔　　　〕

ア　この植物は，ちがった形質（対立形質）を多くもっているから。
イ　この植物は，人工受粉（じんこうじゅふん）しないと種子ができないから。
ウ　この植物は，受粉してから２年後に種子ができるから。
エ　この植物は，風のはたらきで受粉するから。
オ　この植物は，１年以内に花がさき，自家受粉（じかじゅふん）できるから。

(4) 子の代には，親の形質のいずれか一方だけが現れることが多い。このとき子に現れた形質を何形質というか。〔　　　〕

3 【アサガオの花の色】

何代かけ合わせても，花の色が同じ子孫ばかりできるアサガオの赤花と白花をかけ合わせて，子の代をつくると，できた花はすべて赤色であった。この赤花どうしをかけ合わせてつくった孫の代では，赤花と白花ができた。これについて，次の問いに答えなさい。

(1) 花の色のような親の形質を子に伝えるもとになるものを，何というか。〔　　　〕

(2) (1)のものは，細胞のどの部分にふくまれているか。〔　　　〕

(3) アサガオの赤花と白花は，どちらが顕性形質といえるか。〔　　　〕

(4) 孫の代に現れてくる赤花と白花の割合は，どちらが大きいか。〔　　　〕

4 【カエルの生殖細胞】

カエルの卵と精子について，次の問いに答えなさい。

(1) カエルの卵や精子がつくられるときの細胞分裂では，染色体の数はどのように変化するか。次の**ア**～**ウ**から選べ。〔　　　〕

ア　２倍になる。　　**イ**　半分になる。　　**ウ**　変わらない。

(2) 受精卵の染色体の数は，卵や精子と比べてどうなっているか。(1)の**ア**～**ウ**から選べ。〔　　　〕

得点アップアドバイス

2

(1) マメ科の植物を使ったことは有名である。

(3) メンデルは，エンドウの７組の対立形質に着目して実験を行った。遺伝の実験では，子が生まれて親になるまでの期間は短い方が都合がよい。

3

(2) 染色体はふだんは見られないが，細胞が分裂するときに現れる。
(3) 子の代にはすべて赤花ができているので，赤花が白花に対して顕性であることがわかる。
(4) 顕性の形質の赤花の割合が大きいと考えられる。

4

テストで注意　染色体の数

卵と精子の染色体の和が，受精卵の染色体の数となる。

Step 2 実力完成問題

解答 別冊p.11

1 【受精と遺伝】

遺伝のしくみについて，次の問いに答えなさい。

✓よくでる (1) 親のもつ形質を子に伝えるもとになるものを何というか。〔　　　〕

✓よくでる (2) (1)のものは，細胞のどこにふくまれているか。次のア～ウから選べ。〔　　　〕

ア 細胞膜　　イ 細胞質　　ウ 核

ミス注意 (3) 親のカエルの雄と雌の形質を伝えるものを右の図のように表したとき，次の①～③はそれぞれどのように表すことができるか。下のア～オから選べ。

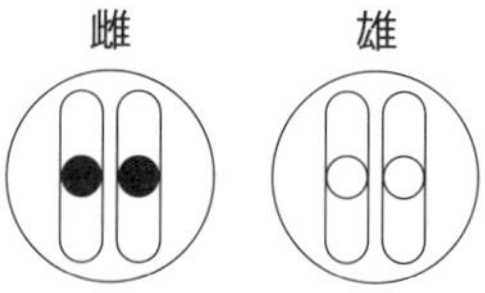

雌　雄

① 卵〔　　　〕 ② 精子〔　　　〕 ③ 受精卵〔　　　〕

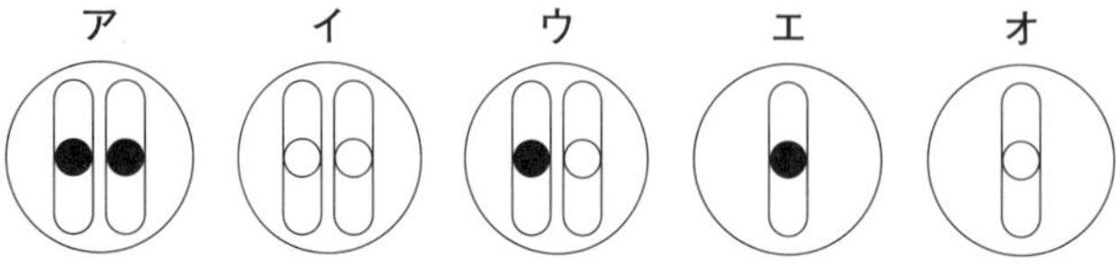

ア　イ　ウ　エ　オ

2 【生殖細胞の形成】

右の図は，ある生物の親がつくる生殖細胞の染色体の種類と，その生殖細胞どうしの受精によって生まれる子の染色体の組み合わせを，模式的に示したものである。これについて，次の問いに答えなさい。ただし，●は○に対して顕性であることがわかっているものとする。

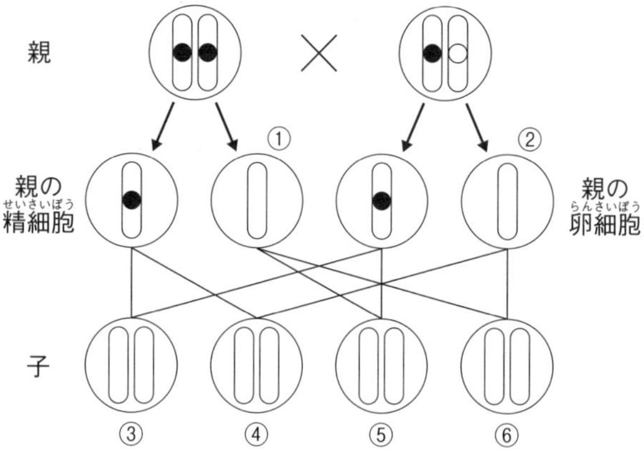

親　×
① ②
親の精細胞　親の卵細胞
子
③ ④ ⑤ ⑥

ミス注意 (1) ①，②の生殖細胞の遺伝子は，●，○のどちらか。

①〔　　　〕 ②〔　　　〕

(2) ③～⑥の染色体の組み合わせはどのようになっているか。右のア～ウからそれぞれ選べ。

ア　イ　ウ

③〔　　　〕 ④〔　　　〕
⑤〔　　　〕 ⑥〔　　　〕

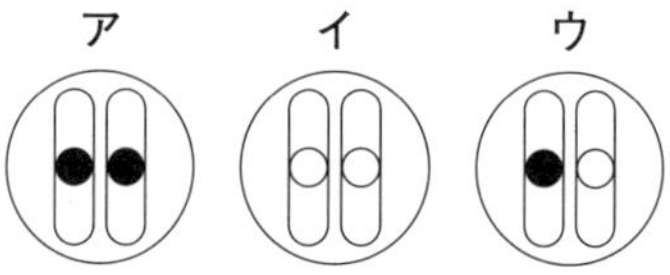

✓よくでる (3) ●が表す形質をA，○が表す形質をBとすると，③～⑥の子の形質はA，Bのどちらになるか。それぞれA，Bの記号で答えよ。

③〔　　　〕 ④〔　　　〕
⑤〔　　　〕 ⑥〔　　　〕

3 【受精と遺伝】

次の文のうち，正しいものをすべて選び，記号で答えなさい。 〔　　　　　　〕

ア　花粉や卵細胞(らんさいぼう)ができるときには，染色体の数は半分になる。

イ　有性生殖(ゆうせいせいしょく)では，子は親と完全に同じ形質をもつ。

ウ　生物のからだの形や性質などの特徴(とくちょう)を，遺伝という。

エ　有性生殖では，顕性形質だけが子に伝わる。

オ　メンデルは，アサガオを使って遺伝の法則を発見した。

カ　生殖細胞がもつ染色体の数は，親の体細胞(たいさいぼう)の染色体の数に等しい。

キ　対立形質(たいりつけいしつ)に関する遺伝子(いでんし)は，染色体上の同じ位置にある。

ク　染色体は核の中にふくまれていて，常に観察できる。

ケ　顕性形質を現す遺伝子と潜性(せんせい)形質を現す遺伝子が組み合わせられた個体では，顕性形質だけが現れる。

コ　花粉管(かふんかん)を移動する精細胞の核の染色体の数と，胚珠(はいしゅ)の中の卵細胞の染色体の数は等しい。

4 【減数分裂】

多細胞生物は，ふつう雄と雌の区別があり，それぞれの生殖細胞の核が合体することで，新しい個体をふやしている。これについて，次の問いに答えなさい。

✓よくでる (1)　生殖細胞がつくられるとき，特別な分裂(ぶんれつ)が起こる。これについて，正しいものはどれか。次のア～ウから選べ。 〔　　　　　　〕

ア　染色体の数が２倍になるように分裂する。

イ　染色体の数が３倍になるように分裂する。

ウ　染色体の数が半分になるように分裂する。

ミス注意 (2)　(1)の特別な分裂を何というか。名称を書け。 〔　　　　　　〕

入試レベル問題に挑戦

5 【減数分裂】

図は，カエルの受精卵が発生していくようすを示したものである。次の問いに答えなさい。

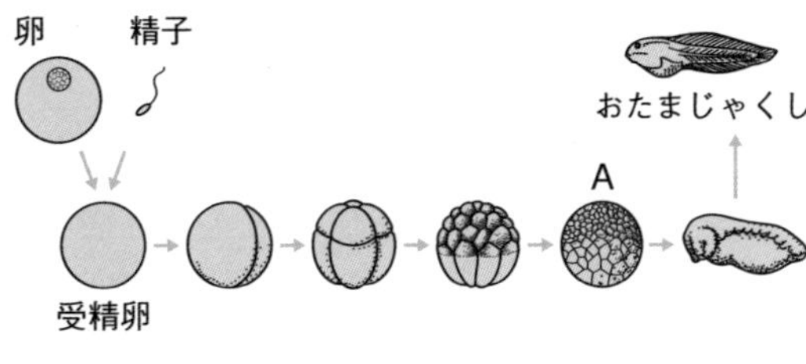

思考 (1)　受精卵のときと比べると，卵のときの染色体の数は何倍になるか。

〔　　　　　　〕

(2)　受精卵のときと比べて，Aのときの細胞の数はふえるか，減るか，変わらないか。また，１つ１つの細胞の大きさはどのようになるか。

数〔　　　　　　〕　大きさ〔　　　　　　〕

ヒント

(1)　生殖細胞の染色体の数は，体細胞(たいさいぼう)の半分になっている。生殖細胞が受精すると，もとの体細胞の染色体の数と同じになる。(2)　受精卵とAの卵全体の大きさはほとんど変わらない。

4 遺伝の規則性(2)

リンク
ニューコース参考書
中3理科
p.106～115

攻略のコツ　遺伝のしくみと遺伝の法則の基本的な理解が問われる。

テストに出る！ 重要ポイント

遺伝子の表し方

❶ 遺伝子の記号→顕性の遺伝子を大文字，潜性の遺伝子を小文字の同じアルファベットで表す。

例 種子の形…丸（顕性）をA，しわ（潜性）をa

❷ 体細胞の遺伝子→対になっている。AA，Aaなどと表す。
生殖細胞の遺伝子→体細胞の半分。A，aなどと表す。

分離の法則

❶ 相同染色体…体細胞の同じ形で同じ大きさの対の染色体。

❷ **分離の法則**→対になっている遺伝子が2つに分かれて別々の生殖細胞に入ること。

遺伝の規則性

● 顕性の遺伝子AAをもつ親と，潜性の遺伝子aaをもつ親とのかけ合わせで生まれる子(F_1)と子の自家受粉で生まれる孫(F_2)における遺伝のしかた（右図）。

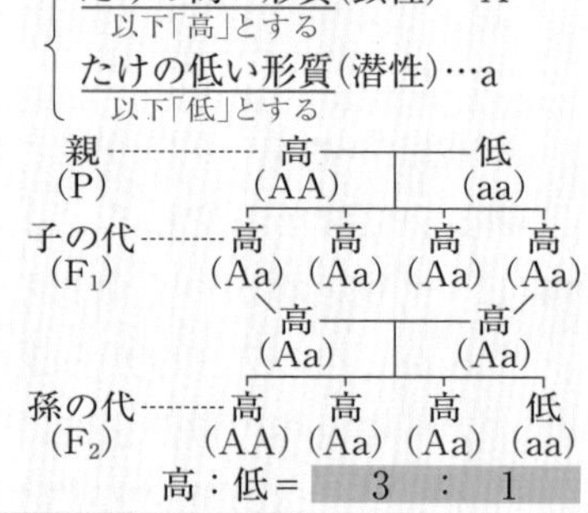

遺伝子の本体

DNA →染色体の中にふくまれる，遺伝子の本体となる物質。

Step 1 基礎力チェック問題

解答 別冊p.11

1 次の〔　　〕にあてはまるものを選ぶか，あてはまる言葉を書きなさい。

(1) エンドウの種子の遺伝子をＡＡと表すとき，この種子を植えて育てたエンドウの花がつくる花粉の遺伝子は〔　　　　　〕と表される。

(2) カエルの雌の卵の遺伝子をR，雄の精子の遺伝子をｒと表すとき，受精卵の遺伝子は〔　　　　　〕と表される。

(3) エンドウの背たけに関する遺伝子は，高い方が顕性（Aで表す），低い方が潜性（ａで表す）であり，Ａａのエンドウの背たけは〔高く　低く〕，ａａの遺伝子をもつエンドウの背たけは〔高い　低い〕。

(4) Ｒｒの遺伝子をもつ雌のカエルがつくる卵の遺伝子は，〔Rだけ　ｒだけ　Ｒとｒの２種類〕である。

(5) 生殖細胞ができるとき，対になっていた遺伝子が２つに分かれて別々の生殖細胞に入ることを〔　　　　　〕の法則という。

得点アップアドバイス

1

(1) 花粉の染色体の数は，体細胞の染色体の数の半分になっている。

(2) 受精卵の染色体の数は，体細胞と同じになっている。

(3) 顕性と潜性の遺伝子が合わさっているときは，顕性の形質が現れる。

2 【生殖細胞と受精】

下の図は，減数分裂(げんすうぶんれつ)と受精のときの染色体のようすを模式的に表したものである。空欄ａ～ｅに，適切な染色体の図を入れなさい。

（図中に記入）

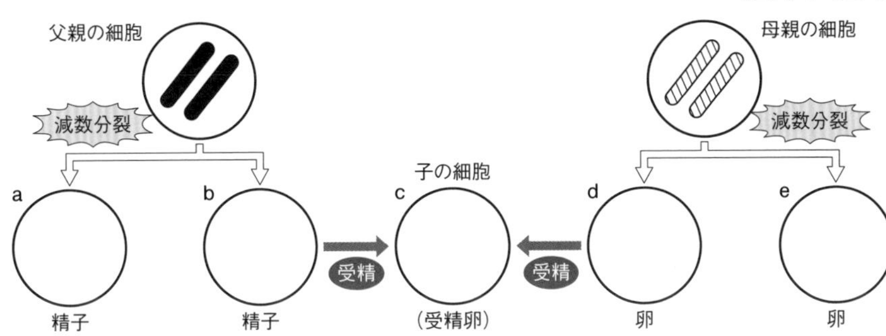

3 【エンドウの遺伝】

下の図は，エンドウの背たけの高い親がもっている遺伝子をＡＡ，背たけの低い親がもっている遺伝子をａａとし，この両方の親どうしをかけ合わせて，その子や孫に受けつがれる遺伝子の組み合わせを調べ，遺伝の規則性をまとめようとしたものである。これについて，あとの問いに答えなさい。ただし，Ａはａに対し顕性とする。

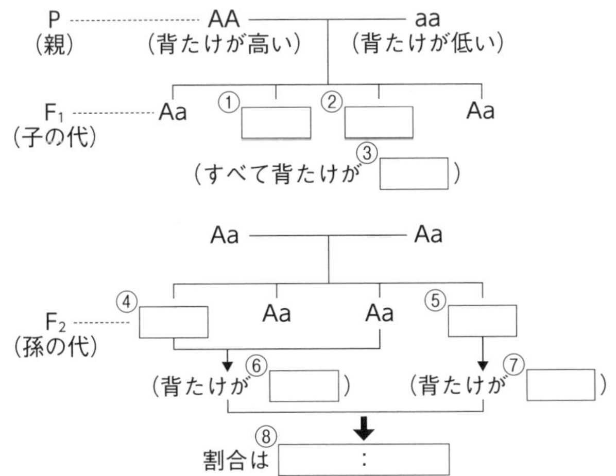

(1) 図の空欄①，②にあてはまる遺伝子の記号を入れよ。

① 〔　　　　〕 ② 〔　　　　〕

(2) 図の空欄③にあてはまる言葉を答えよ。

〔　　　　〕

(3) 図の空欄④，⑤にあてはまる遺伝子の記号を入れよ。

④ 〔　　　　〕 ⑤ 〔　　　　〕

(4) 図の空欄⑥，⑦にあてはまる言葉を答えよ。

⑥ 〔　　　　〕 ⑦ 〔　　　　〕

(5) 図の空欄⑧にあてはまる適切な数字を入れよ。

〔　　：　　〕

得点アップアドバイス

2

確認 染色体の数

精子と卵の染色体の数は体細胞の半分，受精卵の染色体の数は体細胞の数と同じになっている。

3

(1) ＡＡの親からはＡ，ａａの親からはａの，それぞれ１種類の遺伝子をもつ生殖細胞だけがつくられる。

(2) Ａａという遺伝子の組み合わせの場合，顕性形質だけが現れる。

(3) 一方の親がつくる生殖細胞の遺伝子はＡ，ａの２種類，もう一方の親がつくる生殖細胞の遺伝子もＡ，ａの２種類となっている。

Step 2　実力完成問題

解答　別冊p.11

1　【エンドウの遺伝】

右の図は，エンドウの丸い種子をつくる遺伝子をA，しわのある種子をつくる遺伝子をａとして，子から孫への形質の伝わり方を模式的に表したものである。次の問いに答えなさい。ただし，丸が顕性形質である。

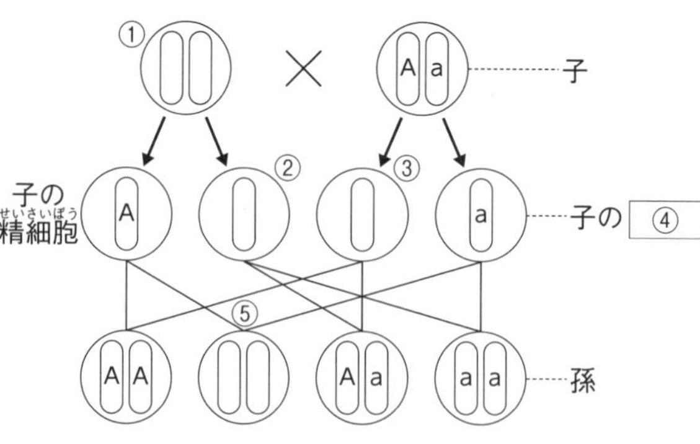

ミス注意 (1)　①で，子のもつ形質を伝える遺伝子の組み合わせを，記号で答えよ。〔　　　　〕

✓よくでる (2)　②，③には，対になっている形質を伝える遺伝子が１つずつ分かれて入る。どのような形質を伝える遺伝子か。それぞれ記号で答えよ。

②〔　　　　〕　③〔　　　　〕

(3)　④に適する言葉を答えよ。〔　　　　〕

(4)　⑤には，形質を伝える遺伝子が，どのような組み合わせで入るか。記号で答えよ。

〔　　　　〕

✓よくでる (5)　孫の代には，丸い種子としわのある種子は，どのような割合で現れてくるか。簡単な整数比で答えよ。〔　丸い：しわ＝　　：　　〕

2　【遺伝子の伝わり方】

親どうしを何代かけ合わせても形質が変わらないものを純系という。エンドウの丸い種子の純系の遺伝子をＡＡ，しわのある種子の純系の遺伝子をａａとしたときの遺伝子の伝わり方について，次の問いに答えなさい。ただし，丸が顕性形質である。

AA　×　aa

丸い種子の純系の親　　しわのある種子の純系の親

①　③　②

丸い種子の純系の親の卵細胞　　しわのある種子の純系の親の精細胞

子の代の卵細胞　　子の代の精細胞

A　⑤　④　⑥　a　⑦　⑧　⑨

孫の代

✓よくでる (1)　丸い種子の純系の親の卵細胞①にある遺伝子と，しわのある種子の純系の親の精細胞②にある遺伝子を，それぞれ記号で答えよ。

①〔　　　　〕

②〔　　　　〕

✓よくでる (2)　両親のかけ合わせによってできた子③のもつ遺伝子を，記号で答えよ。〔　　　　〕

✓よくでる (3)　子③は，丸い，しわのある，のどちらの形質が現れるか。〔　　　　〕

ミス注意 (4) 子の代のエンドウの卵細胞や精細胞には，どのような遺伝子が入るか。図の④，⑤にあてはまる遺伝子の記号を答えよ。 ④〔　　　　〕 ⑤〔　　　　〕

(5) 子の代どうしのかけ合わせによってできた孫の代は，どのような組み合わせの遺伝子をもつことになるか。図の⑥～⑨にあてはまる遺伝子の記号を答えよ。

⑥〔　　　　〕 ⑦〔　　　　〕 ⑧〔　　　　〕 ⑨〔　　　　〕

(6) 孫の代のエンドウに現れる遺伝子の組み合わせの比は，どのようになるか。

〈ＡＡ〉：〈Ａａ〉：〈ａａ〉＝〔　　：　　：　　〕

入試レベル問題に挑戦

3 【遺伝】

丸い種子をつくる純系のエンドウのめしべに，しわのある種子をつくる純系のエンドウの花粉をつけたところ，できた種子はすべて丸かった。右の図１は，この遺伝のしくみを模式的に示したものである。ただし，種子を丸くする遺伝子をA，しわにする遺伝子をaとする。次の問いに答えなさい。

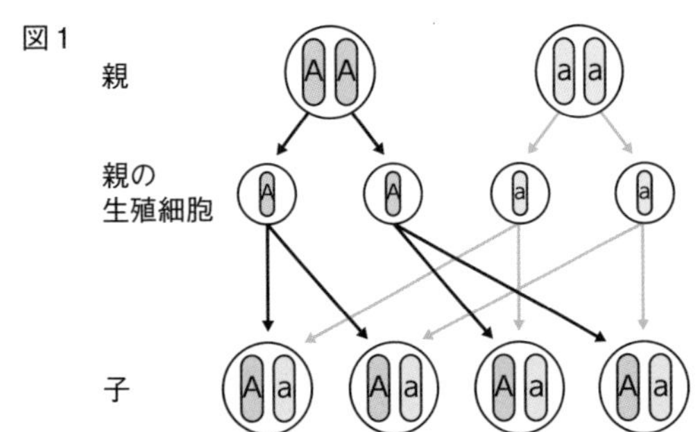

(1) 遺伝子の本体である物質の略称を何というか。アルファベット３文字で書け。

〔　　　　〕

✓よくでる (2) エンドウの種子の形について，子に現れなかったしわのある形質を，子に現れた丸い形質に対して何形質というか。 〔　　　　〕

(3) ＡＡのように対になって存在する遺伝子は，減数分裂(げんすうぶんれつ)によって分かれて，別々の生殖細胞(せいしょくさいぼう)に入る。この法則を何というか。 〔　　　　〕

思考 (4) 右の図２は，図１でできた遺伝子の組み合わせがＡａである子の自家受粉(じかじゅふん)によって孫ができるときの遺伝のしくみを模式的に表そうとしたものである。

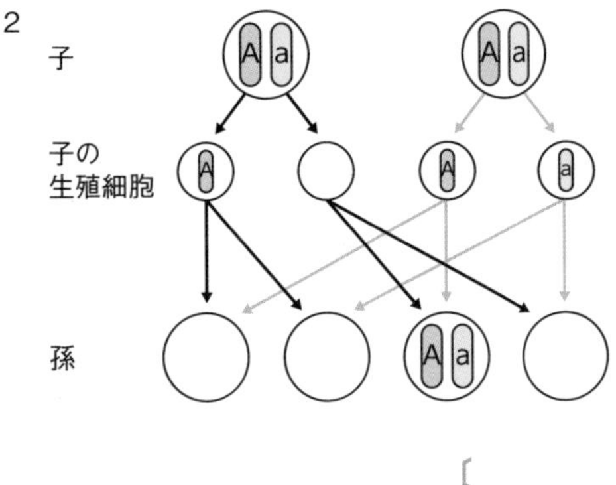

① 孫の種子の中で，丸い種子が600個得られたとすると，しわのある種子は何個得られたと考えられるか。次のア～オから１つ選べ。 〔　　　　〕

ア 200個　**イ** 400個　**ウ** 600個　**エ** 1800個　**オ** 1200個

② ①の丸い種子のうち，Ａａの遺伝子をもつ種子は何個得られると考えられるか。①の**ア**～**オ**から１つ選べ。 〔　　　　〕

ヒント

(4) 孫の遺伝子の組み合わせは，ＡＡが１，Ａａが２，ａａが１の割合でできる。丸い種子になるのは，ＡＡとＡａの遺伝子をもつ種子である。

5 生物の多様性と進化

リンク ニューコース参考書 中3理科 p.116～121

攻略のコツ 脊椎動物の出現の道すじについてつかんでおこう！

テストに出る！ 重要ポイント

- **脊椎動物の出現**
  - ● 脊椎動物の出現…魚類→両生類→は虫類→鳥類・哺乳類の順に出現した。→水中から陸上へと進化。
- **生物の進化**
  - ❶ 進化…生物は共通の祖先から進化する。
  - ❷ 進化の証拠…からだの形やはたらきが異なっていても，基本的なつくりが似ていて，もとは同じ器官だったと考えられるものを**相同器官**という。また，化石（始祖鳥など）からもようすがわかる。

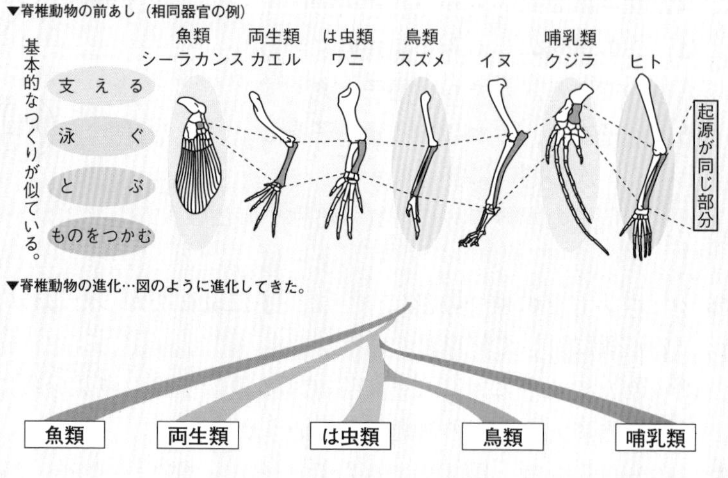

Step 1 基礎力チェック問題

解答 別冊p.12

1 次の〔　　〕にあてはまる言葉を書きなさい。

(1) 生物が長い時間をかけて形質が変化することを〔　　　　〕という。

(2) 脊椎動物は，魚類→両生類→〔　　　　〕→鳥類・哺乳類の順に出現してきた。

(3) 脊椎動物の前あしのように，形やはたらきがちがっても，基本的なつくりが同じ器官のことを〔　　　　〕という。

(4) 始祖鳥は，鳥類と〔　　　　〕の特徴をもっている。

得点アップアドバイス

1

(2) 順に陸上生活に適したつくりになっていることがわかる。

(4) 始祖鳥には爪や歯がある。

2 【脊椎動物の進化】

右の図は，脊椎動物の進化の道すじを系統的に表したものである。これについて，次の問いに答えなさい。

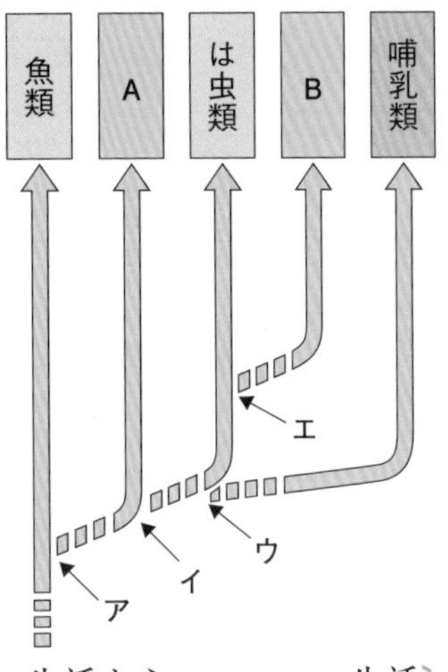

(1) 図のA，Bにあてはまる動物のなかまをそれぞれ答えよ。

A〔　　　　〕
B〔　　　　〕

(2) 図から，脊椎動物は，どこでの生活からどこでの生活に適したものへと進化していったか答えよ。

〔　　　　生活から　　　　生活〕

(3) 図の動物のなかまのうち，最も古くから生存していたものは何か。記号または名前で答えよ。

〔　　　　〕

(4) 始祖鳥の化石は，図のア～エのどの進化を示すものか。記号で答えよ。

〔　　〕

3 【脊椎動物の進化】

脊椎動物の進化について，次の問いに答えなさい。

(1) 右の図は，ハイギョである。次の〔　　〕にあてはまる言葉を書きなさい。

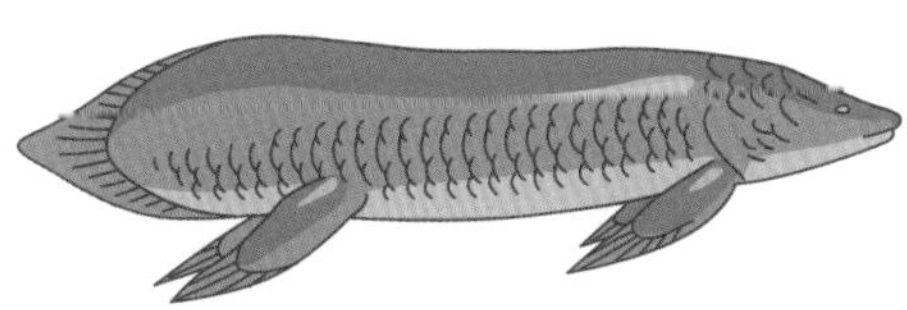

> ハイギョは，約4億年前の地層から化石が発見されている。魚類であると考えられているが，えらのほかに〔①　　　〕でも呼吸をしていたことがわかっている。また，胸びれや腹びれには，両生類やは虫類の〔②　　　　〕に見られるような骨があった。ハイギョのなかまは現在も淡水に生息するものがいる。

(2) 右の図は，カモノハシである。次の〔　　〕にあてはまる言葉を書きなさい。

> カモノハシは，〔①　　　　　〕類に分類され，全身が毛でおおわれていて，母乳で子を育てる。しかし，〔②　　　　〕を産み，骨格はは虫類に似ている。

得点アップアドバイス

2 生物は，脊椎動物も植物も，水中から陸上へと進化していった。

(4) 始祖鳥は進化の手がかりとなるものである。

3

(2) カモノハシは，くちばしをもっているだけでなく，水かきももっている。

Step 2　実力完成問題

解答 別冊p.12

1 【脊椎動物の類縁関係】

右の表は，脊椎動物を４つの特徴で比較したものである。これについて，次の問いに答えなさい。

	魚類	両生類	は虫類	鳥類	哺乳類
共通する特徴	A				
呼吸	えらで呼吸	肺で呼吸			
生まれ方	卵生・水中で産卵		卵生・陸上で産卵		B
移動方法	Cで移動	あしなどで移動			

(1) 表のAには，脊椎動物の５つのなかまに共通する特徴が入る。その特徴を，次のア～エから選び，記号で答えよ。〔　　〕

ア 陸上生活をする。　**イ** からだの表面が毛でおおわれている。
ウ 背骨がある。　**エ** 背骨がない。

(2) Bに入る哺乳類のふえ方を何というか。〔　　〕

(3) Cは移動手段に用いるからだの部分を表している。Cに入る言葉を答えよ。〔　　〕

思考 (4) 表より，魚類は両生類と比べて，哺乳類となかまとして近いといえるか，遠いといえるか。「近い」，「遠い」で答えよ。〔　　〕

(5) (4)の理由を簡単に書け。〔　　〕

2 【始祖鳥】

始祖鳥は，約１億5000万年前の地層から化石として発見されている，鳥類とは虫類の特徴をもつ，右の図のような動物である。次の問いに答えなさい。

(1) 始祖鳥がもつ鳥類の特徴を２つ答えよ。
〔　　〕
〔　　〕

✓よくでる (2) 始祖鳥がもつは虫類の特徴を３つ答えよ。
〔　　〕
〔　　〕
〔　　〕

3【進化の証拠】

生物が進化(しんか)してきたことは，からだのつくりや化石などから知ることができる。次の問いに答えなさい。

(1) 右の図は，ヒトのうで，クジラの胸びれ，スズメの翼(つばさ)の骨格を比較したものである。

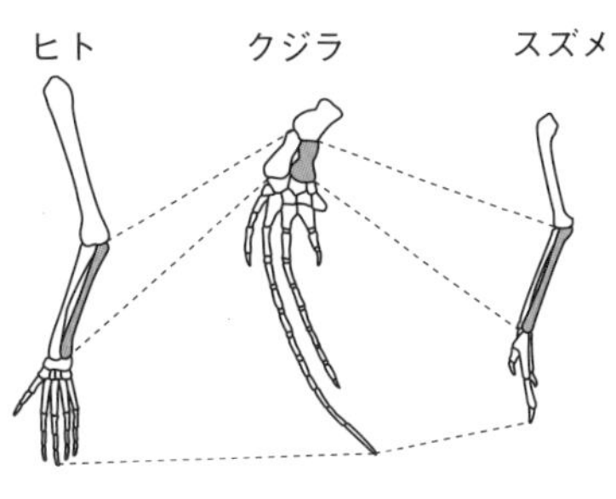

① これらはすべて，両生類の何が変化したものと考えられるか。

〔　　　　〕

② 図のように，形やはたらきがちがっても，基本的に同じつくりの器官のことを何というか。

〔　　　　〕

(2) 各地のさまざまな地層から出てくる化石を調べたとき，生物の種類が多く，形が複雑な化石が発見されるのは，新しい地層，古い地層のどちらを調べたときか。

〔　　　　〕

よくでる (3) 始祖鳥の化石から，始祖鳥は2つの脊椎動物のなかまの特徴をもっていたと考えられる。2つのなかまを答えよ。

〔　　　　〕

〔　　　　〕

入試レベル問題に挑戦

思考 **4**【動物の進化】

「生物は海から」といわれるように，生物の祖先は水の中で生じ，その後に出てきた生物もずっと海の中で生活してきた。やがて陸上生活をするものが現れるようになったが，そのために陸上の環境(かんきょう)条件に適応した機能を備えなければならなかった。このことについて，次の問いに答えなさい。

(1) 脊椎動物のおもな呼吸のしかたで，肺で呼吸する時期があるなかまはどれか。次のア～オから正しい組み合わせを選び，記号で答えよ。〔　　　　〕

ア 鳥類・哺乳類　　**イ** は虫類・鳥類・哺乳類

ウ 両生類・鳥類・哺乳類　　**エ** 両生類・は虫類・鳥類・哺乳類

オ 魚類・両生類・は虫類・鳥類・哺乳類

(2) イモリは，乾燥(かんそう)に対しての適応がまだ不十分なので水辺に生活しているが，ヤモリのなかまはよく適応しており，種類によっては，砂漠(さばく)にすむものさえ知られている。ヤモリの乾燥に対応する適応は，どのような点で，イモリよりすぐれているか。2点あげて説明せよ。

〔　　　　〕

〔　　　　〕

ヒント

生物にとって水分を維持することは重要なことである。そのためにどのような特徴をもつ必要があったのかを考えてみる。

定期テスト予想問題 ③

時間 50分
解答 別冊p.13

得点	/100

1

右の図は，被子植物の花のつくりを模式的に示したものである。これについて，次の問いに答えなさい。 【2点×5】

(1) 花粉はおしべのどこでつくられるか。

(2) おしべの花粉がめしべの柱頭につくことを何というか。

(3) めしべの柱頭についた花粉から細長い管が子房の中の胚珠に向かってのびていく。この細長い管Aを何というか。

(4) (3)の細長い管Aが胚珠に届くと，管の中の精細胞の核と胚珠の中にあるBの核が合体する。このことを何というか。

(5) (4)でできた受精卵は分裂をくり返すと何になるか。次のア～エから選び，記号で答えよ。

ア 果実　　イ 種子　　ウ 子房　　エ 胚

(1)		(2)		(3)	
(4)		(5)			

2

下の図は，植物のからだの一部を顕微鏡で観察したときに見られた細胞のようすである。あとの問いに答えなさい。 【3点×4】

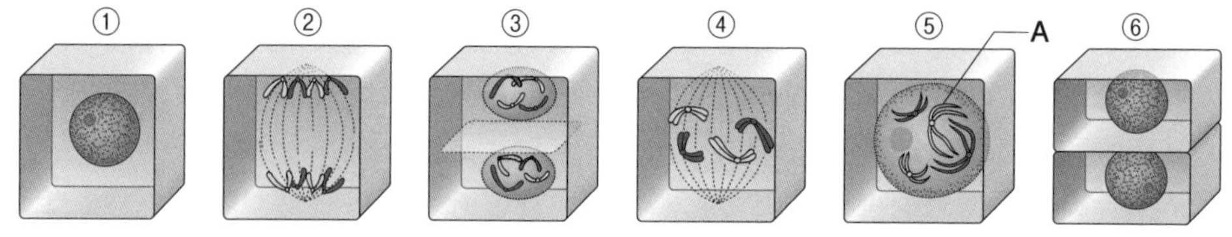

(1) このような細胞を観察するためには，次のア～エのどの部分を使用するのが適しているか。1つ選び，記号で答えよ。

ア ソラマメの種子からのびた根の先端に近い部分

イ タマネギのりん片葉の表皮の部分

ウ ツバキの葉の裏側の表皮の部分

エ オオカナダモの葉の一部分

(2) ①～⑥のような細胞が観察できるのは，細胞が何という変化をしているときか。

(3) ①～⑥のようすを，変化が起こった順に並べるとどのようになるか。

(4) 図⑤のAは，①をはじめとしてこの変化が起こるときに現れるひものようなものである。Aの名称を答えよ。

(1)		(2)		(3)	① → → → → →
(4)					

3

タマネギの根を用いて，細胞分裂中の染色体のようすを調べるために，次の実験を行った。あとの問いに答えなさい。 【2点×4】

〈観察〉図1のように，タマネギの根を先端から5mmくらいとり，ある処理をしてから根の先端部分X，根の先端から離れた部分Yを，1mmくらいずつ柄つき針で切りとってスライドガラスにのせた。それぞれに染色液をたらして3分間置いたあと，カバーガラスをかけてろ紙をのせて根を指で押しつぶし，顕微鏡で染色体が見える細胞をさがした。

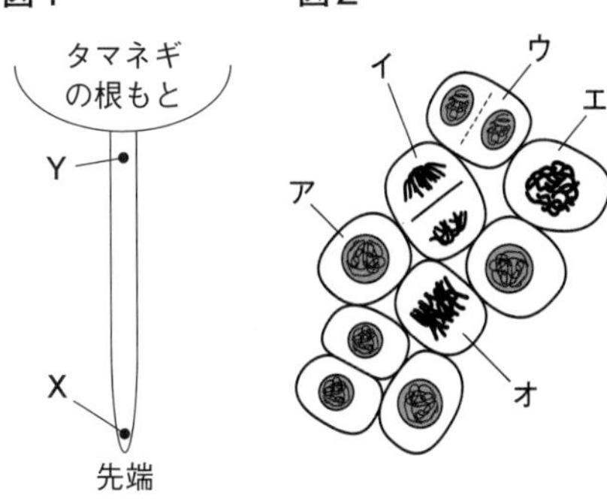

(1) 下線部のある処理は，根の細胞どうしを離れやすくするための処理である。この処理に使う薬品の名称を書け。

(2) 核や染色体を見やすくするために用いられる染色液は何か。

(3) 図1のX，Yの部分をそれぞれ，顕微鏡で観察すると，片方は染色体が見られ，もう一方は見られなかった。図2は，染色体が見られた方のスケッチである。図2は，X，Yのどちらを顕微鏡で観察したようすか。また，もう一方の1つの細胞の大きさは図2の1つの細胞の大きさと比べてどうであると考えられるか。

(4) 図2のア～オの細胞を分裂の順にアを最初にして並べ，記号で答えよ。

(1)				(2)	
(3)	記号	大きさ	(4)	ア → → → →	

4

右の図1は，カエルの卵が子どもになるまでのようすを示したものである。次の問いに答えなさい。 【3点×7】

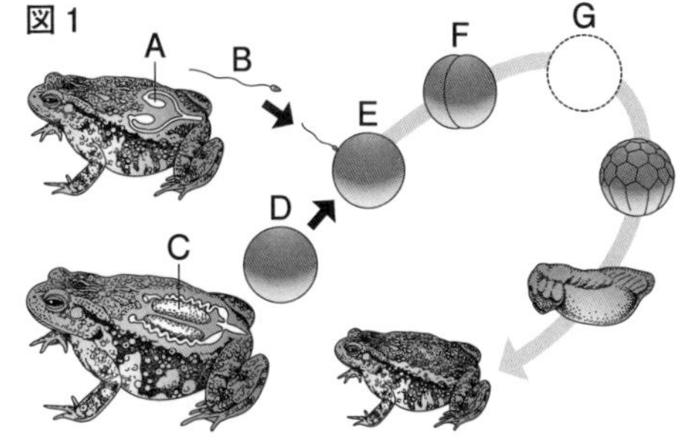

(1) 図1のB，Dは，それぞれA，Cでつくられる。A，Cを何というか。

(2) 図1のB，Dを何というか。

(3) 図1のBとDの核が合体することを何というか。

(4) カエルの発生の順序として，図1のFのすぐあとのGにくるものとして，最も適切なものを，図2のア～ウから選べ。

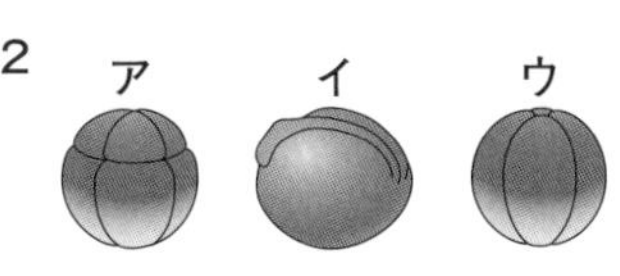

(5) 図1のBとDの核が合体してできたEを何というか。

(1)	A	C	(2)	B	D
(3)		(4)		(5)	

5 右の図は，ゾウリムシとカエルの生殖のようすを表したものである。これについて，次の問いに答えなさい。【3点×5】

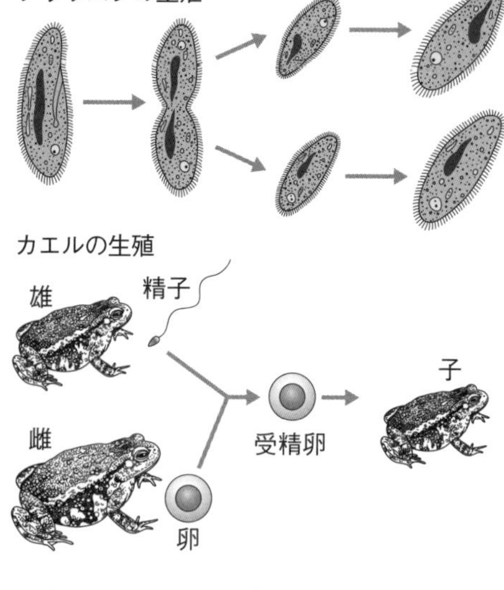

(1) ゾウリムシのような，雄・雌によらない生殖のしかたを何生殖というか。

(2) カエルのような，雄・雌による生殖のしかたを何生殖というか。

(3) 新しい個体（子）の細胞がもつ染色体の組み合わせが，親の細胞がもつ染色体の組み合わせと全く同じであるのは，ゾウリムシ，カエルのどちらか。

(4) カエルが精子や卵をつくるときの細胞分裂を，特に何というか。

(5) ふつう，ゾウリムシと同じ生殖のしかたをするものはどれか。次のア～エから２つ選べ。

ア　コウボキン　　イ　ヘチマ　　ウ　ジャガイモ　　エ　フナ

(1)		(2)		(3)		(4)		(5)	

6 右の図のように，丸い種子をつくるエンドウ（親）Ｘのめしべに，しわのある種子をつくるエンドウ（親）Ｙの花粉をつけたところ，できた種子（子）はすべて丸い種子であった。この丸い種子をまいて育て，自家受粉させたところ，できた種子（孫）は，丸い種子の数としわのある種子の数の比が３：１になった。次の問いに答えなさい。【3点×3】

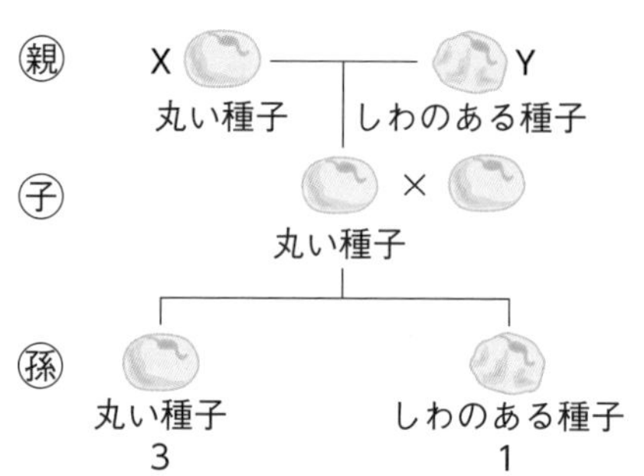

(1) 右の図から，種子の形が「丸」と「しわ」という対立形質では，種子の形が「丸」の形質を何の形質というか。

(2) Ｘの親の遺伝子の組み合わせをＡＡ，Ｙの親の遺伝子の組み合わせを aa とする。このとき，上の図で，子の遺伝子の組み合わせはどのようになっているか。次のア～ウから選び，記号で答えよ。

ア　AA　　イ　Aa　　ウ　aa

(3) 上の図の孫の種子がもっているすべての遺伝子の組み合わせと，その遺伝子の組み合わせをもっている種子の数の比を最も簡単な整数比で答えよ。

(1)		(2)	
(3)	遺伝子の組み合わせ　　:　　:　　=	数の比　　:　　:	

7 マツバボタンの遺伝について調べるために実験を行なった。
マツバボタンの花の色の遺伝には，２種類の遺伝子が関係している。赤い花をつける遺伝子をＡとし，白い花をつける遺伝子をａとする。図のような遺伝子の組み合わせをもつ親Ⅰと，親Ⅱをかけ合わせてできた子から得られた種子をまいたところ，赤い花をつける株が675株，白い花をつける株が225株できた。次の問いに答えなさい。　【3点×5】

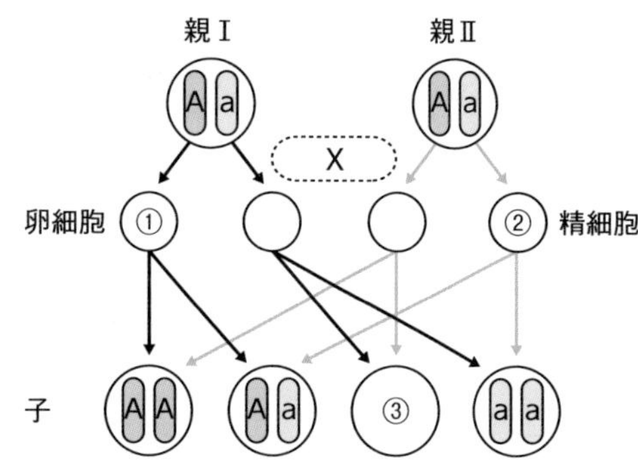

(1) 図のＸの生殖細胞をつくる細胞分裂を何というか。

(2) 図の①～③にあてはまる遺伝子として正しいものを，次のア～オからそれぞれ１つ選べ。

ア　A　　イ　a　　ウ　AA　　エ　Aa　　オ　aa

(3) 子の代で得られた赤い花をつける株のからだの遺伝子のうち，親Ⅰと同じ遺伝子の組み合わせをもつ株の数は，およそいくつか。次のア～エから１つ選べ。

ア　225株　　イ　450株　　ウ　675株　　エ　900株

(1)		(2)	①	②	③
(3)					

8 右の図は，脊椎動物の進化のようすを表したものである。これについて，次の問いに答えなさい。　【3点×2，(3)は4点】

図1

陸上　鳥類　ウ　イ　は虫類　哺乳類　両生類　水中　魚類　エ　ア

(1) 地球上に最初に生物が出現したのはどこか。

(2) は虫類が両生類とちがって，水辺を離れ，陸上で生活することができたのは，からだのつくりが何に耐えられるしくみになったからか。

(3) 脊椎動物の進化の事実は，２つのなかまの中間的な特徴をもつ生物の化石の発見などからも知ることができる。図２の２つの生物（化石）は，それぞれ図１のア～エのどの進化のようすを表しているか。記号で答えよ。

図２

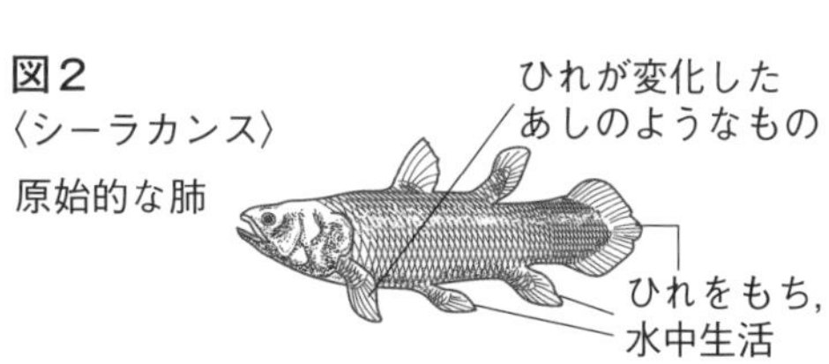

(1)		(2)	
(3)	シーラカンス	始祖鳥	

1 力の合成と分解

リンク
ニューコース参考書
中3理科
p.130～135

攻略のコツ 力の合成，分解が図をもとに問われる。

「作用と反作用」は NC 参考書 p160-161

テストに出る！ 重要ポイント

● **力の合成（ごうせい）**

2力と同じはたらきをする1つの力を2力の**合力（ごうりょく）**，合力を求めることを**力の合成**という。

一直線上にない2つの力の合成
力F_1，F_2を合成

F_1，F_2を2辺とする平行四辺形 ➡ 対角線が合力

❶ **一直線上にある2力の合力**

・**同じ向きの合力**…2力の大きさの和，2力と同じ向き。

・**反対向きの合力**…2力の大きさの差，大きい力の向き。

❷ **一直線上にない2力の合力**…平行四辺形の**対角線**

● **力の分解（ぶんかい）**

物体にはたらく1つの力を，同じはたらきをする2力に置きかえることを**力の分解**，置きかえられた2力をもとの力の**分力（ぶんりょく）**という。

力Fをa,b方向に分解

Fを対角線とする平行四辺形 ➡ 2辺が分力

● **作用（さよう）と反作用（はんさよう）**

ある物体が，ほかの物体に力を加える（**作用**）と，力を加えた物体も，相手の物体から力を受ける（**反作用**）。

Step 1 基礎力チェック問題

解答 別冊p.14

1 次の〔　　〕にあてはまるものを選ぶか，あてはまる言葉を書きなさい。

(1) 一直線上にない2力の合力は，平行四辺形の〔　　　　　〕で表される。

(2) 2力と同じはたらきをする1つの力を2力の〔　　　　　〕といい，その力を求めることを力の〔　　　　　〕という。

(3) 物体にはたらく1つの力を同じはたらきをする2力に置きかえることを力の〔　　　　　〕，この2力を〔　　　　　〕という。

(4) ある物体がほかの物体に力を加えたとき，力を加えた物体には，相手の物体から，〔同じ　異なる〕大きさの，〔同じ　反対〕向きの力を受ける。

(5) (4)で，ある物体が他の物体に加える力を〔　　　　　〕といい，相手の物体から受ける力を〔　　　　　〕という。

1

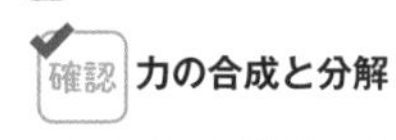

力の合成と分解

力の合成と分解は，たがいに逆の関係にある。

(4) 作用・反作用は，たがいに相手の物体にはたらく2つの力についての関係である。

2 【力の合成と分解】

次の方眼(ほうがん)の1目盛りを1Nとして，あとの問いに答えなさい。

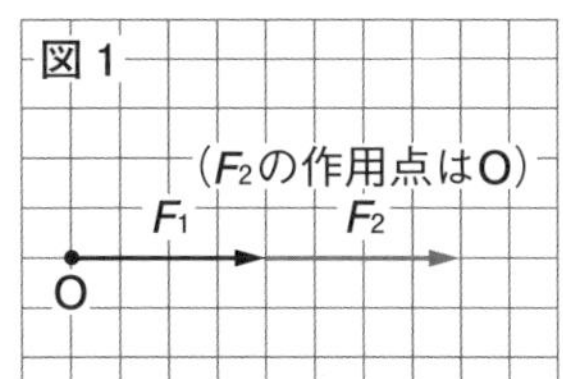

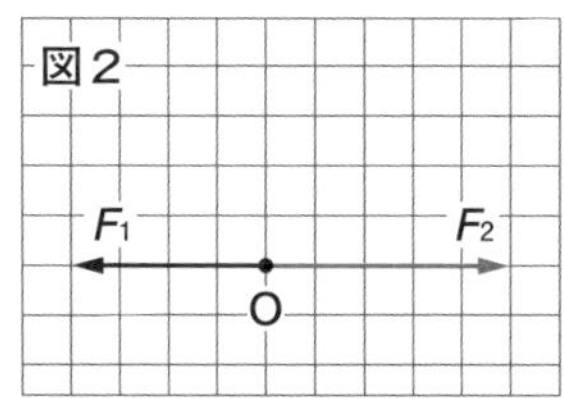

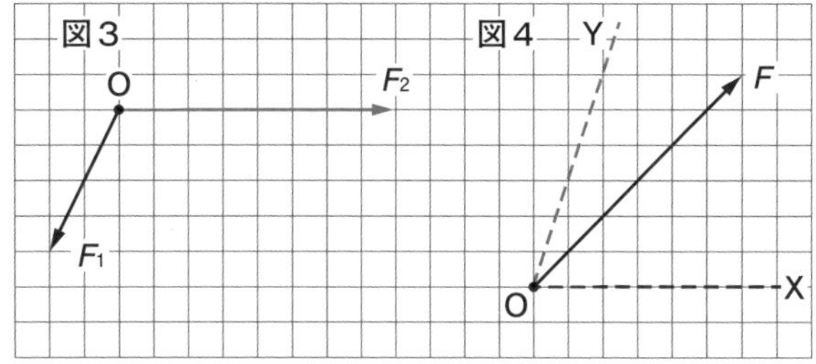

(1) 図1の2力の合力の向き（左右）と大きさを書け。

向き〔　　　　　〕大きさ〔　　　　　〕

(2) 図2の2力の合力の向き（左右）と大きさを書け。

向き〔　　　　　〕大きさ〔　　　　　〕

(3) 図3の2力の合力 *F* を作図せよ。（図3に記入）

(4) 図4の力 *F* の，OX，OY 方向の分力を作図せよ。（図4に記入）

(5) 図4の力 *F* の，OX 方向の分力の大きさを書け。〔　　　　　〕

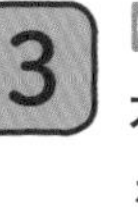

3 【作用・反作用】

右の図のように，ローラースケートをはいたA，B２人のうち，AがBに力を加えて押(お)した。これについて，次の問いに答えなさい。

A　B　a　b

(1) このあと，A，Bはどうなるか。次のア～エから1つ選び，記号で答えよ。

〔　　　　　〕

ア　Bは右に動くが，Aは静止したまま。
イ　Aは左に動くが，Bは静止したまま。
ウ　AはBといっしょに右に動く。
エ　Bは右に動き，Aは左に動く。

(2) 図のaの矢印で表される力は，どのような力のことか。「Aが…」という書き出しで簡単に説明せよ。

〔 Aが　　　　　〕

(3) aとbの矢印で示される力は，1つの物体にはたらく力か，それとも2つの物体に別々にはたらく力か。

〔　　　　　〕

得点アップアドバイス

2

確認 **力の合成**

角度をもつ2力の合力は，2力を2辺とする平行四辺形の対角線になる。

(2) 同一直線上にある反対向きの2力の合力の向きは，大きい方の力の向きと同じで，合力の大きさは2力の差になる。

(4) 1つの力を対角線とし，与(あた)えられた2方向を2辺とする平行四辺形の2辺が分力になる。

3

(1) AがBを右向きに押すと，Bは右向きに動くが，同時に，同じ大きさでAはBから左向きに力を受ける。

(2) AはBを押し，AはBによって押し返されている。

Step 2　実力完成問題

解答 別冊p.14

1 【2力の合成】

2力の合成（ごうせい）について，次の問いに答えなさい。

ミス注意 (1) 次のア～エは，大きさがいずれも1Nで向きのちがう2つの力を矢印で表したものである。これらのうち，合力（ごうりょく）の大きさが1Nになるものはどれか，1つ選び，記号で答えよ。〔　　　〕

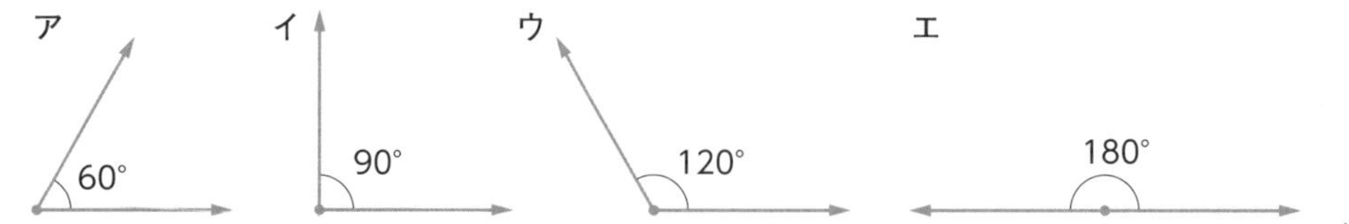

✓よくでる (2) 次の図1で，力OA，OBの合力を作図せよ。図2，3では，力ODの2つの分力（ぶんりょく）のうち1つが力OCである。もう1つの力を作図せよ。

図1

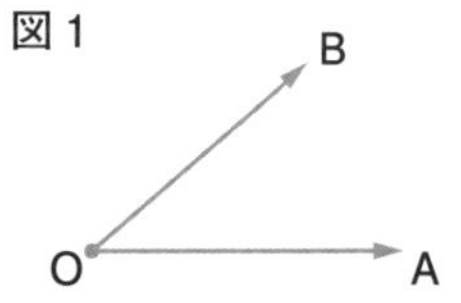

図2

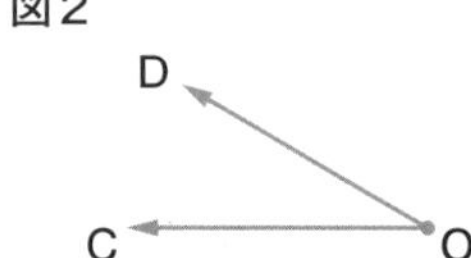

図3

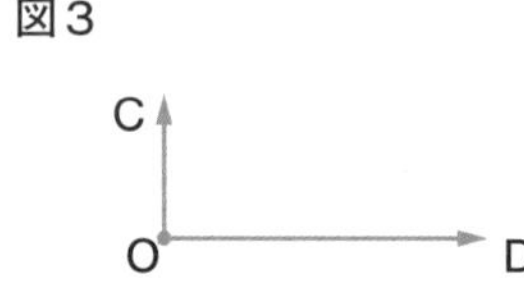

2 【2力のつり合いと作用・反作用のちがい】

天井（てんじょう）からばねでおもりをつり下げたところ，静止した。右の図は，このときはたらいている力を表したものである。

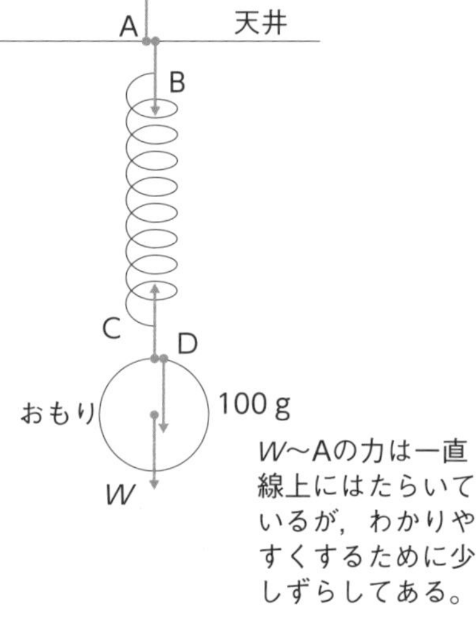

✓よくでる (1) 図のおもりにはたらく重力 W とつり合っている力を，A～Dから1つ選び，記号で答えよ。〔　　　〕

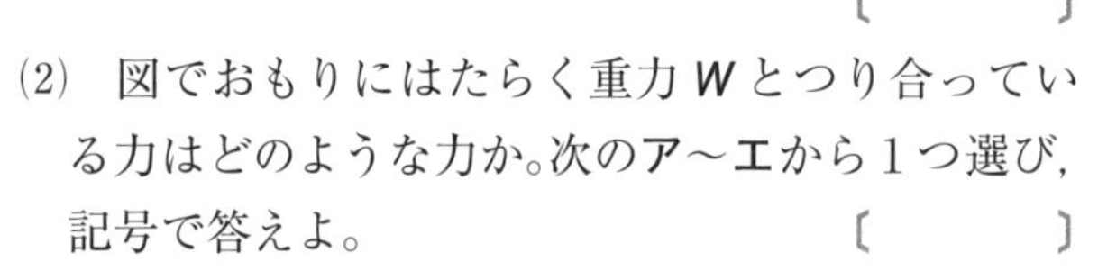

(2) 図でおもりにはたらく重力 W とつり合っている力はどのような力か。次のア～エから1つ選び，記号で答えよ。〔　　　〕

ア　ばねが天井を引く力

イ　ばねがおもりを引く力

ウ　おもりがばねを引く力

エ　天井がばねを引く力

(3) 図のCと作用・反作用の関係にある力はどれか。A～Dから1つ選び，記号で答えよ。〔　　　〕

(4) 図で，(3)のほかに作用・反作用の関係にある力はどれとどれか。A～Dから選び，記号で答えよ。〔　　　〕

ミス注意 (5) 作用・反作用の関係にある2つの力についての説明文で正しいものは，次のア，イのどちらか。〔　　　〕

ア　1つの物体にはたらく2つの力。　　イ　2つの物体に別々にはたらく2つの力。

3 【作用・反作用】

右の図のように，ローラースケートをはいた人が壁を押した。矢印は，壁を押した力を表している。これについて，次の問いに答えなさい。

ミス注意 (1) このとき，人は壁から押し返されて右へ動いた。壁から押し返された力を右の図に作図せよ。

(2) 人が壁を押した力に対して，壁が人を押し返した力を何というか。

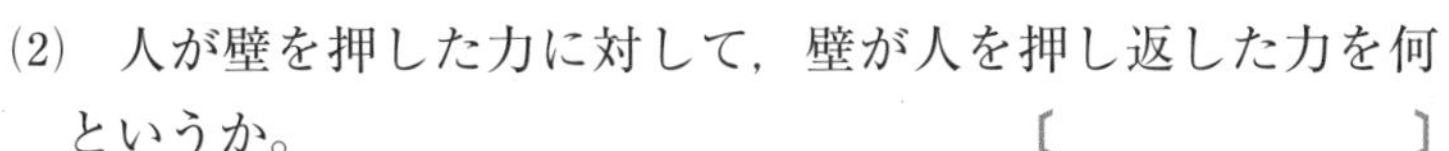

〔　　　　　〕

4 【力の分解】

右の図は，斜面上の台車にはたらく重力 *W* を矢印で示したものである。次の問いに答えなさい。

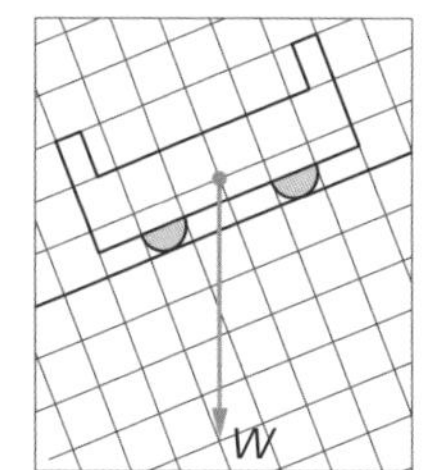

✓よくでる (1) 台車にはたらく重力 *W* を，斜面に平行な方向の分力 *P* と，斜面に垂直な方向の分力 *Q* に分解して，矢印で示せ。

(2) 台車にはたらく重力の斜面に垂直な方向の分力 *Q* とつり合っている力を何というか。 〔　　　　　〕

ミス注意 (3) 斜面の傾きを図より大きくしたとき，*W*，*P* の大きさはそれぞれどうなるか。 *W*〔　　　　　〕 *P*〔　　　　　〕

入試レベル問題に挑戦

5 【力の合成と分解】

図1は，天井に固定した滑車におもりを糸でつり下げて，力がつり合った状態を示している。O点は糸の結び目であり，質量100 gの物体にはたらく重力の大きさを1 Nとする。これについて，次の問いに答えなさい。

図1

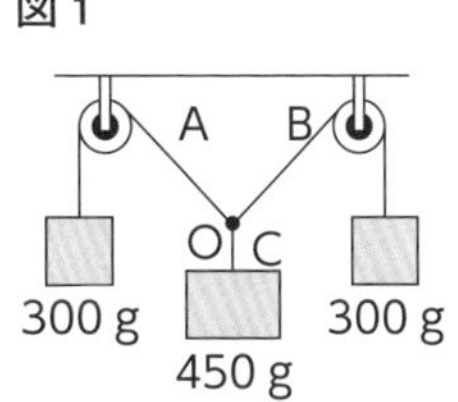

図2

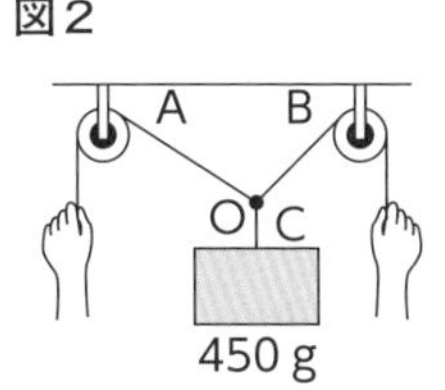

図3

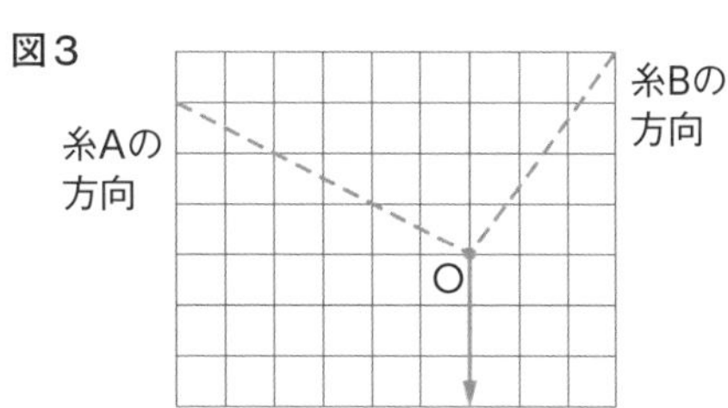

✓よくでる (1) 図1のとき，糸A，BがO点を引く力の合力の大きさは何Nか。〔　　　　　〕

(2) 図1の2つの滑車の間隔をせまくしてつり合わせた。このとき，左右につるすおもりの質量はどうなるか。 〔　　　　　〕

(3) 図2は，糸A，Bを手で引いたときのようすである。また，図3の矢印は，このときの糸CがO点を引く力を表している。糸Aと糸BがO点を引く力を図3に作図せよ。

ヒント

(1) 糸A，BがO点を引く力の合力は，糸CがO点を引く力とつり合っている。

2 水圧と浮力

リンク
ニューコース参考書
中3理科
p.136～147

攻略のコツ 水圧は深さに関係し，浮力は体積に関係する！

テストに出る！ 重要ポイント

- 水圧（すいあつ）
  - ❶ **水圧**…水の重さによる圧力。
  - ❷ 水圧の大きさ…水の深さが深くなるほど大きくなる。
  - ❸ 水圧のはたらく向き…あらゆる向きにはたらく。

- 浮力（ふりょく）
  - ❶ **浮力**…水中の物体にはたらく，**上向き**の力。物体の上面と下面にはたらく水圧の差によって生じる。
  - ❷ 浮力の大きさ…水中にある物体の体積が大きいほど，はたらく浮力は大きい。

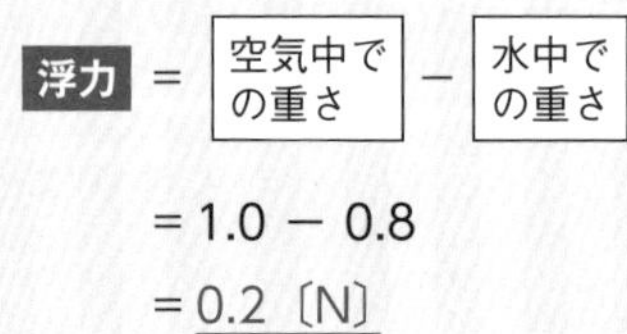

= 1.0 − 0.8
= 0.2〔N〕

浮力の大きさの調べ方

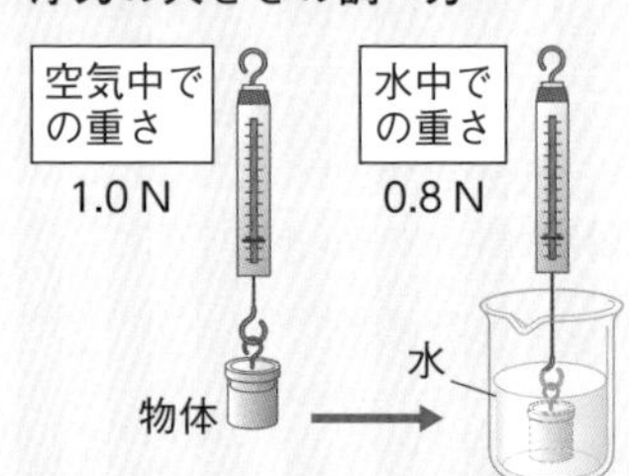

Step 1 基礎力チェック問題

解答 別冊p.14

1 次の〔　　〕にあてはまるものを選ぶか，あてはまる言葉を書きなさい。

(1) 水の重さによる圧力を〔　　　　〕という。

(2) 水圧は，水の深さが深くなるほど〔小さくなる　大きくなる〕。

(3) 水圧は，〔上面にだけ　下面にだけ　あらゆる向きに〕はたらく。

(4) 水中の物体にはたらく上向きの力を〔　　　　〕という。

(5) 物体の上面にはたらく水圧は，下面にはたらく水圧よりも〔小さい　大きい〕ために浮力が生じる。

(6) 浮力の大きさは，水の深さに〔関係がある　関係がない〕。

(7) 水中にある物体の体積が大きいほど，物体にはたらく浮力の大きさは〔小さい　大きい〕。

(8) ばねばかりに物体をつるして空気中ではかると3Nを示した。物体を水中に入れると，ばねばかりが示す値（あたい）は〔3Nより小さい　3Nのまま　3Nより大きい〕。

(9) 水中に鉄の球を入れると沈（しず）んだ。この鉄の球に浮力は〔はたらいている　はたらいていない〕。

得点アップアドバイス

1

(2) 水の深さが深くなるほど，その上にある水の量は多くなる。

(3) 大気圧と同じようにはたらく。

(7) 水圧は，物体の体積に関係しない。

(8) 浮力＝空気中での重さ－水中での重さ

(9) 物体にはたらく浮力より，その物体にはたらく重力の方が大きいと沈む。

2 【水圧】

うすいゴム膜を張った透明な筒を水中に入れて，ゴム膜のようすを調べた。次の問いに答えなさい。

(1) ゴム膜が左右にくるようにして水中に入れると，ゴム膜はどうなるか。次のア～ウから1つ選び，記号で答えよ。〔　　〕

ア 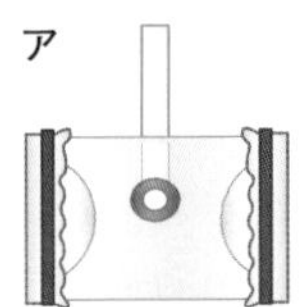
イ 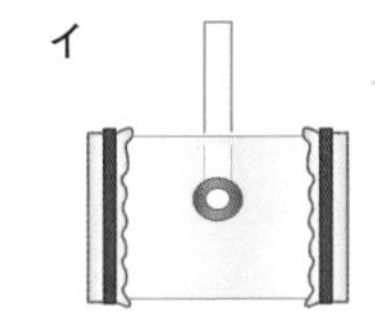
ウ 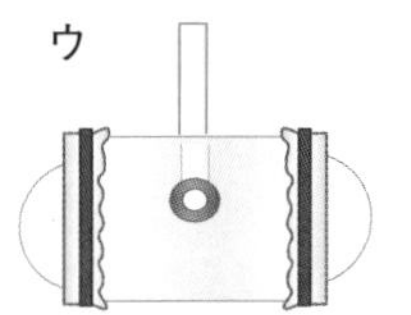

(2) ゴム膜が上下にくるようにして水中に入れると，ゴム膜はどうなるか。次のア～ウから1つ選び，記号で答えよ。〔　　〕

ア 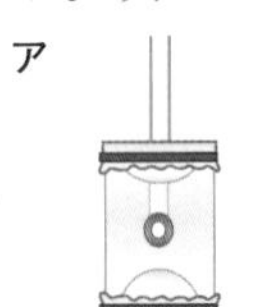
イ 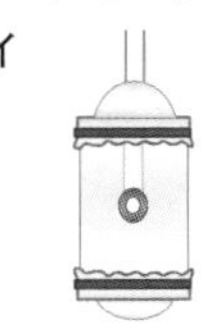
ウ 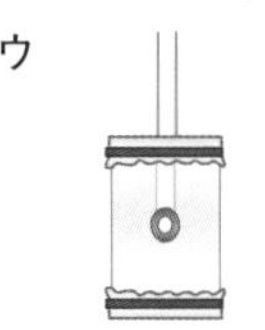

3 【浮力】

右の図のように，ばねばかりにおもりをつるすと0.25 Nを示した。このおもりを水中に入れると0.15 Nを示した。次の問いに答えなさい。

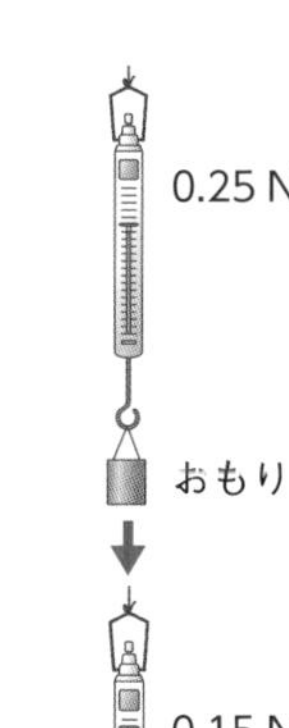

(1) おもりを水中に入れるとばねばかりの値が変化したのは，おもりに上向きのある力がはたらいたからである。この力を何というか。〔　　〕

(2) おもりにはたらく(1)の大きさは何Nか。〔　　〕

(3) おもりをさらに深く，底につかないように沈めると，ばねばかりの値はどうなるか。次のア～ウから1つ選び，記号で答えよ。〔　　〕

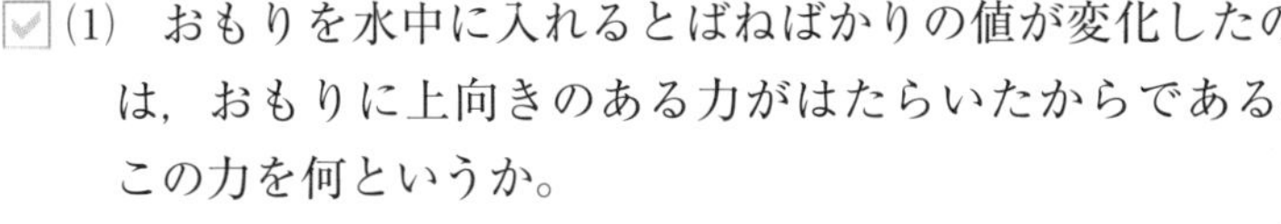

ア　小さくなる。　イ　大きくなる。　ウ　0.15 Nのまま。

4 【水圧のはたらき方】

水中のおもりにはたらく水圧の大きさのようすを矢印の長さで表した。正しく表しているものを次のア～ウから1つ選び，記号で答えなさい。〔　　〕

ア 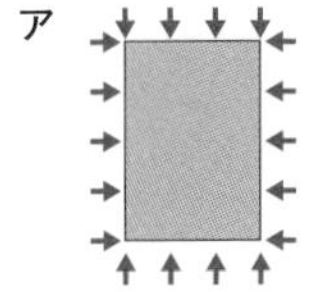
イ 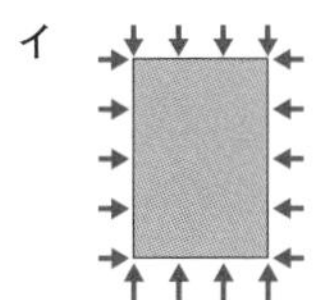
ウ 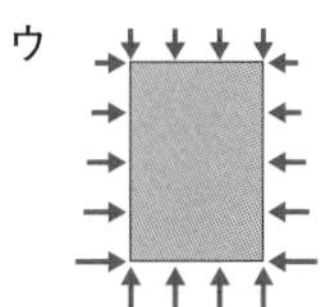

得点アップアドバイス

2

確認 水圧の大きさ

水圧は，水の深さが深いほど大きくなる。同じ深さでは，物体にはたらく水圧は等しい。

3

テストで注意 浮力と深さ

浮力の大きさは深さに関係しない。

4

確認 水圧の向きと大きさ

水圧は，あらゆる向きに，物体の面に垂直にはたらく。また，水の深さに比例して大きくなる。

Step 2 実力完成問題

解答 別冊p.15

1 【水圧の大きさ】

下の図のように，ペットボトルにちがう高さの位置に３つの同じ大きさの穴をあけ，ペットボトルに水を満たしてふたをした。ふたを開けたとき，穴から出る水のようすで適当なものを，次のア～ウから１つ選び，記号で答えなさい。〔　　〕

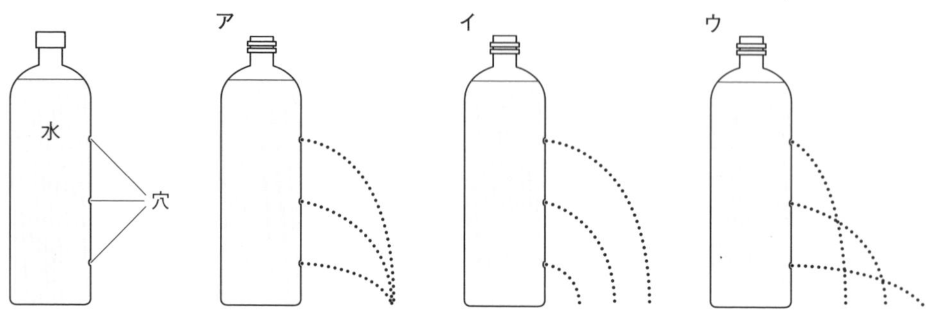

2 【水圧と浮力】

水中にある物体にはたらく力について，次の問いに答えなさい。

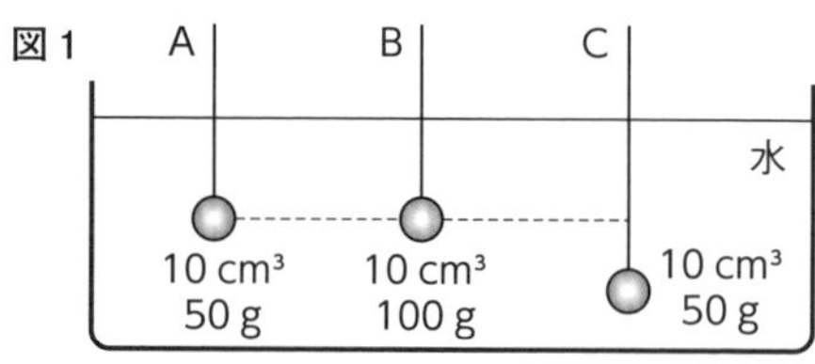

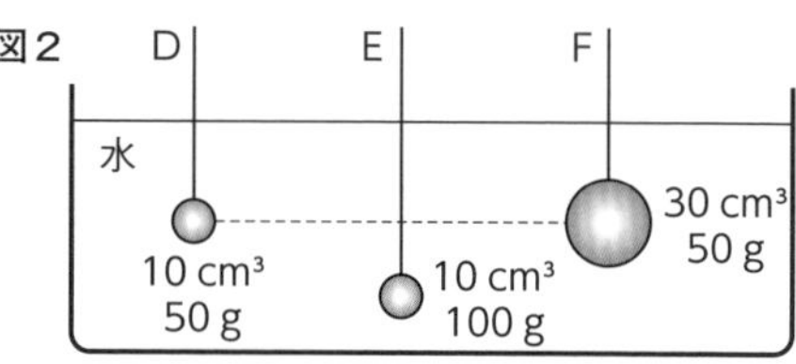

よくでる (1) 図１のA～Cのうち，最も大きい水圧(すいあつ)がはたらいている物体はどれか。〔　　〕

(2) 図１のA～Cのうち，同じ大きさの水圧がはたらいている物体はどれとどれか。２つ選べ。〔　　，　　〕

ミス注意 (3) 図２のD～Fのうち，最も大きい浮力(ふりょく)がはたらいている物体はどれか。〔　　〕

3 【水圧と深さ】

水圧について，右の図のような水の柱で考える。次の問いに答えなさい。ただし，100 g の物体にはたらく重力を１N とする。

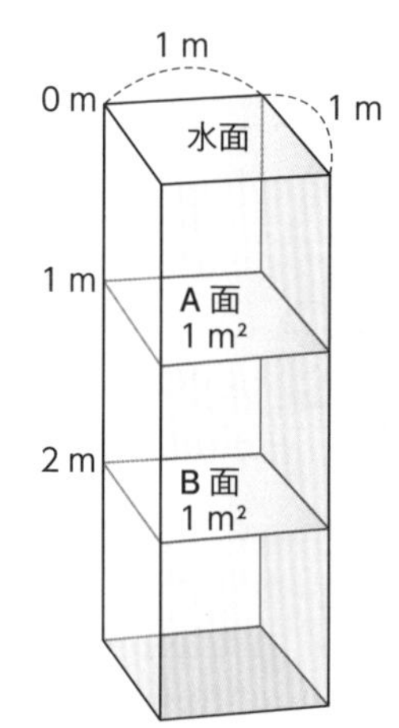

(1) A面，B面は面積が $1\,m^2$ で，A面は水面から１m，B面は水面から２mの深さにある。A面，B面の上にある水の重さはそれぞれ何Nか。ただし，水の密度は $1\,g/cm^3$ とする。

A面〔　　　　〕 B面〔　　　　〕

(2) A面，B面にはたらく水圧はそれぞれ何Paか。

A面〔　　　　〕 B面〔　　　　〕

(3) (2)から水の深さが深くなるほど，水圧はどうなるといえるか。

〔　　　　〕

(4) １気圧は，約1000 hPaである。水圧が１気圧と同じ大きさになるのは，水面から何mの深さになるときか。〔　　　　〕

4　【浮力】

力の大きさとばねののびとの関係が図1のようなばねがある。質量300 gのおもりAをこのばねにつるした。これについて，次の問いに答えなさい。ただし，100 gの物体にはたらく重力の大きさを1 Nとする。

図1

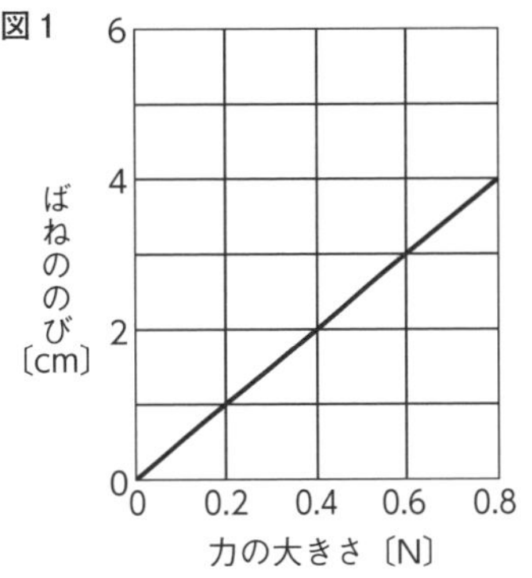

(1)　空気中でおもりAをばねにつるしたとき，ばねののびは何cmになるか。　〔　　　　　〕

✓よくでる (2)　おもりAを水中に全部入れるとばねののびが8.5 cmになった。おもりAにはたらく浮力の大きさは何Nか。　〔　　　　　〕

(3)　(2)のおもりAを，図2のようにばねを持ち上げて，おもりAが半分だけ水中に入っている状態にしたとき，(2)と比べてばねののびはどうなるか。次のア～ウから1つ選び，記号で答えよ。　〔　　　〕

ア　小さくなる。
イ　大きくなる。
ウ　変化しない。

図2

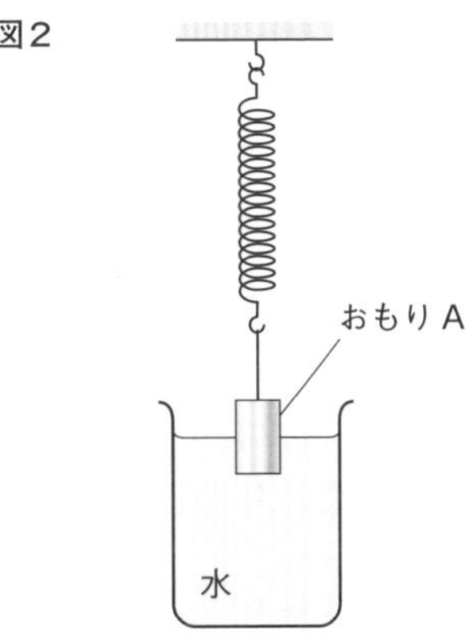

ミス注意 (4)　おもりAと同じ体積で，質量が500 gのおもりBをばねばかりにつるして水中に全部入れた。このとき，(2)と比べてばねののびはどうなるか。(3)のア～ウから1つ選び，記号で答えよ。

〔　　　〕

図3

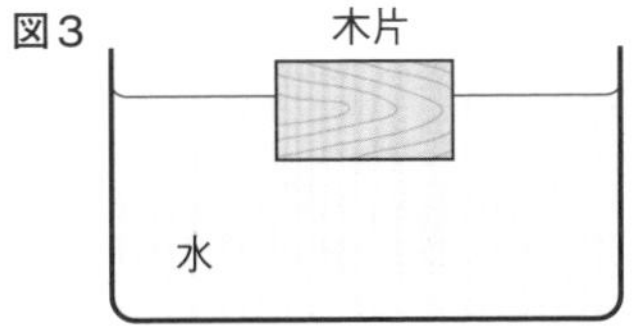

思考 (5)　図3のように，質量250 gの木片を水に入れると，木片が水に浮(う)いた。この木片にはたらいている浮力の大きさは何Nか。　〔　　　　　〕

入試レベル問題に挑戦

5　【浮力の大きさ】

異なる種類の金属でできた，同じ質量で体積の異なるおもりAとおもりBがある。右の図のように，棒の支点の左右におもりAとおもりBをつるすとつり合った。この2つのおもり全体を同時に水に入れるとどうなるか。次のア～ウから1つ選び，記号で答えなさい。ただし，どちらのおもりも水に浮いていないものとし，どちらのおもりも底についていないものとする。

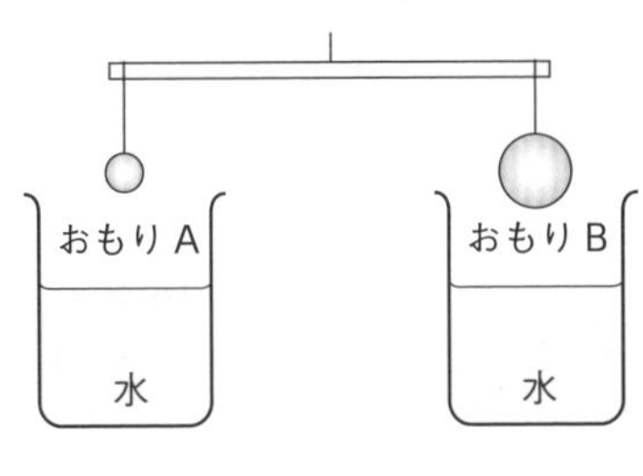

〔　　　〕

ア　おもりAが下がる。　　イ　おもりBが下がる。　　ウ　水平につり合ったまま。

ヒント
水中にある物体が水から受ける浮力の大きさは，体積が大きいものほど大きい。

定期テスト予想問題 ④

時間 50分
解答 別冊p.15

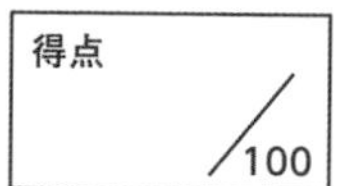

※質量 100 g の物体にはたらく重力の大きさを 1 N とします。

1 右の図は，O点に F_1，F_2 の2力がはたらいている状態を示したものである。これについて，次の問いに答えなさい。 【3点×4】

(1) ①，②の合力（ごうりょく）を作図して示せ。

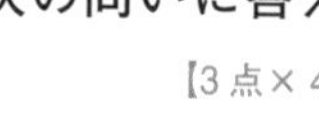

(2) 方眼の1目盛りを2Nの力とすると，①，②で求めた合力の大きさは，それぞれ何Nか。

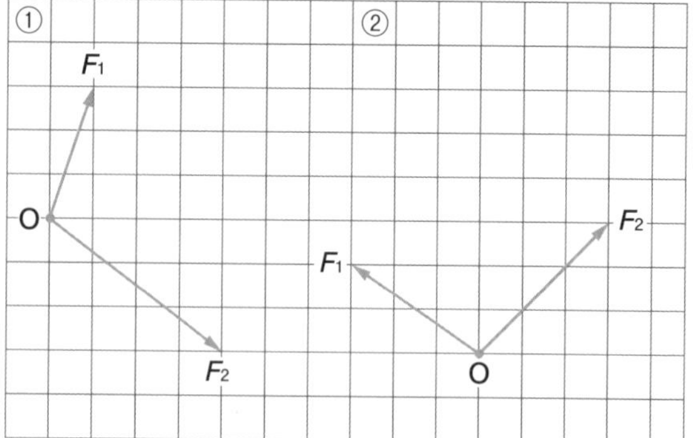

(1)	① 図にかく	② 図にかく	(2)	①	②

2 右の図は，点Oを作用点（さようてん）とするさまざまな向きの力を表している。これについて，次の問いに答えなさい。 【3点×3】

(1) 力 *B* とつり合う力はどれか。

(2) 力 *C* を合力とする力はどれとどれか。

(3) 力 *G* を分解（ぶんかい）して得られる2つの力は，どれとどれか。

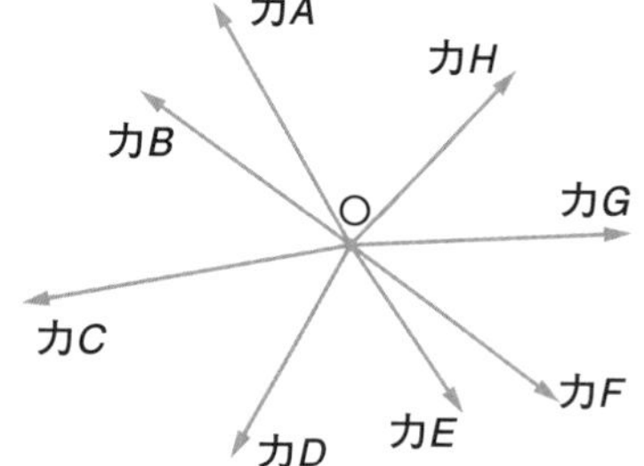

(1)		(2)		(3)	

3 右の図は，斜面（しゃめん）上の物体をひもで上部のくぎに結んで静止させたとき，物体にはたらく力を示したものである。これについて，次の問いに答えなさい。 【3点×3】

(1) この物体にはたらく重力 *W* の分力（ぶんりょく）と考えられるものを力 *A*～*E* からすべて選び，記号で答えよ。

(2) 斜面に摩擦（まさつ）がはたらかないとすると，物体を斜面上に静止させておくための力はどれか。*A*～*E* から1つ選び，記号で答えよ。

(3) 斜面の傾き（かたむき）（図の∠*a*）を大きくしたとき，大きくなる力を *A*～*E* からすべて選び，記号で答えよ。

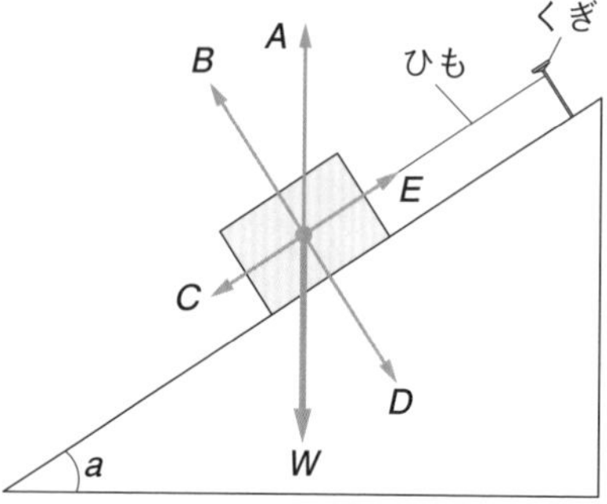

(1)		(2)		(3)	

4 右の図のように，5 kg の物体を床(ゆか)に置き，ロープと滑車(かっしゃ)を使って 3 kg のおもりをつり下げて静止させた。次の問いに答えなさい。 【3 点× 4】

天井
P
物体
5 kg
おもり
3 kg
床

(1) 物体が床を押す力の大きさと向きはどうなっているか。次のア～エから1つ選び，記号で答えよ。

ア 上向きに 20 N の力　　**イ** 上向きに 30 N の力
ウ 下向きに 20 N の力　　**エ** 下向きに 30 N の力

(2) ロープがおもりを引く力は，どちらの向きに何 N か。

(3) おもりをつるしたことによって，天井(てんじょう)全体にかかる力の大きさは何 N か。

(4) 左の滑車 **P** が，ロープから受ける2つの力とその合力を表したものとして適するものを，次の**ア**～**オ**から1つ選び，記号で答えよ。

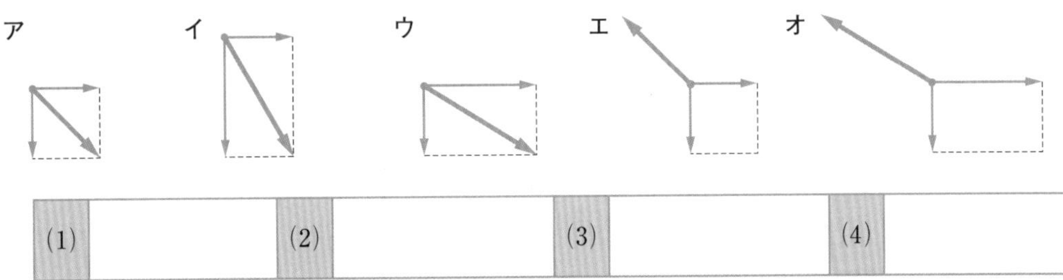

5 右の図のように，天井につるしたひもに 100 g のおもりをとりつけた。これについて，次の問いに答えなさい。 【3 点× 2】

(1) ひもがおもりを引く力 *F* を作用(さよう)とすると，反作用(はんさよう)は次の**ア**～**エ**のどれか。1つ選び，記号で答えよ。

ア おもりの重力　　**イ** 天井がひもを引く力
ウ おもりがひもを引く力　　**エ** ひもが天井を引く力

(2) 力 *F* は何 N になるか。

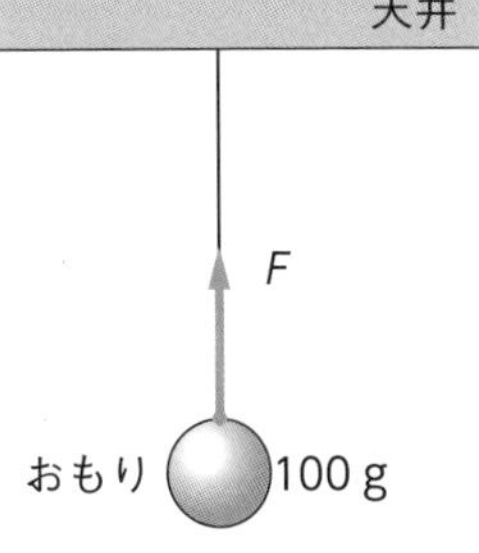

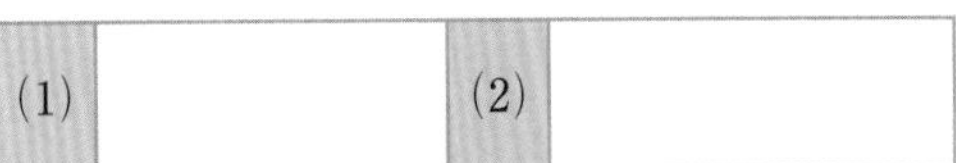

6 右の図のように，A 君がオールで岸を押すと，舟はある方向に動いた。これについて，次の問いに答えなさい。 【3 点× 2】

(1) A 君がオールで岸を押したとき，舟は**ア**，**イ**のどちらの向きに動いたか。

(2) 舟が(1)の向きに動いたのは，何という法則によって説明できるか。

7 **ゴム膜(まく)を張った筒(つつ)を水中に入れると，図のようになった。次の問いに答えなさい。**

【3点×3】

(1) ゴム膜を張った筒を図の位置より深く入れると，ゴム膜のへこみ方はどうなるか。次の**ア**～**ウ**から１つ選び，記号で答えよ。

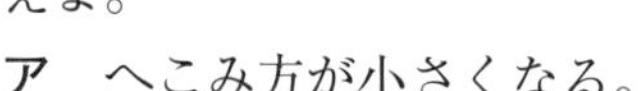

ア へこみ方が小さくなる。

イ へこみ方が大きくなる。

ウ へこみ方は変わらない。

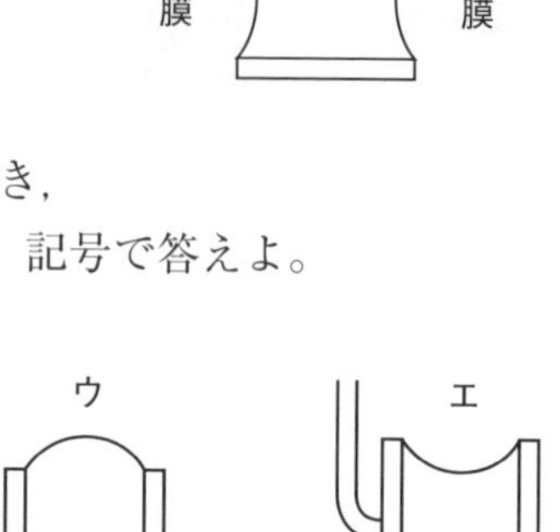

(2) (1)で答えた理由を簡潔に書け。

(3) 下の図のように，ゴム膜の向きを変えて水中に入れたとき，ゴム膜のへこみ方はどうなるか。次の**ア**～**エ**から１つ選び，記号で答えよ。

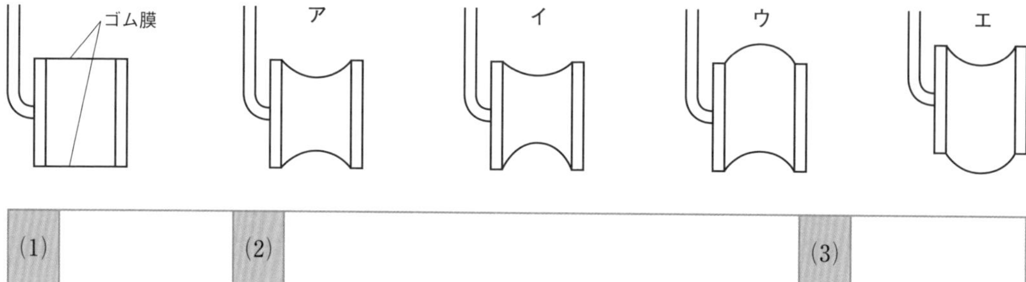

(1)		(2)		(3)	

8 **右の図のようなA～Cの３つの容器がある。この容器に20 cmの深さになるように水を入れた。次の問いに答えなさい。** 【3点×3】

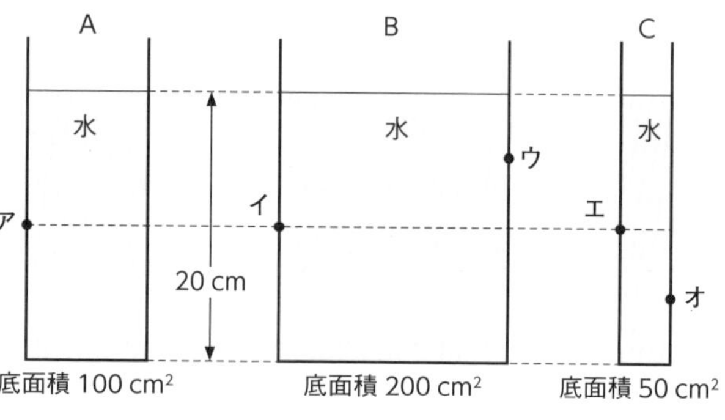

(1) 容器の底面にはたらく<u>水圧(すいあつ)</u>が最も大きいものは，A～Cのどれか。３つとも等しいときは○を書け。

(2) 容器の底面が水から受ける<u>力</u>が最も大きいものは，A～Cのどれか。３つとも等しいときは○を書け。

(3) 図のように，A～Cの３つの容器の**ア**～**オ**の位置に小さな穴をあけた。このとき，ふき出す水のいきおいが最も強いものはどれか。**ア**～**オ**から選び，記号で答えよ。

(1)		(2)		(3)	

質量 150 g の物体をばねばかりにつるした。次の問いに答えなさい。

【4 点× 3】

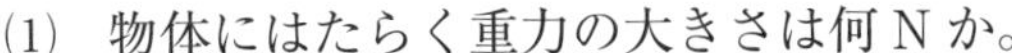

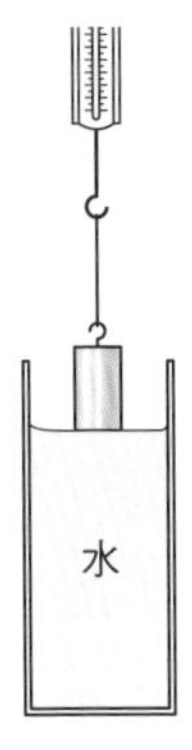

(1) 物体にはたらく重力の大きさは何 N か。

(2) 右の図の位置から物体をゆっくり水中に沈(しず)めていき，全部水中に入るまでに，ばねばかりの値(あたい)はどのように変化するか。

(3) 物体が全部水中に入ったときから，底面につく直前までゆっくり物体を沈めていったとき，ばねばかりの値はどのようになるか。

(1)		(2)		(3)	

10 **図 1 のように，ばねばかりに質量 180 g の木片と質量 300 g のおもりをつるして，図 2 のようにおもりだけを水中に入れたところ，ばねばかりの目盛りは 4.3 N を示した。これについて，次の問いに答えなさい。**

【4 点× 4】

(1) おもりが水から受ける上向きの力を何というか。

(2) 図 2 で，(1)の力の大きさは何 N か。

(3) 図 3 のように，おもりと木片の両方を水中に入れると，ばねばかりの目盛りは 1.8 N を示した。このとき，木片にはたらく(1)の力の大きさは何 N か。

(4) ばねばかりから木片をはずして，木片だけを水に入れたとき，木片は浮(う)くか，沈むか。

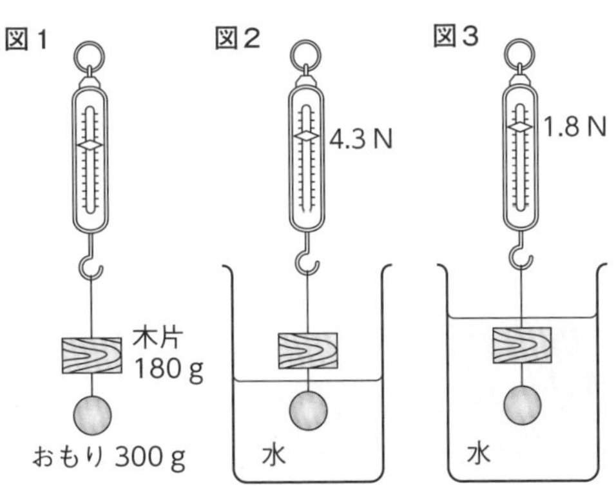

(1)		(2)		(3)		(4)	

3 物体の運動

リンク
ニューコース参考書
中3理科
p.148～163

攻略のコツ 物体の運動が，記録タイマーのテープをもとに問われる。

テストに出る！ 重要ポイント

● 速さ

❶ 速さ…物体が一定時間に進む距離（きょり）。速さ＝$\frac{\text{移動距離}}{\text{かかった時間}}$

❷ 平均（へいきん）の速（はや）さ…動いた距離を移動にかかった時間で割った値（あたい）。

❸ 瞬間（しゅんかん）の速（はや）さ…ごく短い時間の移動距離から求めた速さ。

● 等速直線運動（とうそくちょくせんうんどう）

速さが一定で，一直線上を動く運動。

● 力がはたらくときの運動

❶ 速さが大きくなる運動

例 斜面（しゃめん）上を下る台車…重力により，斜面に沿って運動方向に力がはたらく。

❷ 速さが小さくなる運動

例 摩擦力（まさつりょく）がはたらく運動…物体の運動方向と逆向きの力がはたらく。

● 力がはたらかないときの運動

等速直線運動・静止 を続ける…慣性（かんせい）の法則

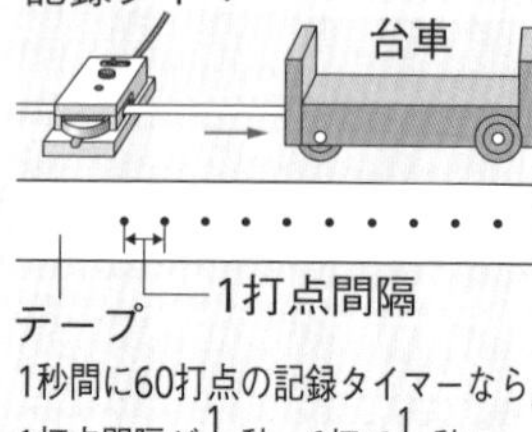

1秒間に60打点の記録タイマーなら，1打点間隔が$\frac{1}{60}$秒，6打で$\frac{1}{10}$秒

打点

打点間隔が大きいほど⇨速さが大

打点間隔が等しい⇨速さが一定

Step 1 基礎力チェック問題

解答 別冊p.16

1 次の〔　　〕にあてはまるものを選ぶか，あてはまる言葉を書きなさい。

(1) 速さが一定であると仮定して求めた速さを〔　　　　　〕という。

(2) 自動車のスピードメーターのように，ごく短い時間に移動した距離をもとにした速さを〔　　　　　〕という。

(3) 記録タイマーで記録した打点の間隔が大きいほど，速さは〔大きい　小さい〕ことを表している。

(4) 速さが一定で，一直線上を動く物体の運動を〔　　　　　〕という。

(5) 斜面上の台車の運動方向には，重力の〔斜面方向　斜面に垂直な方向〕の分力がはたらいている。

(6) 物体とふれ合う面にはたらき，物体の運動をさまたげる力を〔　　　　　〕という。

(7) 物体に力がはたらかないかぎり，運動している物体は〔　　　　　〕を続け，静止している物体は〔　　　　　〕を続ける。

得点アップアドバイス

1

(5) 物体にはたらく重力は，斜面に平行な方向の分力（下の図のA）と斜面に垂直な方向の分力（下の図のB）に分けられる。

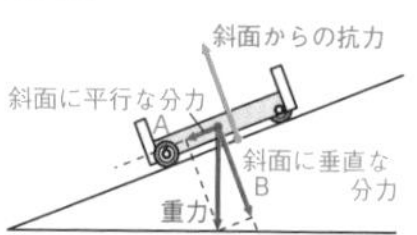

斜面に垂直な分力は，斜面からの抗力とつり合っている。

2 【速さ】

A 地点から B 地点までの 720 km を，ある列車が 5 時間かかって走った。これについて，次の問いに答えなさい。

- (1) この列車の平均の速さは，何 km/h か。〔　　　　〕
- (2) (1)の速さは，何 m/s か。〔　　　　〕
- (3) 列車のスピードメーターは，いつも(1)と同じ値を示すか。〔　　　　〕

3 【等速直線運動】

図 1 のように，なめらかな水平面上で物体 P を手でぽんと強く押して運動させ，その運動を 1 秒間に 60 回打点する記録タイマーで調べると，図 2 のような記録が得られた。なお，図 2 の AB 間では打点間隔は等しかった。これについて，次の問いに答えなさい。

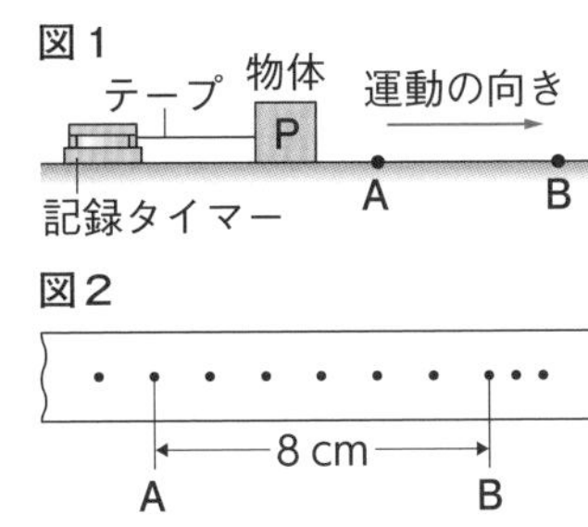

- (1) AB 間での物体 P の運動を何というか。〔　　　　〕
- (2) AB 間での物体 P の速さは，何 cm/s か。〔　　　　〕

4 【斜面上の物体の運動】

右の図のように，なめらかな斜面に台車を置き，点 P でひもを引っ張って静止させた。これについて，次の問いに答えなさい。

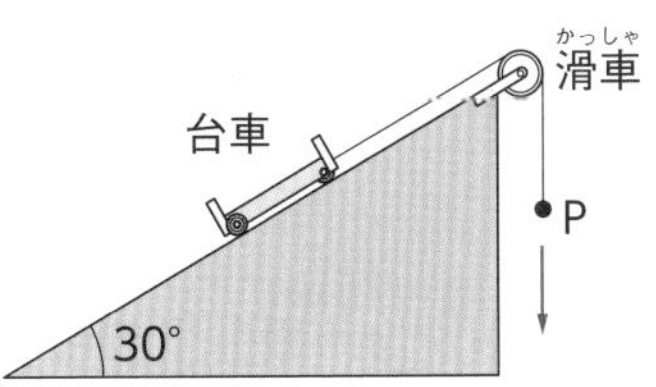

- (1) ひもをはなすと，台車はどのような運動をするか。次のア～ウから 1 つ選べ。〔　　　　〕
  - ア　速さがだんだん大きくなる運動
  - イ　速さがだんだん小さくなる運動
  - ウ　速さが一定の運動
- (2) (1)のとき，記録タイマーで台車の運動をテープに記録すると，テープの打点の間隔はどうなるか。次のア～エから 1 つ選べ。〔　　　　〕
  - ア　一定の間隔である。　　イ　間隔はばらばらである。
  - ウ　だんだん小さくなる。　エ　だんだん大きくなる。
- (3) (1)のような運動をするのは，台車にどのような力がはたらくからか。次のア～ウから 1 つ選べ。〔　　　　〕
  - ア　斜面に沿って上向きの力　　イ　斜面に沿って下向きの力
  - ウ　斜面に垂直な向きの力
- (4) 斜面の角度を急にすると，(3)の力の大きさはどうなるか。〔　　　　〕

得点アップアドバイス

2

(1) 物体が移動した距離は 720 km，移動するのにかかった時間は 5 時間。

時間の計算

(2) 1 時間は 60 分，1 分は 60 秒だから，1 時間は，
$60 \times 60 = 3600$〔s〕

3

(1) 打点間隔が等しかったのだから，速さが一定ということになる。

(2) A B 間は 6 打点。1 秒間に 60 回打点する記録タイマーなのだから，6 打点の時間は 0.1 秒。

4

(1) 斜面上の台車には，重力がはたらいていて，ひもをはなすと，重力の分力によって台車は斜面上を下り始める。

(2) 物体の運動方向に力がはたらくと，速さはだんだん大きくなる。

Step 2 実力完成問題

解答 別冊p.17

1 【台車の運動と速さ】

図１のように，水平でなめらかな台の上で台車の運動をテープに記録した。図２は，そのテープの一部である。これについて，次の問いに答えなさい。ただし，記録タイマーは１秒間に60回打点するものとする。

図１

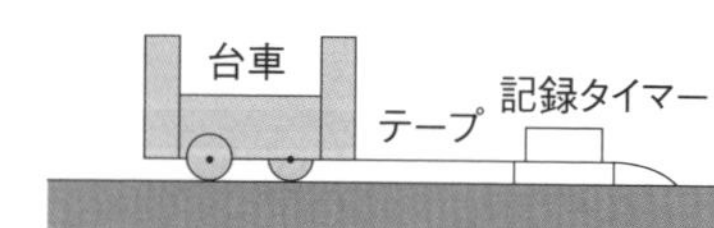

図２

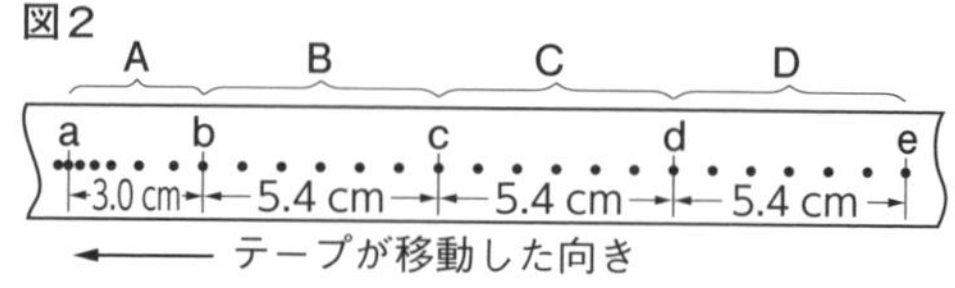

(1) 図２のaからbまでと，bからeまでとでは，台車の速さはどうなっているか。次の文中の①，②にあてはまる語を書け。

bまではだんだん（ ① ）なるが，bからは（ ② ）になっている。

①〔　　〕②〔　　〕

よくでる (2) 図２のBの部分における台車の速さは，何cm/sか。〔　　〕

ミス注意 (3) bからeまでの台車の運動において，時間と速さとの関係を表すグラフを，次のア～オから１つ選べ。ただし，横軸を時間，縦軸を速さとする。〔　　〕

ア
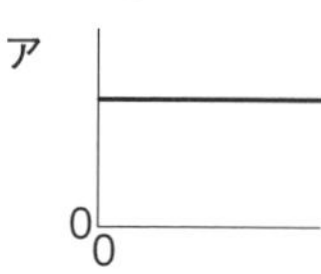

イ
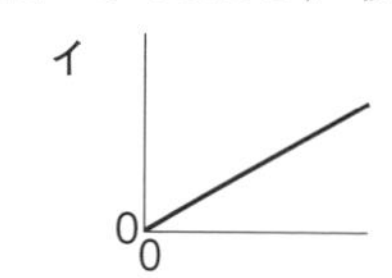

ウ
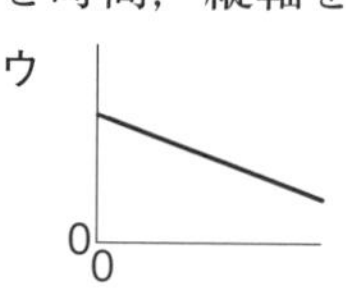

エ
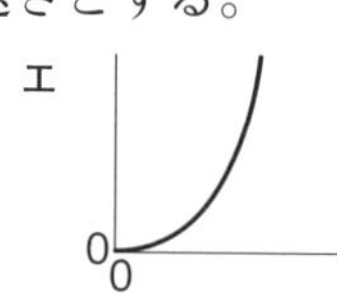

オ
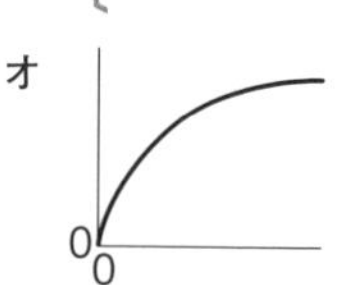

ミス注意 (4) bからeまでの台車の運動において，時間と移動距離との関係を表すグラフを，(3)のア～オから１つ選べ。ただし，横軸を時間，縦軸を移動距離とする。〔　　〕

2 【斜面を下る運動】

図１のように，なめらかな斜面を下る台車の運動を調べた。台車の下る距離を少しずつ変えて，かかった時間を測定したところ，右の表や図２のようなグラフが得られた。これについて，次の問いに答えなさい。

図１

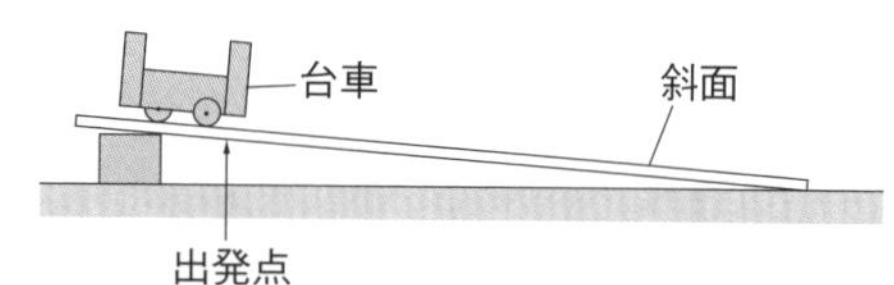

距離〔cm〕	時間〔s〕
0	0
10	0.71
20	1.00
30	1.22
40	1.41
50	1.58
60	1.73
70	1.87

図２

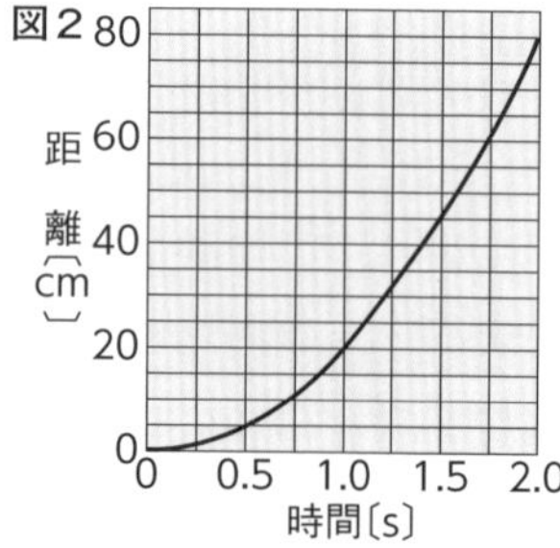

(1) 台車が下り始めてから1.5秒間に下る距離は何cmか。〔　　〕

(2) 台車が出発点から30 cm下る間の，台車の平均の速さは何cm/sか。小数第１位を四捨五入して整数で答えよ。〔　　〕

思考 (3) 台車が出発点から60 cm下ったときの，台車の瞬間の速さは，次のア～エのどれに最も近いか。１つ選び，記号で答えよ。

ア 28 cm/s　イ 35 cm/s　ウ 46 cm/s　エ 69 cm/s　〔　　〕

3 【斜面を下る物体の運動】

右の図は，1秒間に60打点を打つ記録タイマーで，斜面を下る台車の運動を記録したテープを，6打点ごとに切って台紙にはったものである。次の問いに答えなさい。

切片の長さ〔cm〕
14.2
11.4
8.6
5.6
2.9
0 A B C D E

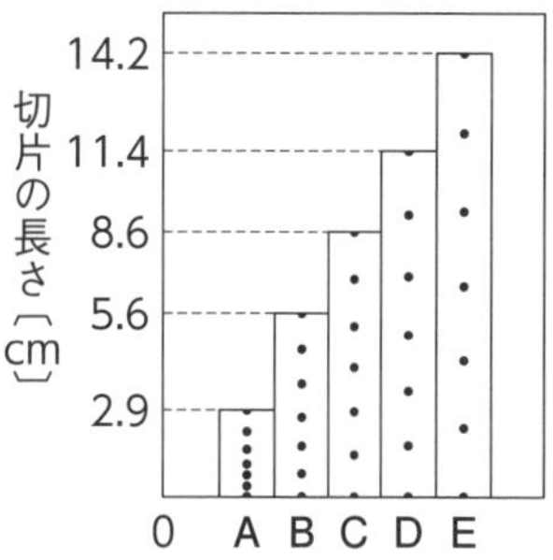

(1) 記録タイマーが，テープに6打点を打つのにかかる時間は何秒か。〔　　　　〕

✓よくでる (2) 区間Bでの台車の平均の速さは何 cm/s か。〔　　　　〕

ミス注意 (3) 台車が一定の角度の斜面を下るとき，台車にはたらく斜面に沿った下向きの力を F とする。この力 F の大きさは，台車が斜面を下るにつれてどうなるか。次の**ア**～**エ**から1つ選び，記号で答えよ。〔　　　　〕

ア　しだいに大きくなる。　　**イ**　しだいに小さくなる。
ウ　一定である。　　**エ**　大きくなったり小さくなったりする。

4 【慣性】

右の図は，電車の中におもりを糸でつるしたようすを示したものである。これについて，次の問いに答えなさい。

ア ←　A ← ○ → B　→ イ

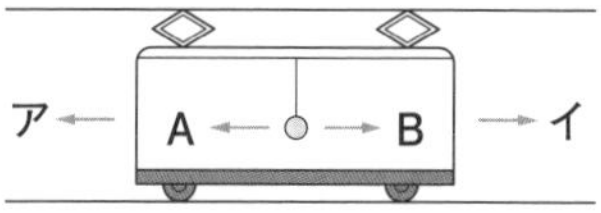

ミス注意 (1) 電車が急に走り出したとき，おもりを見たら，**A**の方向に動いた。電車は**ア**，**イ**のどちらの方向に動いたか。〔　　　　〕

ミス注意 (2) 電車が**ア**の方向に走っていて，急に止まったとき，おもりは**A**，**B**のどちらの方向に動くか。〔　　　　〕

(3) 物体のもっている(1)，(2)のような性質を何というか。〔　　　　〕

入試レベル問題に挑戦

5 【物体の運動】

右の図1は，地面に転がしたボールのようすを，また，図2は，斜面を転がり下るボールのようすを示したものである。次の問いに答えなさい。

図1

図2

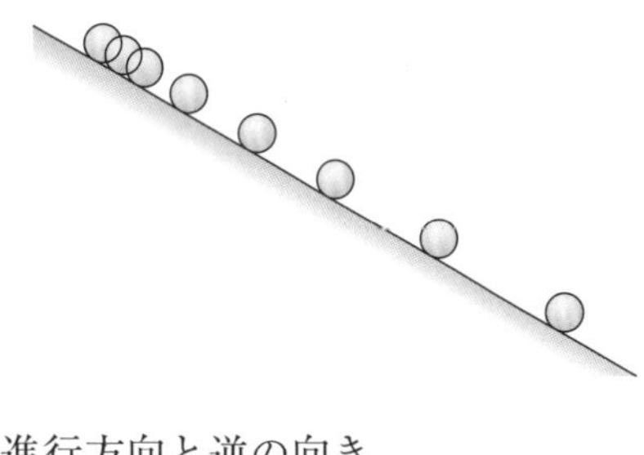

ミス注意 (1) 物体の速さが，だんだん速くなる運動のようすを示しているのは，**図1**，**図2**のどちらか。〔　　　　〕

(2) **図1**で，ボールと地面との間で，ボールにはたらいている力の向きを，次の**ア**～**ウ**から1つ選び，記号で答えよ。〔　　　　〕

ア　ボールの進行方向と同じ向き　　**イ**　ボールの進行方向と逆の向き
ウ　ボールの進行方向に垂直で下の向き

(3) **図2**で，斜面に沿ってボールを転がそうとする力はどのような力か。次の**ア**～**ウ**から1つ選び，記号で答えよ。〔　　　　〕

ア　ボールにはたらく重力の斜面に垂直方向の分力
イ　ボールにはたらく重力の斜面に平行な方向の分力
ウ　ボールに斜面からはたらく抗力（垂直抗力）

4 仕事

リンク
ニューコース参考書
中3理科
p.164～169

攻略のコツ いろいろな仕事や仕事の原理，仕事率の計算のマスターが重要。

テストに出る！ 重要ポイント

● 仕事

❶ 仕事〔J〕＝力の大きさ〔N〕×力の向きに動いた距離〔m〕

❷ **物体を引き上げる仕事〔J〕＝物体の重さ〔N〕×引き上げた高さ〔m〕**

❸ **床の上で物体を動かす仕事〔J〕＝摩擦力〔N〕×力の向きに動いた距離〔m〕**

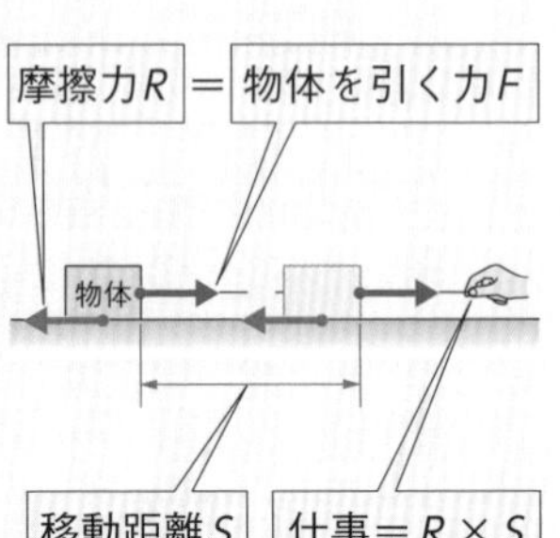

● 仕事の原理

道具を使って仕事をしても，直接手でする仕事と等しい。

● 仕事率

仕事率→単位時間にする仕事の大きさ。

$$仕事率〔W〕＝\frac{仕事の大きさ〔J〕}{時間〔s〕}$$

Step 1 基礎力チェック問題

解答 別冊p.17

1 次の〔　〕にあてはまるものを選ぶか，あてはまる言葉を書きなさい。

☑(1) 物体に力を加えて動かした場合，力の大きさと力の向きに動いた距離の〔　　　　〕を仕事という。

☑(2) 物体に力を加えたとき，物体が動かなかった。このとき，物体に仕事をしたと〔いう　いわない〕。

☑(3) 10 kgの物体を2 mの高さまで引き上げた。100 gの物体にはたらく重力の大きさを1 Nとすると，このときの仕事は，〔　　　　〕である。

☑(4) 床の上で物体を引いた。このときの仕事は〔　　　　〕にさからってする仕事である。

☑(5) 道具を使って仕事をしても，直接手でする仕事と変わらない。このことを〔　　　　〕という。

☑(6) 動滑車を1個使って物体を引き上げると，引き上げる力の大きさは，直接引き上げるときの〔　　　　〕になる。

☑(7) (6)のとき，ひもを引く距離は，直接引き上げるときの〔　　　　〕になる。

☑(8) 仕事率を求めるには，仕事の大きさをかかった〔　　　　〕で割る。

得点アップアドバイス

1

(2) 理科では，物体が動かなければ仕事をしたことにはならない。

(3) 100 gの物体にはたらく重力の大きさが1 Nだから，10 kgの物体にはたらく重力は，10000÷100＝100〔N〕になる。

(6)(7) 動滑車を使うと，力では得をするが，距離では損をする。

以下，質量 100 g の物体にはたらく重力の大きさを 1 N とする。

2 【滑車を使った仕事】

右の図のように，動滑車（どうかっしゃ）を使って 5 kg の物体を引き上げた。滑車の重さは考えないものとして，次の問いに答えなさい。

ひも

5 kg

☑ (1)　物体を引き上げる力は何Nか。　〔　　　　〕

☑ (2)　物体を 1 m 引き上げるためには，ひもを何 m 引けばよいか。　〔　　　　〕

☑ (3)　物体を 2 m 引き上げたときの仕事は何 J か。　〔　　　　〕

☑ (4)　滑車を使って仕事をすると，使わないときに比べて仕事の大きさはどうなるか。次のア～ウから1つ選び，記号で答えよ。　〔　　　　〕

ア　滑車を使わないときの方が大きい。

イ　滑車を使ったときの方が大きい。

ウ　どちらも同じである。

3 【床の上で物体を動かす仕事】

右の図のように，質量 500 g の木片を床の上で 1 m 動かした。このとき，ばねばかりは 0.8 N を示していた。次の問いに答えなさい。

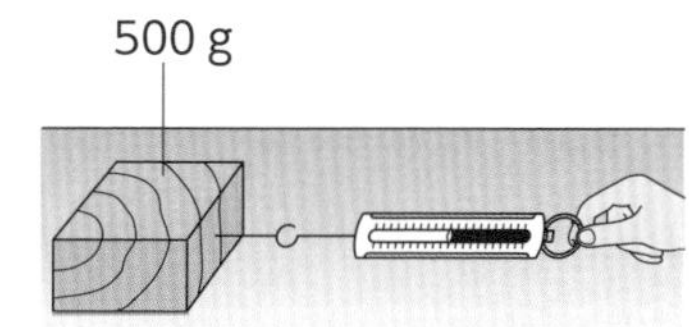

☑ (1)　このとき，木片と床の面の間ではたらいている摩擦力は何 N か。　〔　　　　〕

☑ (2)　このとき，手が木片に対してした仕事は何 J か。　〔　　　　〕

4 【仕事の能率】

右の図のように，A 君は 5 kg の物体を 3 m の高さまで引き上げ，B 君は 30 kg の物体を 2 m の高さまで引き上げた。このとき，A 君は2秒，B 君は6秒かかった。次の問いに答えなさい。

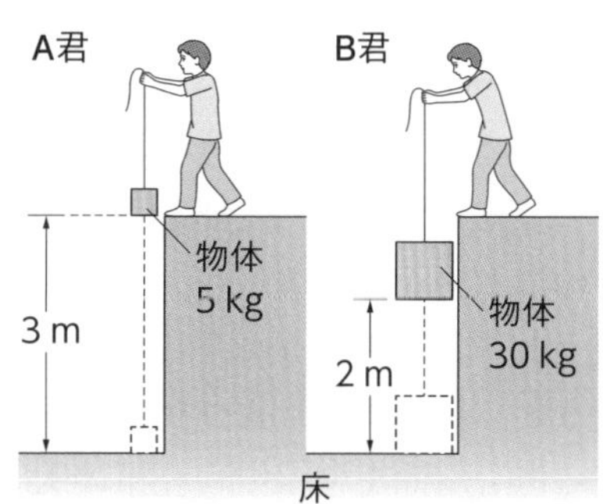

☑ (1)　A 君がした仕事の大きさは何 J か。　〔　　　　〕

☑ (2)　A 君がした仕事の仕事率は何 W か。　〔　　　　〕

☑ (3)　A 君と B 君で，仕事の能率はどちらが大きいといえるか。次のア～ウから1つ選び，記号で答えよ。　〔　　　　〕

ア　A 君の方が大きい。　　イ　B 君の方が大きい。

ウ　A 君と B 君は等しい。

得点アップアドバイス

2

確認 **動滑車と力の関係**

動滑車を1個使っているのだから，力は半分ですむ。

(2)　力が半分ですむ分，物体を引き上げる距離は2倍になる。

(3)　仕事の原理が成り立つ。

3

(2)　物体を引く力の大きさは，物体にはたらく重力ではなく，物体と床の面との間にはたらく摩擦力と同じ大きさの力である。

4

テストで注意 **仕事率**

仕事率は，単位時間あたりの仕事の大きさで比べる。

Step 2 実力完成問題

解答 別冊p.17

※質量 100 g の物体にはたらく重力の大きさを 1 N とします。

1 【仕事の大きさ】

右の図は，水平な台の上でいろいろな質量の木片にばねばかりをつけて，台の面と平行に引いたときの仕事を調べる実験装置を示している。次のア～エのうち，仕事の大きさが最も大きいものはどれか。1つ選び，記号で答えなさい。

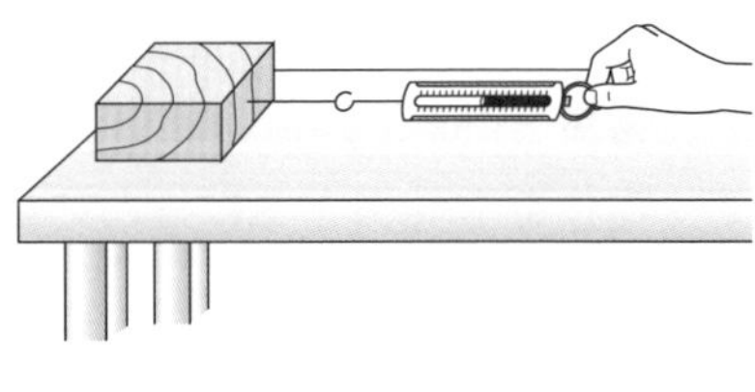

〔　　　　〕

ミス注意 ア　50 g の木片を 0.3 N の力で 60 cm 動かした。
イ　80 g の木片を 0.4 N の力で 40 cm 動かした。
ウ　100 g の木片を 0.5 N の力で 30 cm 動かした。
エ　150 g の木片を 0.8 N の力で 10 cm 動かした。

2 【仕事と仕事の原理】

右の図1，図2のように，斜面や滑車を用いて 40 kg の物体を 3 m の高さまで引き上げた。これについて，次の問いに答えなさい。ただし，ロープや滑車の重さ，および，摩擦は考えないものとする。

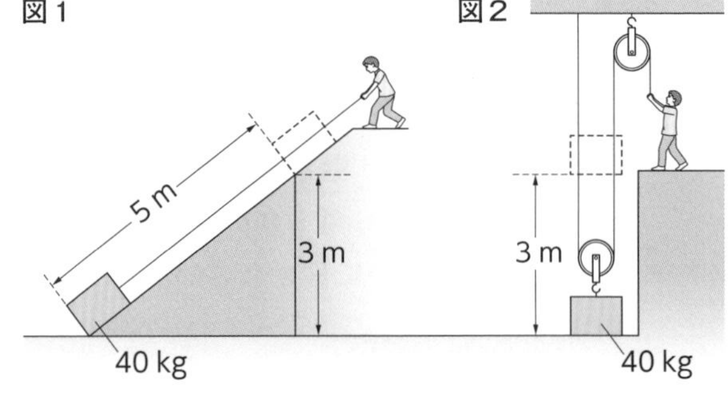

よくでる (1)　図1で，物体を 3 m の高さに引き上げるのに必要な仕事の大きさは何 J か。〔　　　　〕

ミス注意 (2)　図1で，物体を引き上げるのに必要な力の大きさは何 N か。〔　　　　〕

(3)　図2で，物体を 3 m 引き上げるためには，ロープを何 m 引き下げなければならないか。〔　　　　〕

(4)　次のア～ウの文のうち，物体を 3 m 引き上げるのにした仕事の大きさについて正しく述べているのはどれか。1つ選び，記号で答えよ。〔　　　　〕

ア　滑車を使うと，斜面を使うより仕事の大きさは小さい。
イ　滑車を使うと，斜面を使うより仕事の大きさは大きい。
ウ　滑車を使っても斜面を使っても仕事の大きさは同じ。

3 【仕事率】

50 W の仕事率で，10 kg の物体を鉛直上方に 4 秒間持ち上げた。このとき，物体は何 m 持ち上がるか。次のア～エから 1 つ選び，記号で答えなさい。

〔　　　　〕

ア　0.5 m　　イ　2 m　　ウ　8 m　　エ　12.5 m

4 【仕事率】

右の図は，質量 30 kg の物体を 10 m の高さまで引き上げているときのようすを示したものである。これについて，次の問いに答えなさい。

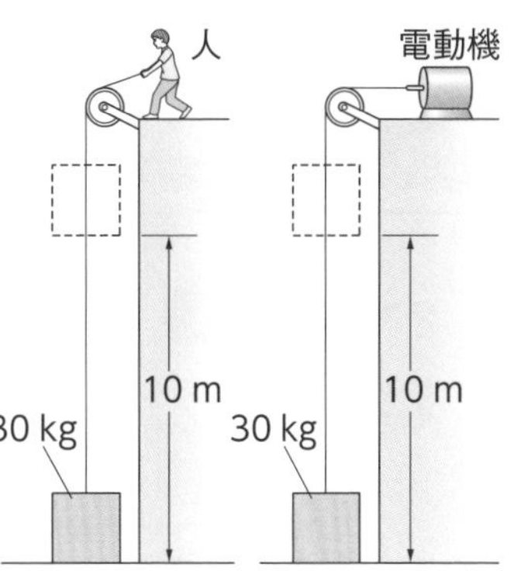

✓よくでる (1) この物体を人が 10 m 引き上げるのに 30 秒かかった。このときの仕事率は何 W か。〔　　　　〕

✓よくでる (2) この物体を電動機を使って 10 m 引き上げるのに 10 秒かかった。人がしたときの仕事率と比べて，どうなるといえるか。次のア〜エから選べ。〔　　　　〕

ア 小さくなる。　　イ 大きくなる。
ウ 変わらない。　　エ 比較(ひかく)できない。

5 【仕事と仕事率】

図１〜図３のように，質量 10 kg の物体を滑車や斜面を使って，床(ゆか)から１m の高さまで引き上げる仕事をした。これについて，次の問いに答えなさい。ただし，動滑車(どうかっしゃ)の重さは考えないものとし，滑車とひも，物体と斜面の間に摩擦ははたらかないものとする。

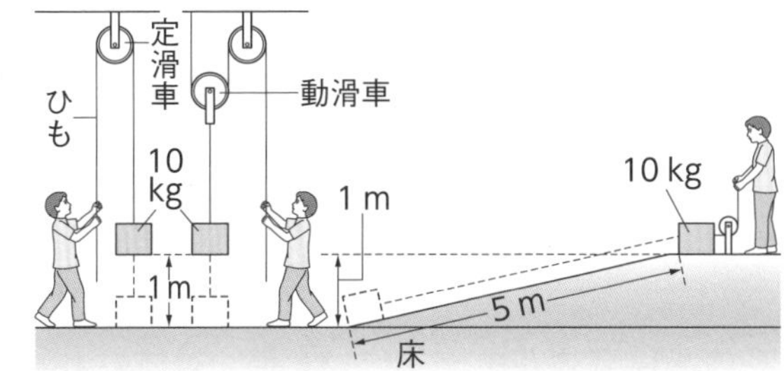

(1) 図１で，人がひもを引く力の大きさは何 N か。〔　　　　〕

(2) 図２で，人が物体にした仕事は何 J か。〔　　　　〕

ミス注意 (3) 図１〜図３で，ひもを１m 引くのに２秒かかったとすると，仕事率が最も大きいのはどれか。〔　　　　〕

入試レベル問題に挑戦

6 【仕事率】

A さんと B さんは，仕事と仕事率を計算するための実験を行った。この実験で，A さんは，質量 8 kg の荷物を持って建物の１階から３階まで上がるのに 20 秒かかった。また，B さんは，質量 15 kg の荷物を持って建物の１階から２階まで上がるのに 25 秒かかった。ただし，建物の各階の高さの差を３m とする。次の問いに答えなさい。

(1) A さんがした仕事は何 J か。〔　　　　〕

(2) B さんがした仕事は何 J か。〔　　　　〕

(3) A さんと B さんを比べると，どちらの仕事率が大きいといえるか。〔　　　　〕

(4) 荷物を持ち上げる仕事は，どんな力にさからう仕事といえるか。〔　　　　〕

ヒント

(1)(2) 荷物を持ち上げた高さは，それぞれ持ち上げた階の差から求めることができる。

5 物体のもつエネルギー

リンク
ニューコース参考書
中3理科
p.170～183

攻略のコツ 力学的エネルギーの大きさや移り変わりのようすをつかむ。

テストに出る! 重要ポイント

- **エネルギー** ある物体がほかの物体に仕事をする能力のことをエネルギーという。
- **位置エネルギー** 高いところにある物体がもっているエネルギー。基準面からの高さと質量に比例する。
- **運動エネルギー** 運動している物体がもっているエネルギー。質量に比例し，速さが速くなるほど大きくなる。
- **力学的エネルギー** 位置エネルギーと運動エネルギーの**和**を力学的エネルギーという。
  力学的エネルギー保存の法則…力学的エネルギーは**常に一定**。

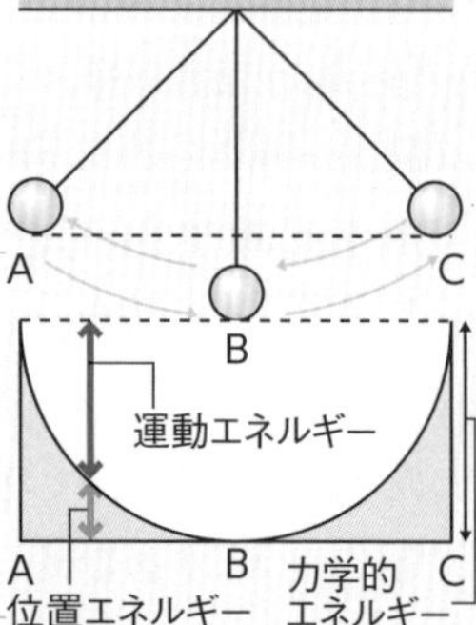

- **熱とエネルギー**
  ❶ 熱…物体の温度を変化させる原因となる。
  熱の移動…**伝導**・**対流**・**放射**がある。
  ❷ エネルギーの**変換**…さまざまなエネルギーはたがいに移り変わる。
  ❸ エネルギー**保存の法則**…エネルギーの総和は一定に保たれる。

Step 1 基礎力チェック問題

解答 別冊p.18

1 次の〔　　〕にあてはまるものを選ぶか，あてはまる言葉を書きなさい。

- (1) ダムにためられた水のように，高いところにある物体がもっているエネルギーを，〔　　　　〕という。
- (2) (1)のエネルギーは，基準面からの〔　　　　〕と〔　　　　〕に比例する。
- (3) 運動している物体がもっているエネルギーを〔　　　　〕という。
- (4) 位置エネルギーと運動エネルギーはたがいに移り変わるが，その和は常に〔　　　　〕に保たれ，このようになることを述べた法則を，〔　　　　〕の法則という。
- (5) 水や空気などの移動によって，熱が伝わることを〔　　　　〕という。

得点アップアドバイス

1

(1) ダムの水は落下してタービンを回転させるという，ほかの物体を動かす能力をもっている。

(3) 例えば，ボウリングのボールは，ピンに衝突して，ピンを動かすという能力をもっている。

(4) 力学的エネルギーは，摩擦や空気の抵抗がないとき，一定に保存される。

2 【位置エネルギー】

右の図のような装置でおもりを落下させ，くいを打つ実験を行った。次の問いに答えなさい。

おもり
くい
しめつけねじ
目盛り板

(1) おもりの質量を大きくして，同じ高さから落下させたとき，くいが打ちこまれる距離はどうなるか。〔　　　〕

(2) 同じ質量のおもりを，高さを変えて落下させると，高さが高いほどくいが打ちこまれる距離はどうなるか。〔　　　〕

(3) この実験でわかることを，次のア～エから選べ。〔　　　〕

ア　高いところにある物体ほど，もっている運動エネルギーは大きい。
イ　高いところにある物体ほど，もっている位置エネルギーは大きい。
ウ　低いところにある物体ほど，もっている運動エネルギーは大きい。
エ　低いところにある物体ほど，もっている位置エネルギーは大きい。

3 【運動エネルギー】

右の図のように，台車を走らせて木片に衝突させた。ある速さで走っている台車を木片に衝突させると，木片は 10 cm 移動した。次の(1)～(3)のとき，木片が移動する距離を，下のア～ウから選びなさい。

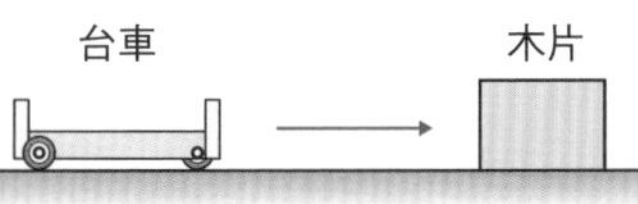

(1) 速さを変えないで，台車におもりをのせたとき〔　　　〕

(2) 台車には何ものせないで，速さを遅くしたとき〔　　　〕

(3) 台車におもりをのせ，速さを速くしたとき〔　　　〕

ア　10 cm より大きい。　イ　10 cm　ウ　10 cm より小さい。

4 【振り子のもつエネルギー】

右の図は，振り子がAからEまで振れるようすを表したものである。次の問いに答えなさい。

A B C D E

(1) 運動エネルギーが最大になるのは，A～Eのどのときか。〔　　　〕

(2) 位置エネルギーが最大になるのは，A～Eのどのときか。すべて選べ。〔　　　〕

(3) A，B，Cの位置にあるおもりのもつ力学的エネルギーを比べたとき，どのような関係になるか。次のア～ウから選べ。〔　　　〕

ア　A＞B＞C　イ　A＝B＝C　ウ　A＜B＜C

得点アップアドバイス

2

斜面の高いところと低いところから球を転がしたとき，球のスピードはどちらも同じになる？

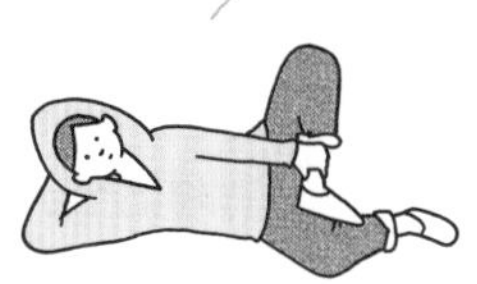

(3) この実験からは，運動エネルギーの大きさについて調べることはできない。

3

確認 **運動エネルギー**

台車がもっているエネルギーが大きいほど，木片の移動距離は大きくなる。

4

エネルギーの変換

A点でもっていた位置エネルギーがしだいに運動エネルギーに移り変わり，C点でもっていた運動エネルギーがしだいに位置エネルギーに移り変わる。

Step 2 実力完成問題

解答 別冊p.18

1 【位置エネルギーと運動エネルギー】

図1のように，なめらかな斜面(しゃめん)PQ上で小球Aをはなし，水平面上に静止している物体Bに衝突(しょうとつ)させたところ，物体Bは移動して静止した。この実験を，高さを変えて行ったとき，物体Bの移動距離(きょり)は表のようになった。この実験について，次の問いに答えなさい。

図1

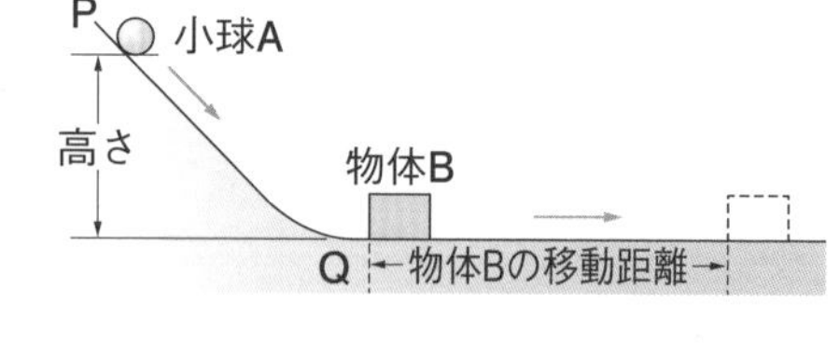

小球Aの高さ〔cm〕	2.0	4.0	6.0	8.0	10.0
物体Bの移動距離〔cm〕	6.9	13.5	20.5	27.2	33.0

(1) 小球AがPの位置でもっているエネルギーを何というか。〔　　〕

よくでる (2) 小球AがP点からQ点まで移動するとき，小球がもっている位置(いち)エネルギーと運動(うんどう)エネルギーのそれぞれの大きさの変化について，正しく述べているものを，次のア～エから1つ選び，記号で答えよ。〔　　〕

ア　位置エネルギーはしだいに増加し，運動エネルギーはしだいに減少している。
イ　位置エネルギーはしだいに減少し，運動エネルギーはしだいに増加している。
ウ　位置エネルギーはしだいに減少しているが，運動エネルギーは一定である。
エ　位置エネルギー，運動エネルギーとも，しだいに減少している。

(3) (2)のとき，小球Aの速さはどう変化しているか。次のア～ウから1つ選び，記号で答えよ。〔　　〕

ア　速くなる。イ　遅(おそ)くなる。ウ　一定である。

よくでる (4) 表の結果をもとに，小球Aの高さと物体Bの移動距離の関係を表すグラフを図2にかけ。

ミス注意 (5) 物体Bを30 cm移動させるには，小球Aを何cmの高さからはなして衝突させればよいか。〔　　〕

(6) 小球Aの高さを変えないで，物体Bの移動距離を大きくするには，小球Aを質量の大きいものと変えるか，小さいものと変えるか。〔　　〕

図2

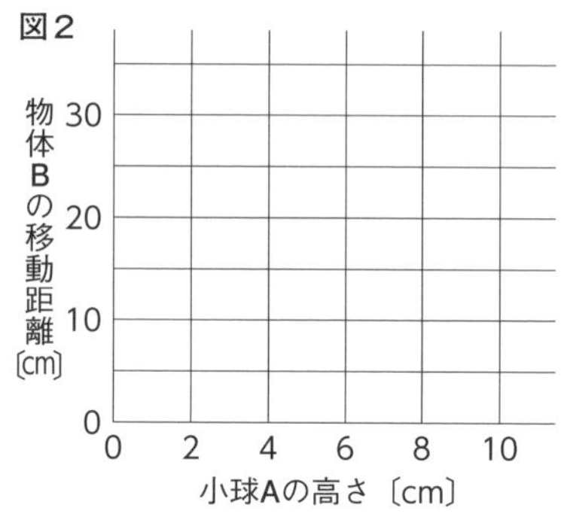

2 【位置エネルギー】

右の図のように，質量100 gのおもりをAの位置からh cm高いBの位置まで引き上げ，静かにはなした。おもりは支点Oの真下で木片と衝突し，木片は水平な机の上でx cm動いて止まった。表は，おもりの高さと木片の動いた距離との関係をまとめたものである。これについて，次の問いに答えなさい。

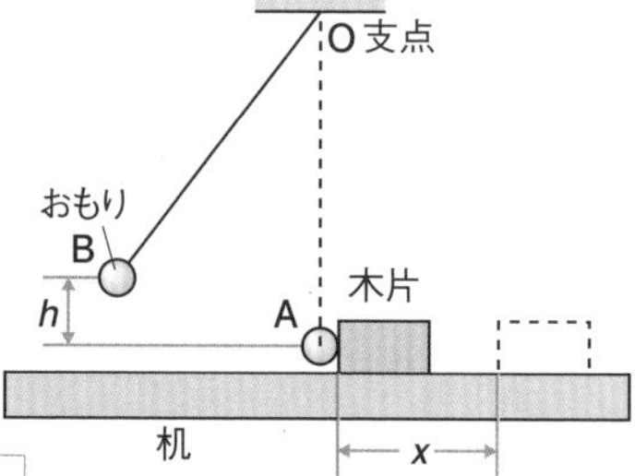

おもりの高さ(h cm)	5	10	15	20	25	30
木片の動いた距離(x cm)	2.0	4.0	6.0	8.0	10.0	12.0

ミス注意 (1)　おもりの高さが 40 cm のとき，木片は何 cm 動くと考えられるか。
〔　　　　　　〕

(2)　この実験は，「おもりの高さ」とおもりのもつ何エネルギーについての関係を調べようとしたものか。
〔　　　　　　〕

思考 (3)　この実験からわかることを，「エネルギー」ということばを用いて簡単に述べよ。
〔　　　　　　　　　　　　　　　　〕

3 **【エネルギーの移り変わり】**

右の図のように，なめらかな曲面上のA点から小球を静かにはなしたところ，小球は面に沿って運動し，B点～E点を通ってF点まで達した。これについて，次の問いに答えなさい。ただし，摩擦(まさつ)や空気の抵抗(ていこう)は考えない。

(1)　F点の基準面からの高さは，次のア～ウのどれか。1つ選び，記号で答えよ。　〔　　　　〕

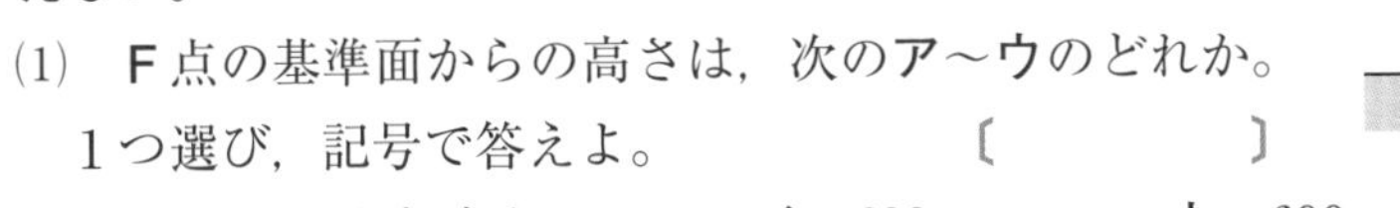

ア　600 cm より小さい。　　イ　600 cm　　ウ　600 cm より大きい。

ミス注意 (2)　A～Dの各点での小球のもつ運動エネルギーはどのような関係になっているか。次のア～エから1つ選び，記号で答えよ。　〔　　　　〕

ア　A＞B＞C＞D　　イ　A＞B＞D＞C

ウ　A＜B＜C＜D　　エ　A＜B＜D＜C

(3)　小球のもつ運動エネルギーが，E点の小球がもつ運動エネルギーの2倍になっているのは，小球がどの点にあるときか。　〔　　　　〕

入試レベル問題に挑戦

4 **【エネルギーの移り変わりと保存】**

図のように，レールの端点(たんてん)Aが端点Bより少し高いレールを用意し，小球を点Aに置き，静かにはなした。ただし，摩擦や空気抵抗は考えないものとする。次の問いに答えなさい。

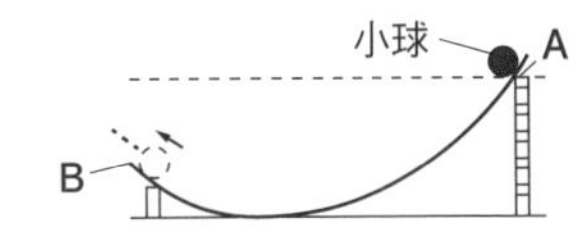

(1)　小球が端点Bを飛び出したあとの軌跡(きせき)を正しく表した図はどれか。次のア～ウから1つ選び，記号で答えよ。

〔　　　〕

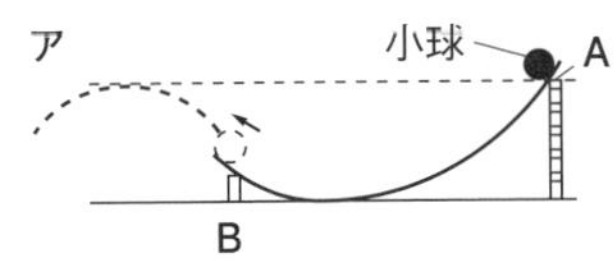

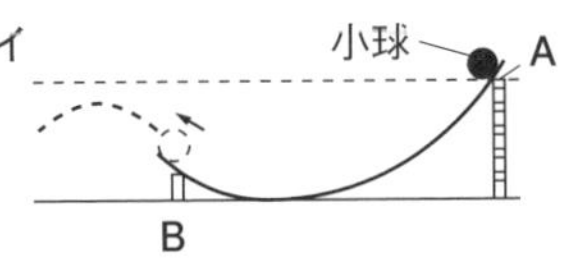

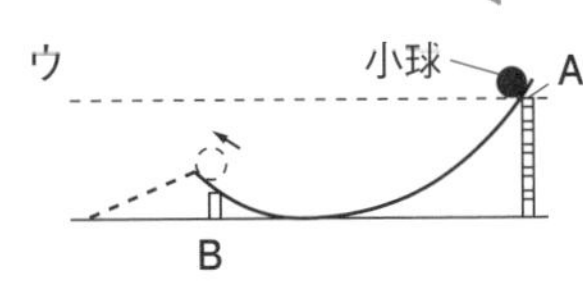

(2)　小球が端点Bを飛び出したあと，小球が最高点でもつエネルギーは何か。次のア～ウから1つ選び，記号で答えよ。　〔　　　〕

ア　位置エネルギー　　イ　運動エネルギー　　ウ　位置エネルギーと運動エネルギー

ヒント

(2)　物体が高い位置にきて，運動エネルギーが0になると，物体は静止する。

定期テスト予想問題 ⑤

時間 50分
解答 別冊p.19

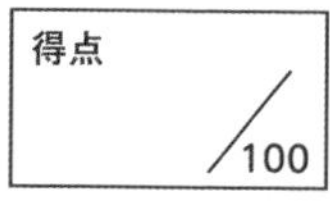

1 右の図のように，質量 500 g の木片を床の上で 2 m 動かした。このとき，ばねばかりは 0.6 N を示していた。次の問いに答えなさい。【3点×2】

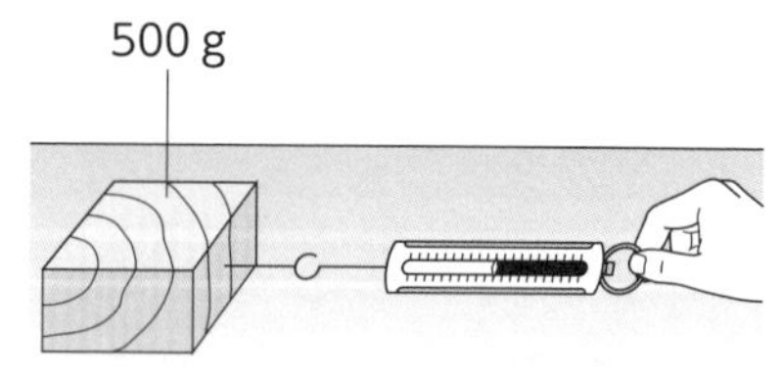

(1) ばねばかりが示した値は，何という力の大きさを表しているか。

(2) このとき，手が木片にした仕事は何 J か。

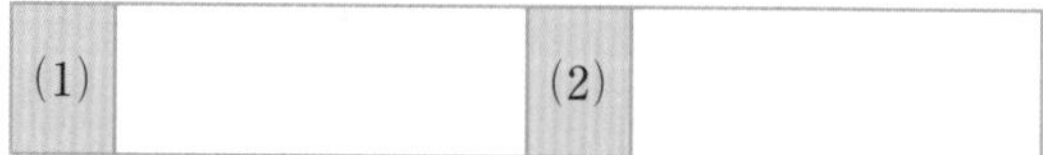

(1)		(2)	

2 右の図のように，動滑車と定滑車を使って，22 kg の物体を 2 m の高さまで引き上げた。これについて，次の問いに答えなさい。ただし，滑車の重さは考えないものとし，100 g の物体にはたらく重力の大きさを 1 N とする。【3点×4】

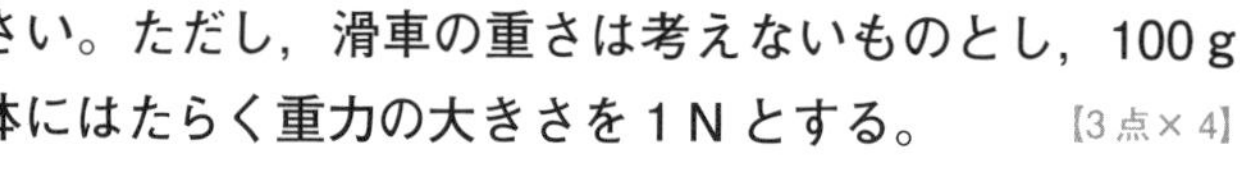

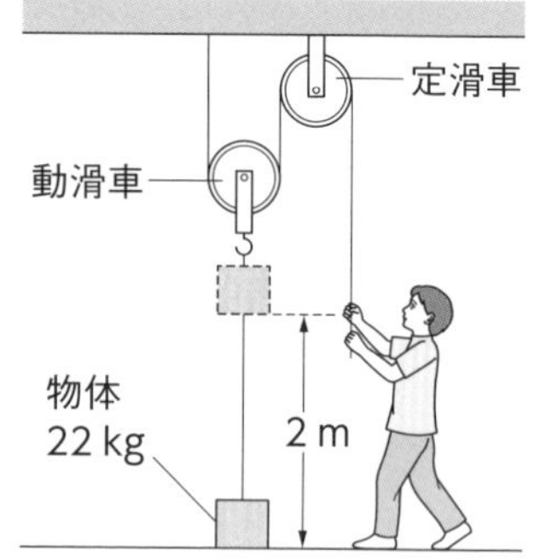

(1) 物体にはたらく重力の大きさは何Nか。

(2) 物体を引き上げるのに必要な力の大きさは何Nか。

(3) ひもを引いた距離は何mか。

(4) このときの仕事は何 J か。

(1)		(2)		(3)		(4)	

3 右の図のように，斜面を使って 300 g の物体を 30 cm の高さまで引き上げる仕事をした。これについて，次の問いに答えなさい。ただし，斜面と物体の間に摩擦力ははたらかないものとし，100 g の物体にはたらく重力の大きさを 1 N とする。【3点×3】

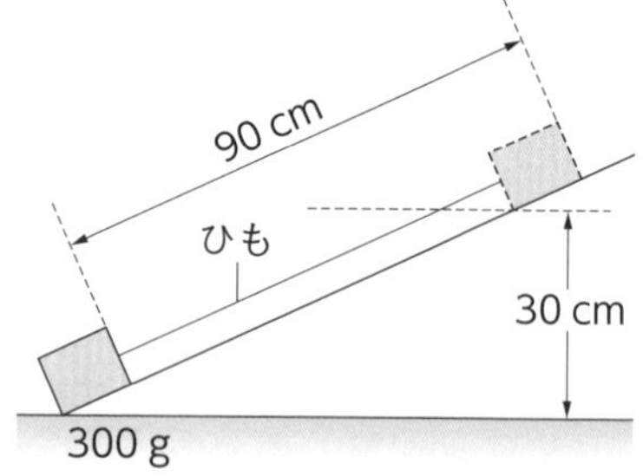

(1) 斜面を使って仕事をしても，直接手で引き上げて仕事をしても，仕事の大きさは変わらない。このことを何というか。

(2) (1)をもとに，このときの仕事の大きさを求めよ。

(3) 30 cm の高さまで引き上げるのに，ひもを引いた距離は 90 cm であった。このとき，斜面に沿って引き上げたときの力の大きさは何Nか。

(1)		(2)		(3)	

4 右の図のように，A～Cの３人がそれぞれ物体を引き上げる仕事を行った。これについて，次の問いに答えなさい。ただし，100 g の物体にはたらく重力の大きさを１Nとする。 【3点×4】

A 10 kg 1 m　B 5 kg 2 m　C 10 kg 2 m

(1) 同じ大きさの仕事をしたのは誰(だれ)と誰か。

(2) 最も大きい仕事をした人の仕事の大きさは何Jか。

(3) 仕事にかかった時間は，C君は５秒であった。このときの仕事率(しごとりつ)は何Wか。

(4) A君は，物体を１mの高さまで引き上げた状態のまま，物体を10秒間支えた。このとき，10秒間の仕事について正しく述べたものを，次のア～ウから１つ選び，記号で答えよ。

ア 10 J の仕事をした。

イ 10 J 以上の仕事をした。

ウ 仕事をしたことにはならない。

(1)		(2)		(3)		(4)	

5 右の図１のように，斜面の頂点のくぎと質量1.0 kg の台車を糸でつなぎ，台車が斜面をすべり落ちないようにした。これについて，次の問いに答えなさい。ただし，摩擦は考えないものとし，100 g の物体にはたらく重力の大きさを１Nとする。

図１

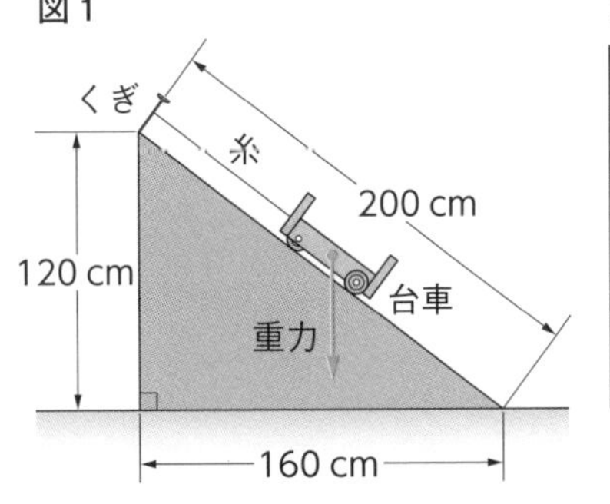

図２

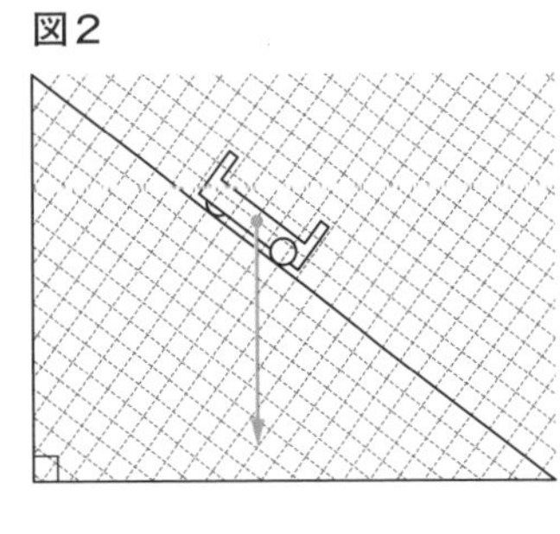

【3点×3】

(1) 図２は，台車にはたらく重力を矢印で示したものである。台車にはたらく重力を，斜面に平行な方向と，斜面に垂直な方向とに分解し，その分力(ぶんりょく)を矢印で表せ。

(2) 糸をくぎからはなし，斜面に沿って手で糸をゆっくり引いて50 cm だけ上方に移動させた。このとき，手が引く力の大きさは何Nか。図２で，方眼(ほうがん)１目盛りは１Nの力を表し，重力を分解した分力の大きさをもとに答えよ。

(3) (2)で行った仕事は何Jか。

(1)	図２に記入	(2)		(3)	

6 右の図のように，質量500 gのおもりをAの位置から h cm高いBの位置まで引き上げ，静かにはなした。おもりは支点Oの真下で木片と衝突(しょうとつ)して静止し，木片は水平な机の上で x cm動いて止まった。表は，おもりの高さと木片の動いた距離(きょり)，およびおもりが木片にした仕事(しごと)との関係を示したものである。これについて，次の問いに答えなさい。ただし，100 gの物体にはたらく重力の大きさを1 Nとする。【4点×4】

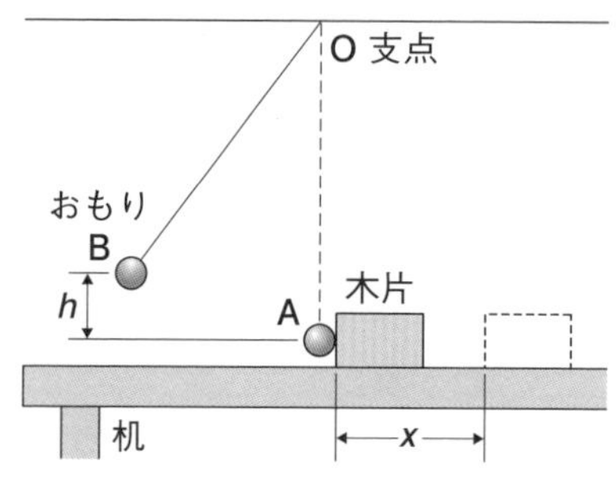

(1) 木片が机の上を動くとき，木片と机との間にはたらく摩擦力(まさつりょく)は何Nか。

(2) 表の y にあてはまる数値を答えよ。

(3) 表から，おもりのもつ位置(いち)エネルギーは何に比例すると考えられるか。

おもりの高さ h〔cm〕	5	10	15	20
木片の動いた距離 x〔cm〕	10	20	30	40
木片にした仕事〔J〕	0.04	0.08	y	0.16

(4) この実験で，おもりの高さが20 cmの場合，木片との衝突によっておもりが失ったエネルギーは何Jか。ただし，おもりの位置エネルギーは，衝突で失われるエネルギーと木片を動かすエネルギーの和になる。

(1)		(2)		(3)		(4)	

7 右の図のようななめらかな斜面(しゃめん)を使って，質量5 kgの鉄球を転がした。これについて，次の問いに答えなさい。【3点×4】

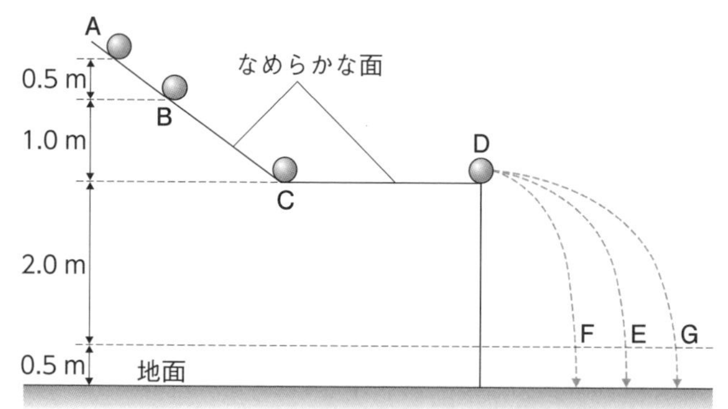

(1) 鉄球を地面からA点まで引き上げたときの仕事は何Jか。ただし，質量100 gの物体にはたらく重力の大きさを1 Nとする。

(2) A点から鉄球を転がしたところ，E点を通過した。鉄球がもっている運動(うんどう)エネルギーが最も大きいのは，A～Eのどの点のときか。

(3) B点から鉄球を転がしたとき，鉄球は同じ高さのE～G点のうち，どの点を通過するか。

(4) 鉄球を質量10 kgのものに変えてA点から転がすと，鉄球はどこを通過すると考えられるか。次のア～ウから1つ選び，記号で答えよ。

ア　E点より左側

イ　E点より右側

ウ　E点

(1)		(2)		(3)		(4)	

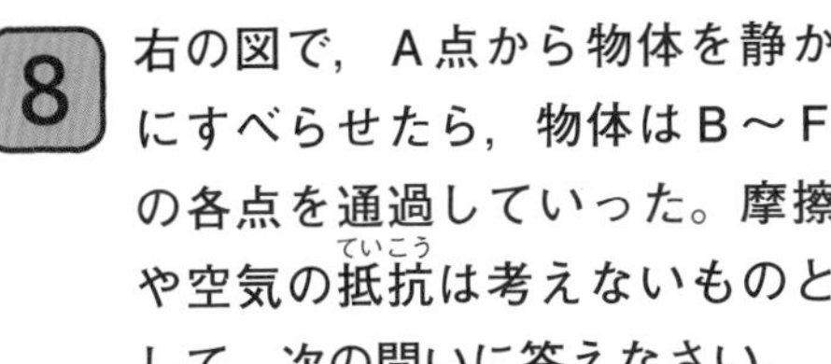

8 右の図で，A点から物体を静かにすべらせたら，物体はB～Fの各点を通過していった。摩擦や空気の抵抗（ていこう）は考えないものとして，次の問いに答えなさい。

【3点×8】

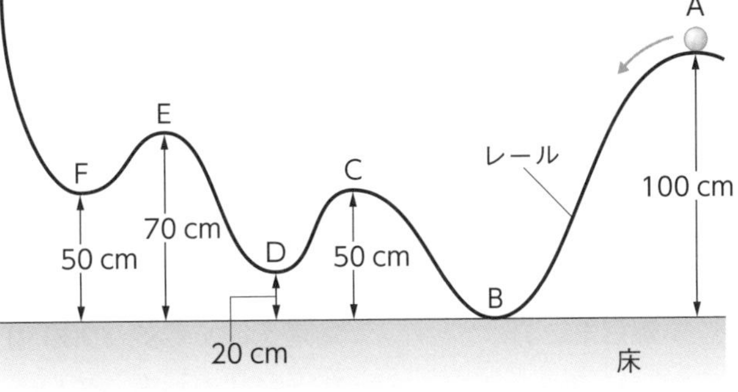

(1) 物体がA点からB点まで下っているとき，減少しているエネルギーは何か。

(2) 物体のもっている位置エネルギーが最も大きいのは，物体がA～Fのどこの点にあるときか。

(3) 物体のもっている運動エネルギーが最も大きいのは，物体がA～Fのどこの点にあるときか。

(4) 運動エネルギーと位置エネルギーの和を何というか。

(5) B～Fの5つの地点で比べると，物体の速さが等しくなっているのは，どの点とどの点であるか。

(6) F点を過ぎたあとも物体は斜面を上っていく。このときのようすはどうなるか。次のア～ウから1つ選び，記号で答えよ。

ア　いきおいがついているので，A点よりも高い位置までのぼっていく。
イ　物体がもっているエネルギーは一定なので，A点と同じ高さまでのぼる。
ウ　すべりおりてきたもとの点であるE点と同じ高さまでのぼる。

(7) 物体の質量を2倍のものにして同じ実験をした。物体がF点を過ぎて斜面をのぼる高さはどうなるか。次のア～ウから1つ選び，記号で答えよ。

ア　A点より高くのぼる。
イ　A点と同じ高さまでのぼる。
ウ　E点と同じ高さまでのぼる。

(8) 物体がA点でもっていた位置エネルギーの大きさをMとすると，D点で物体がもっている運動エネルギーの大きさはどうなるか。次のア～エから1つ選び，記号で答えよ。

ア　0.2 M　　イ　0.4 M
ウ　0.6 M　　エ　0.8 M

(1)		(2)		(3)		(4)	
(5)		(6)		(7)		(8)	

1 宇宙の広がり

リンク ニューコース参考書 中3理科 p.194~203

攻略のコツ 太陽系をつくる天体や，太陽，惑星のようすをつかむ。

テストに出る！ 重要ポイント

●銀河系（ぎんがけい）	太陽をふくむ約2000億個の**恒星**（こうせい）からなる大集団。うずをまいた**円盤状**（えんばんじょう）の形をしている。
●太陽系（たいようけい）	太陽とその周辺を回っている**惑星**（わくせい）や**小天体**の集まり。
●太陽の表面のようす	❶ 形と大きさ…**直径約140万km**の球形をした天体。 ❷ 表面のようす…高温のガス体。表面温度は約**6000℃**。
●黒点（こくてん）の観測	❶ **黒　点**…太陽の表面の黒いはん点のような部分。 ❷ 黒点の観測からわかること→太陽は**球形**で，**自転**（じてん）している。
●太陽系の惑星	❶ **惑星の数**…水星，金星，地球，火星，木星，土星，天王星（てんのうせい），海王星（かいおうせい）の8個。 ❷ **惑星の公転**（こうてん）**運動**…どの惑星も，ほぼ同じ平面上を円に近いだ円軌道（えんきどう）を，同じ向きに公転している。

〈惑星の軌道〉

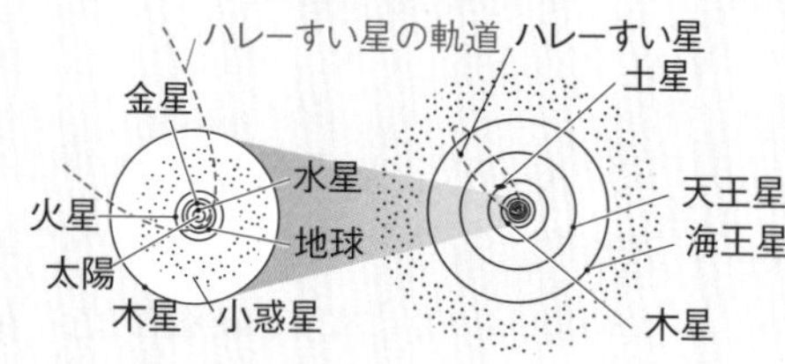

●火星の内側の太陽系の天体

Step 1 基礎力チェック問題

解答 別冊p.20

1 次の〔　　〕にあてはまる言葉を書きなさい。

- (1) 太陽のように，自ら光を出す天体を〔　　　　　〕という。
- (2) うずをまいた円盤状をしていて，太陽をふくむ約2000億個の恒星からなる大集団を〔　　　　　〕という。
- (3) 太陽の表面の黒い斑点（はんてん）のような部分を〔　　　　　〕という。
- (4) 太陽の表面からふき出した炎（ほのお）のようなガスの動きを〔　　　　　〕という。
- (5) 皆既（かいき）日食のときに見られる，太陽の外側の100万℃以上のうすい大気の層を〔　　　　　〕という。
- (6) 恒星のまわりを公転している天体を〔　　　　　〕という。
- (7) 惑星のまわりを公転している天体を〔　　　　　〕という。
- (8) 太陽系で最も大きい惑星は〔　　　　　〕である。

得点アップアドバイス

1

確認 **太陽の温度分布**

太陽の表面の温度は約6000℃，黒点の温度は約4000℃である。

(6) 太陽のまわりを公転している天体は，自ら光を出さず，太陽の光を反射して光っている。

(7) 惑星のまわりを公転している天体には，地球のまわりを公転している月などがあてはまる。

2 【太陽のすがた】

天体望遠鏡を使って太陽を観察した。右の図は，３日間の太陽の表面の変化である。次の問いに答えなさい。

10月20日

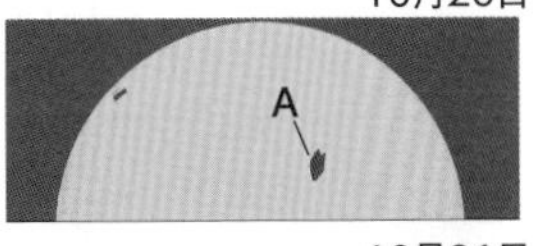

10月21日

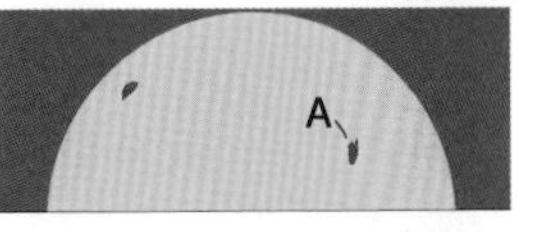

10月22日

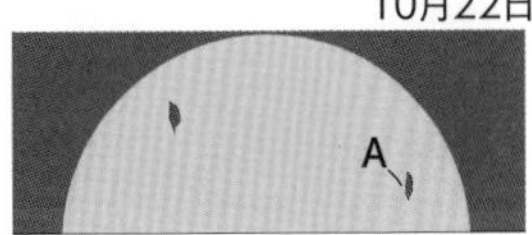

☑ (1)　天体望遠鏡で太陽を観察するとき，望遠鏡で太陽を見てはいけないのはなぜか。
〔　　　　　　　　　　　　　　　　〕

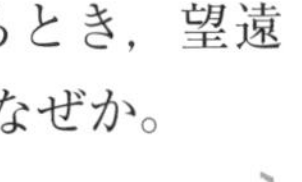

☑ (2)　図のAの斑点を何というか。
〔　　　　　　　〕

☑ (3)　Aの斑点が黒っぽく見えるのはなぜか。
〔　　　　　　　　　　　　　　　　　　　　　　〕

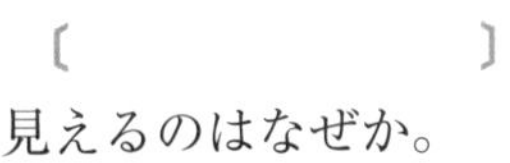

☑ (4)　Aの斑点の位置が太陽の表面上を移動しているようすから，どのようなことがわかるか。〔　　　　　　　　　　　　　　　　　　　　〕

☑ (5)　Aの斑点が太陽の周辺部に移動するほどゆがんで見えることから太陽がどんな形をしていることがわかるか。　〔　　　　　　〕

3 【惑星の種類】

右の図は，太陽と４つの惑星の位置関係を示したものである。次の問いに答えなさい。

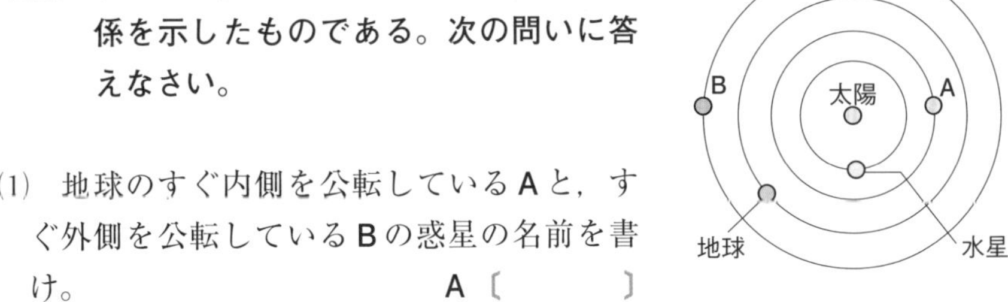

☑ (1)　地球のすぐ内側を公転しているAと，すぐ外側を公転しているBの惑星の名前を書け。
A〔　　　　　〕
B〔　　　　　〕

☑ (2)　４つの惑星は太陽のまわりをどのように回っているか。次のア～エから１つ選び，記号で答えよ。　〔　　　〕

ア　ほぼ同じ公転面上を，同じ向きに回っている。
イ　異なる公転面上を，同じ向きに回っている。
ウ　ほぼ同じ公転面上を，それぞれが異なる向きに回っている。
エ　異なる公転面上を，それぞれが異なる向きに回っている。

☑ (3)　外惑星（がいわくせい）とよばれるのは，A，Bのどちらか。　〔　　　〕

4 【恒星のようす】

恒星について，次の問いに答えなさい。

☑ (1)　恒星までの距離（きょり）は，何という単位で表されるか。〔　　　　　　〕
☑ (2)　太陽の次に明るく見える恒星は何か。　〔　　　　　　〕
☑ (3)　１等星は２等星より約何倍明るいか。　〔　　　　　　〕
☑ (4)　同じ星座の恒星は地球から等しい距離にあるか。〔　　　　　　〕

得点アップアドバイス

2
(1)　観察の危険を防止するためである。
(3)　Aの斑点の温度とまわりの温度との関係から考える。
(4)　太陽の運動についてわかる。
(5)　ボールに印をつけて，回転させてみると確かめることができる。

3
(3)　外惑星の「外」とは，地球から見たときの位置関係を示す。

4
(4)　オリオン座のリゲルは860光年，ベテルギウスは500光年の位置にある。

Step 2 実力完成問題

解答 別冊p.20

1 【太陽のすがた】

図1のような天体望遠鏡を使って，南中時の太陽を観察した。これについて，次の問いに答えなさい。

図1

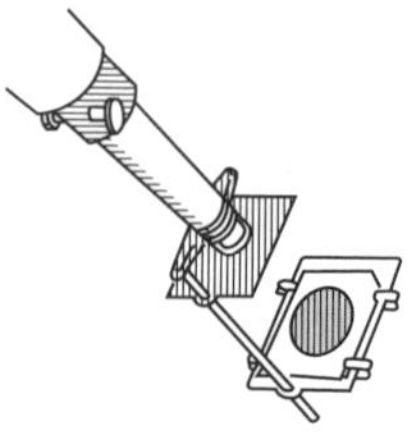

よくでる (1) 天体望遠鏡の向きを変えないで，太陽を観察していると，太陽の像が移動していき，視野の外に出てしまった。このように，太陽の像が動くのはなぜか。その理由を簡単に書け。

〔　　　　　　　　　　〕

(2) 太陽の像を記録用紙に記録したら，**図2**のようになった。**図2のA**は，黒点であるが，この部分の温度はおよそ何℃くらいか。

〔　　　　　　〕

図2

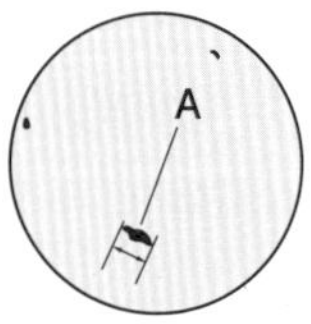

A

(3) 太陽の表面は固体，液体，気体のうち，どの状態になっていると考えられるか。

〔　　　　　　〕

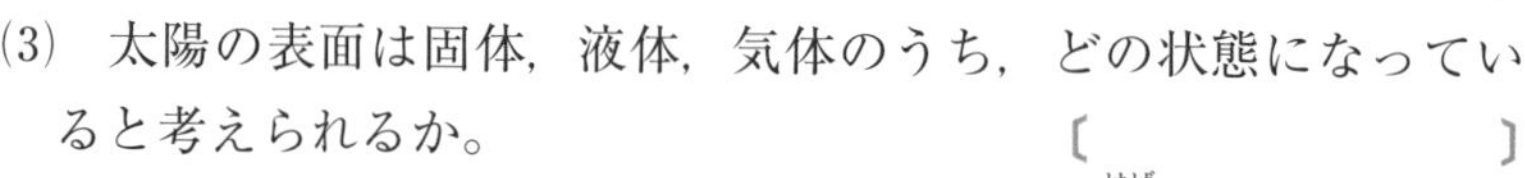

ミス注意 (4) **図2のA**の部分の大きさ（矢印で示された幅）はどうなっているか。次の**ア**～**ウ**から1つ選び，記号で答えよ。〔　　　〕

ア 地球の直径より大きい。　**イ** 地球の直径と同じ。　**ウ** 地球の直径より小さい。

2 【恒星の特徴】

右の表は，恒星についてのいろいろな特徴を示したものである。この表をもとに，次の問いに答えなさい。

恒星の名前	見かけの明るさ（等級）	距離（光年）	色
北極星	2.0	430	黄
ベテルギウス	0.4	500	赤
シリウス	−1.5	8.6	白
リゲル	0.1	860	青白

(1) 地球から見たとき，最も明るい恒星と，最も暗い恒星はそれぞれどれか。

明るい恒星〔　　　　　　〕

暗い恒星　〔　　　　　　〕

(2) 太陽と北極星が地球から同じ距離にあったとすると，明るいのはどちらの星になるか。

〔　　　　　　〕

(3) 恒星の色が太陽に最も近い恒星はどれか。〔　　　　　　〕

3 【惑　星】

右の表は，8個の惑星のうち，地球，天王星，海王星を除く5個の惑星について，その特徴と公転する時間を示したものである。次の問いに答えなさい。

惑　星	特　　　徴	公転の周期
A	最も大きい惑星である。	11.9年
B	円盤状に見える環をもっている惑星である。	29.5年
C	地球から真夜中に見ることはできない。	225日
D	地球のすぐ外側を回っている惑星である。	1.9年
E	最も太陽に近い惑星である。	88日

(1) 惑星A，C，Eは何か。次のア～エから１つ選び，記号で答えよ。〔　　　〕

ア　Aは土星，Cは火星，Eは水星である。

イ　Aは木星，Cは金星，Eは火星である。

ウ　Aは土星，Cは火星，Eは金星である。

エ　Aは木星，Cは金星，Eは水星である。

(2) 地球より内側を公転している惑星を，記号ですべて選べ。〔　　　〕

(3) 金星や火星などのように，小型であるが密度が大きく，表面が岩石でできている惑星を何というか。「～型惑星」という書き方で書け。〔　　　〕

(4) 大型で密度が小さく，ガスなどでできている惑星を「木星型惑星(もくせいがたわくせい)」という。A～Eから木星型惑星をすべて選べ。ただし，木星自身もふくめるものとする。

〔　　　〕

4 【銀河系】

銀河系(ぎんがけい)について，次の問いに答えなさい。

(1) 夜空を観察すると，うすくかがやいている光の帯が見られる。この光の帯は，銀河系とよばれるほかに何というよび方があるか。

〔　　　〕

(2) 銀河系は約2000億個の何という星の集まりか。次のア～エから１つ選び，記号で答えよ。〔　　　〕

ア　衛星(えいせい)　　イ　惑星

ウ　恒星　　エ　すい星

(3) 銀河系には，太陽とそのまわりを回る天体や小天体の集まりもふくまれる。このような集まりを何というか。〔　　　〕

入試レベル問題に挑戦

5 【太陽，宇宙の広がり】

次の問いに答えなさい。

(1) 右の図は，日本のある地域で観測された皆既日食(かいきにっしょく)のようすである。

X

① 日食は，ある天体が地球への太陽光をさえぎるために起きる。ある天体とは何か。〔　　　〕

② 図中のxは，高温のガスの層である。この部分を何というか。〔　　　〕

③ 日食の観察をしたり，太陽の表面を観察したりするとき，しゃ光板や太陽投影板(とうえいばん)を用いるのはなぜか。その理由を書け。

〔　　　〕

✓よくでる (2) 太陽に見られる黒点(こくてん)は，まわりより暗いため黒く見える。このように，黒点がまわりより暗いのはなぜか。〔　　　〕

(3) 太陽の黒点は，太陽の活動が活発になると，数はどうなるか。

〔　　　〕

2 地球の自転と天体の動き

リンク
ニューコース参考書
中3理科
p.204～213

攻略のコツ　地球の自転による太陽や星の1日の動きを，図を通してつかむ。

テストに出る！ 重要ポイント

● **太陽の1日の動き**

❶ 太陽の動き…東から出て南の空を通り，西に沈(しず)む。

❷ **南中**(なんちゅう)…太陽が真南にくること。このときの太陽高度（南中高度(なんちゅうこうど)）は最高になる。

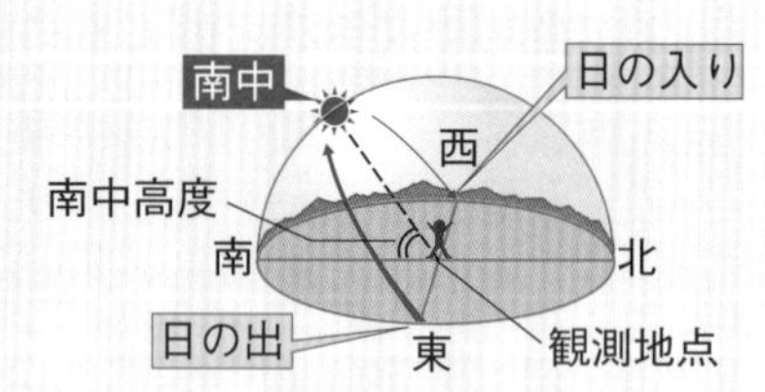

● **地球の自転**(じてん)

❶ **太陽の日周運動**(にっしゅううんどう)…太陽が1日1回東から西へ動くこと。→地球の自転による見かけの運動。

❷ **天球**(てんきゅう)…大空を，地球を中心とした半径の非常に大きな球面と考えたもの。

❸ **地軸**(ちじく)…地球の北極と南極を結ぶ軸。地球は地軸を中心に1日に1回自転している。

● **星の1日の動き**

東から西へ，1日に1回転（1時間に15°）する。→地球の自転による見かけの運動。

Step 1 基礎力チェック問題

解答 別冊p.20

1 次の〔　　〕にあてはまるものを選ぶか，あてはまる言葉を書きなさい。

(1) 大空を，地球を中心とした半径の非常に大きな球面と考えたものを，〔　　　　〕という。

(2) 地球の北極と南極を結んだ軸を〔　　　　〕といい，地球はこの軸を中心に北から見て〔時計回り　反時計回り〕に動いている。

(3) 太陽や星が1日に1回転しているように見えるのは，地球の〔自転　公転(こうてん)〕による見かけの動きである。

(4) 太陽が1日に動く速さは〔午前中が速く　午後が速く　いつも一定に〕なっている。

(5) 太陽は〔東　西〕から出て，〔東　西〕へ沈む動きをしているが，これは地球が〔東　西〕から〔東　西〕へ回転しているからである。

(6) 太陽が真南にくることを〔　　　　〕といい，このときの太陽の高度を〔　　　　〕という。

(7) 太陽が真南にきたときの高度は，1日のうちで〔最高　最低〕になる。

(8) 星は1時間に〔10°　15°　30°　60°〕動いて見える。

得点アップアドバイス

1

(3) 太陽や星の動きは，地球の動きによって生じる見かけの動きである。

(5) 朝，太陽がある方角が東で，夕方太陽がある方角が西である。

(8) 1日（24時間）で，360°同じ速さで動くから，1時間では…。

2 【太陽の1日の動き】

右の図は，日本のある地点で，太陽の1日の動きを2時間ごとに透明半球(とうめいはんきゅう)上に記録したものである。次の問いに答えなさい。

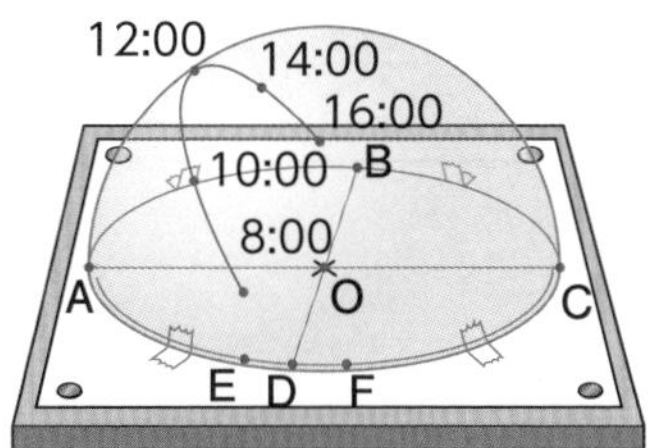

(1) 右の図で，日の出の位置はどこか。図中の記号で答えよ。

〔　　　　〕

(2) O点から見て南の方角にあたるのはA～Dのうちのどれか。

〔　　　　〕

(3) 図の12:00と書いてある位置は，A－Cを結ぶ線上の真上にきていた。このときのことを何というか。

〔　　　　　　　　〕

(4) 透明半球上を移動した2時間ごとの長さはどうなっているか。

〔　　　　　　　　〕

(5) 透明半球上に太陽の位置を記入していくとき，ペン先の影(かげ)がどの点にくるようにしなければならないか。図中の記号で答えよ。

〔　　　　〕

3 【星の1日の動き】

下の図は，日本のある地点で，東・西・南・北の空の星の動きを観察してスケッチしたものである。次の問いに答えなさい。

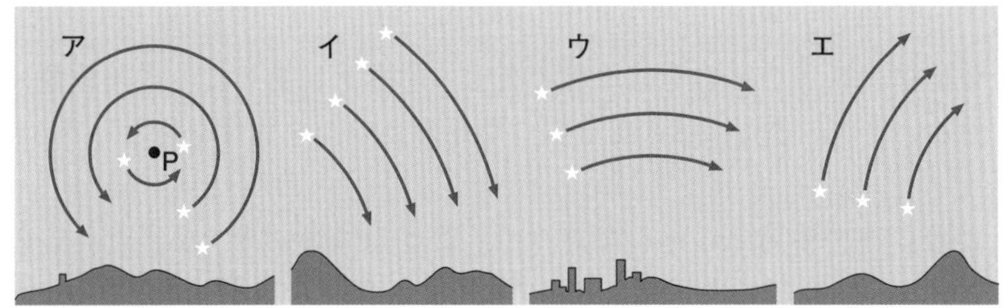

(1) ア～エの図は，それぞれどの方角の星の動きを示しているか。

ア〔　　　　〕 イ〔　　　　〕
ウ〔　　　　〕 エ〔　　　　〕

(2) アの空の星は，図のPの星を中心に回転しているように見える。Pの星を何というか。 〔　　　　　　　　〕

(3) 星が図のように動いて見えるのはなぜか。その理由を次のア～エから1つ選び，記号で答えよ。 〔　　　　〕

ア 星が自転しているから。

イ 星が公転しているから。

ウ 地球が自転しているから。

エ 地球が公転しているから。

得点アップアドバイス

2

確認 **太陽の動きと方角**
太陽は東から出て南の空を通り西に沈む。昼に南の空を通るのだから，透明半球上に記入した太陽の通り道が傾(かたむ)いている方角が南になる。

(3) A－Cを結ぶ線は，東西，南北のどちらを結んだ線かを考える。

(5) 透明半球の中心が観測者の位置になる。

3

(1) アでは反時計回りに回転している。イでは右下がりに動き，ウでは弧(こ)を描(えが)くように動き，エでは右上がりに動いている。

(2) 星Pは，こぐま座にふくまれる2等星である。

Step 2 実力完成問題

解答 別冊p.21

1 【天球と星の動き】

右の図は，ある地点での天球を示したもので，O点は観察者の位置を示している。この図について，次の問いに答えなさい。

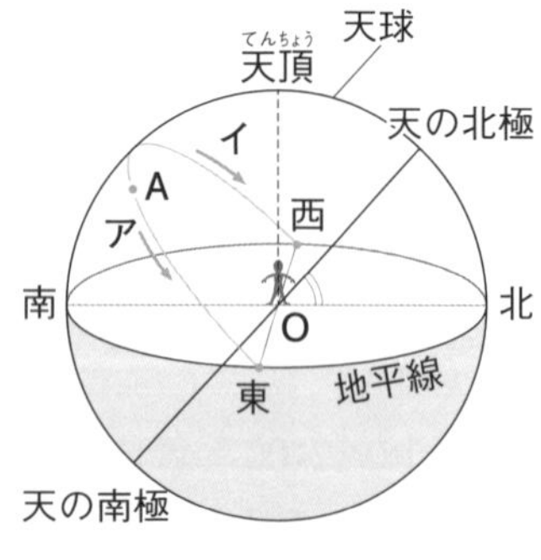

よくでる (1) 天の北極には，何という星が観察されるか。

〔　　　　〕

(2) 星Aはア，イのどちらの向きに動くか。

(3) (2)の星の日周運動の向きから考えて，地球は「西から東，東から西」のどちらの向きに自転しているか。

〔　　　　〕

2 【太陽の透明半球上の動き】

右の図は，ある日の日本のある地点での太陽の動きを1時間ごとに観察し，透明半球上に記録したものである。A～Dは東・西・南・北の方向を，B～T～Dの曲線は太陽の動きを記録した点をなめらかに結んだものである。この図について，次の問いに答えなさい。

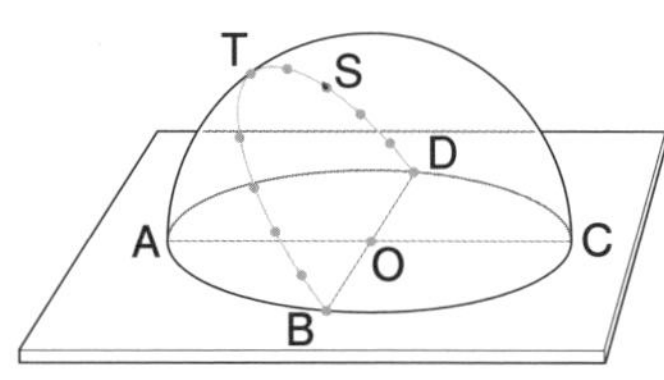

よくでる (1) O点は観察者の位置を表している。南の方位はA～Dのどれか。

〔　　　　〕

(2) Sで示した太陽の位置は，この日の午前，午後のどちらの記録か。

〔　　　　〕

よくでる (3) Tで示した位置は，A－O－Cを結ぶ線の真上の半球上にあった。この位置に太陽がきたときを何というか。また，このときの，地平面とのなす角度を何というか。

T〔　　　　〕 角度〔　　　　〕

ミス注意 (4) 観察を行ったところ，半球上に示した点（・）どうしは等間隔であった。このことから，地球の運動についてどのようなことがいえるか。簡単に説明せよ。

〔　　　　〕

(5) この観察に用いた透明半球は，何のモデルか。 〔　　　　〕

3 【北の空の星の動き】

ある日の20時の北の空を観察すると，Aの星をふくむ7つの星の集まりが右の図の位置にあった。これについて，次の問いに答えなさい。

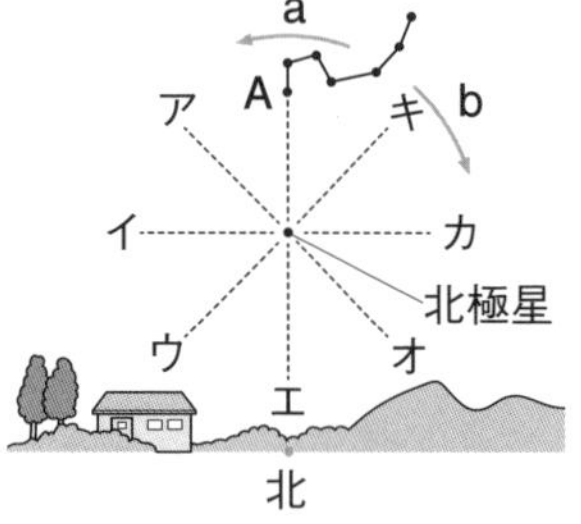

(1) Aの星をふくむ7つの星の集まりを何というか。

〔　　　　〕

(2) (1)の星の集まりは，何という星座にふくまれているか。

〔　　　　〕

✓よくでる (3)　Aの星をふくむ星の集まりは，時間がたつにつれてa，bのどちらの向きに動くか。

〔　　　〕

(4)　Aの星は，6時間後にはア〜キのどの位置にあるか。

〔　　　〕

(5)　この観察のように，星が時間とともに動いて見えるのはなぜか。その理由を次のア〜ウから1つ選び，記号で答えよ。　〔　　　〕

ア　星が地球のまわりを公転（こうてん）しているから。

イ　地球が自転しているから。

ウ　地球が公転しているから。

4 【地球の自転】

右の図は，北極の真上から見た地球と太陽の位置関係を表したもので，A〜Dは同じ緯度（いど）上の4つの地点を示している。これについて，次の問いに答えなさい。

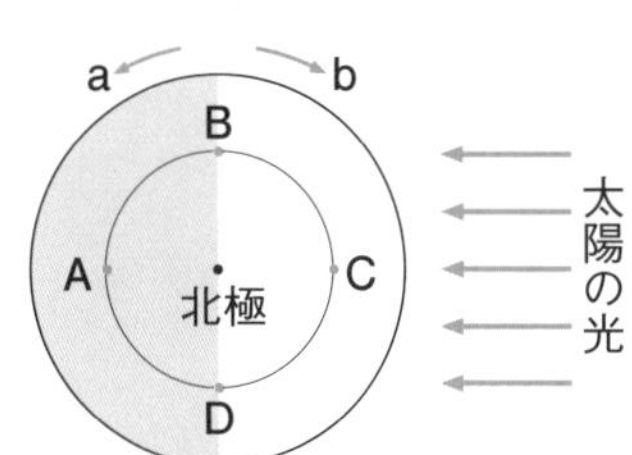

(1)　地球の自転の向きはa，bのどちらか。

〔　　　〕

ミス注意 (2)　A〜Dのうち，日の出をむかえているのはどの地点か。

〔　　　〕

(3)　A〜Dのうち，太陽が西の方向に見えるのはどの地点か。

〔　　　〕

(4)　A〜Dのうち，太陽の高度が最も高いのはどの地点か。

〔　　　〕

入試レベル問題に挑戦

5 【星の動き】

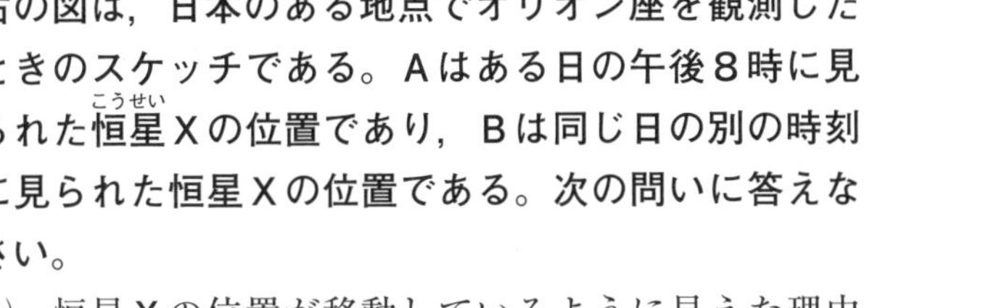

右の図は，日本のある地点でオリオン座を観測したときのスケッチである。Aはある日の午後8時に見られた恒星（こうせい）Xの位置であり，Bは同じ日の別の時刻に見られた恒星Xの位置である。次の問いに答えなさい。

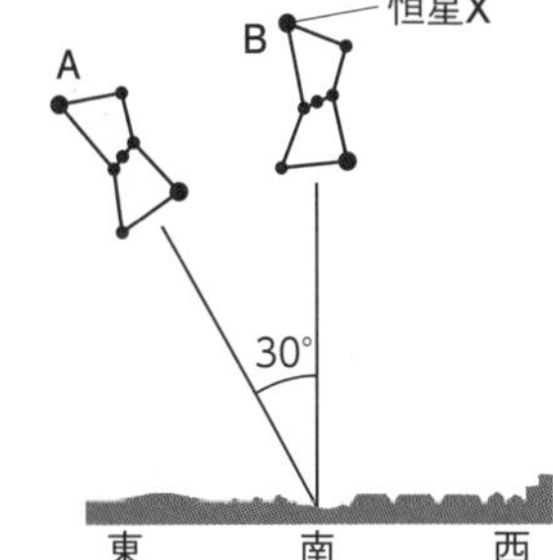

思考 (1)　恒星Xの位置が移動しているように見えた理由を，次のア〜エから1つ選び，記号で答えよ。

〔　　　〕

ア　地球が太陽のまわりを公転しているから。

イ　オリオン座が太陽のまわりを公転しているから。

ウ　地球が西から東に自転しているから。

エ　地球が東から西に自転しているから。

(2)　図のBは，Aを観察した日の何時のオリオン座の位置か。　〔　　　〕

ヒント

星や太陽の動きは，見かけの動きである。

3 地球の公転と天体の動き

リンク
ニューコース参考書
中3理科
p.214～225

攻略のコツ 地球の公転による太陽や星座の動きを，図を通してつかむ。

テストに出る！ 重要ポイント

- **星の1年の動き**
  ❶ 同じ時刻に見える星座の位置→**東から西へ**，1か月に約30°ずつ動く。…季節によって見える星座が変わる。
  ❷ **南中時刻の変化**…ある星座が南中する時刻は，1か月で約2時間ずつ早くなる。
- **地球の公転**
  地球は1日に1回自転しながら，1年に1回太陽のまわりを回転（公転）している。
- **季節の変化の原因**
  地球が**地軸を傾けたまま公転**しているのが原因。このため，昼の長さや太陽の南中高度が変わる。

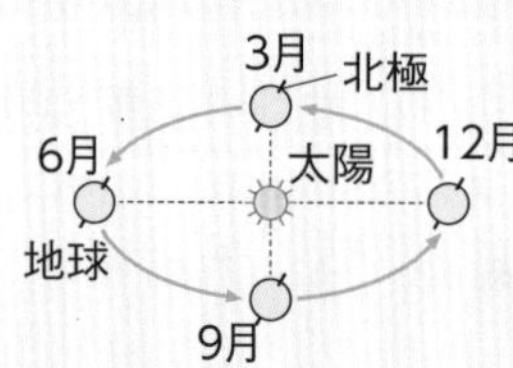

- **地表の気温の変化**
  ❶ 太陽の南中高度が高く，昼が長いと，受ける日光の量が多くなり，気温は高くなる。（夏）
  ❷ 太陽の南中高度が低く，昼が短いと，受ける日光の量が少なくなり，気温は低くなる。（冬）

Step 1 基礎力チェック問題

解答 別冊p.21

1 次の〔　　〕にあてはまるものを選ぶか，あてはまる言葉を書きなさい。

- (1) 星座の季節による動きは，地球が〔自転　公転〕しているために起こる見かけの動きである。
- (2) オリオン座が真夜中に南中するのは，〔春　夏　秋　冬〕である。
- (3) 星座が1年かかってもとの位置に見えることから，1か月後の同じ時刻には，約〔15°　30°　45°〕動いた位置に見える。
- (4) 太陽は星座の間を〔東から西　西から東〕へ動いており，この道すじを〔赤道　黄道〕という。
- (5) 季節の変化は，地球が地軸を公転面に対して〔垂直な　傾けた〕状態で太陽のまわりを〔自転　公転〕しているために起こる。
- (6) 太陽の南中高度が最も高くなるのは，〔　　　　〕の日である。
- (7) 太陽の南中高度が高いほど，一定面積の地面が受ける光の量は，〔多く　少なく〕なる。
- (8) 昼が最も長いのは〔春分　夏至　秋分　冬至〕の日である。

得点アップアドバイス

1

(3) 星座が1年（12か月）かかってもとの位置に見える（360°回転する）のだから，1か月では…。

確認 太陽の南中高度

北緯N°の地点での太陽の南中高度
春分・秋分の日…90－N
夏至の日…90－N＋23.4
冬至の日…90－N－23.4

2 【南の空の星座の移り変わり】

右の図は，12 月，２月，４月のそれぞれの 15 日の午後８時に見えたある星座の位置を示したものである。次の問いに答えなさい。

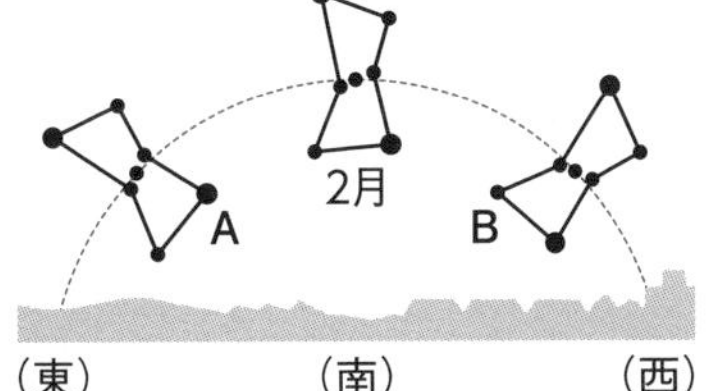

(1)　この星座の名前を書け。
〔　　　　　〕

(2)　4 月 15 日の午後８時にこの星座が見える位置は，図のＡ，Ｂのどちらか。
〔　　　　　〕

(3)　12 月 15 日にこの星座が南中する時刻を，次のア～エから選べ。
〔　　　　　〕

ア　午後４時　　イ　午後６時
ウ　午後 10 時　　エ　午前０時

(4)　この観察のように，季節によって星座の位置が変わって見えるのは，なぜか。その理由を次のア～ウから選べ。
〔　　　　　〕

ア　星座が公転しているから。
イ　地球が自転しているから。
ウ　地球が公転しているから。

3 【地球の公転と四季】

右の図は，地球の公転のようすを模式的に示したもので，Ａ～Ｄは，春分・夏至・秋分・冬至のいずれかの日の地球の位置を表している。次の問いに答えなさい。

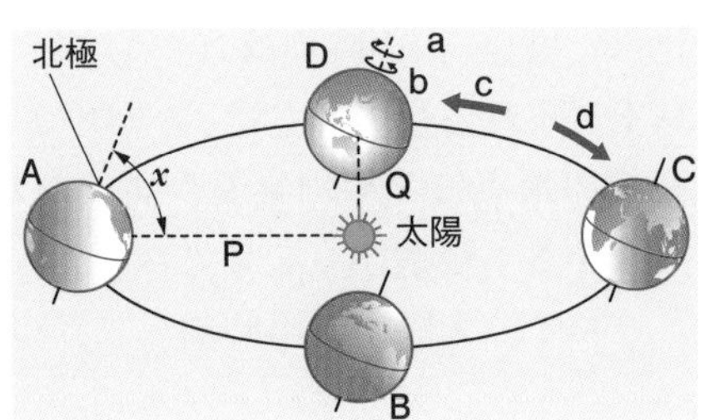

(1)　地球の自転の向き，および公転の向きを正しく組み合わせたものを次のア～エから選べ。
〔　　　　　〕

ア　ａとｃ　　イ　ａとｄ
ウ　ｂとｃ　　エ　ｂとｄ

(2)　図中の角度 x は何度か。
〔　　　　　〕

(3)　図中の距離（きょり）Ｐと距離Ｑを比べるとどうなっているか。次のア～ウから選べ。
〔　　　　　〕

ア　Ｐの方が長い。　　イ　Ｑの方が長い。
ウ　ほぼ同じである。

(4)　日本が春分の日になるときの地球の位置を，Ａ～Ｄから選べ。
〔　　　　　〕

(5)　日本で太陽が真東よりも最も北寄りから出て，真西よりも最も北寄りに沈（しず）むのは，地球がＡ～Ｄのどの位置にあるときか。
〔　　　　　〕

得点アップアドバイス

2

(1)　ベテルギウスとリゲルという１等星と３つ星をふくむ，冬の代表的な星座である。

(2)　同じ時刻に見える星座の位置は，しだいに東から西へ移り変わる。

(3)　２か月ごとの観察だから，Ａと２月のこの星座のなす角度は，30 × 2 = 60° になる。

3

確認　自転・公転の向き
地球の自転と公転の向きは同じで，北極側から見たとき，同じ向きとなる。

テストで注意　地軸の傾き
地軸は，公転面に立てた垂線に対して，23.4° 傾いている。

(4)(5)　北極側が太陽の方を向いているときが夏，その反対側の位置が冬になる。

Step 2 実力完成問題

解答 ▶ 別冊p.21

1 【太陽の動き】

日本のある地点で，９時から16時まで１時間おきに太陽の動きを透明半球上に記録した。図１はそのときの結果であり，点E，Fは各点をなめらかに結んだ曲線と透明半球のふちとの交点である。また，点Hは，この日太陽が最も高くのぼった位置を示している。これについて，次の問いに答えなさい。

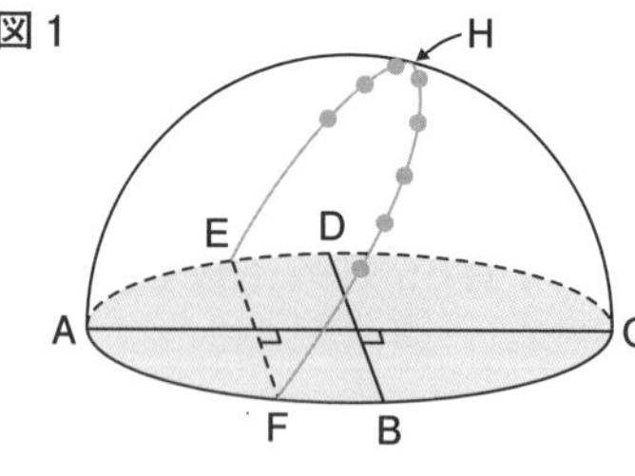

✓よくでる (1) 図１で，北の方角はA～Dのどこか。 〔　　〕

(2) 図２は，図１の点E，H，Fに沿って糸を張り，太陽の動きを糸にうつしとったものである。９時から16時までの各点の間隔はすべて３cmであり，EF間は40cmであった。この日の昼の長さは何時間何分か。 〔　　〕

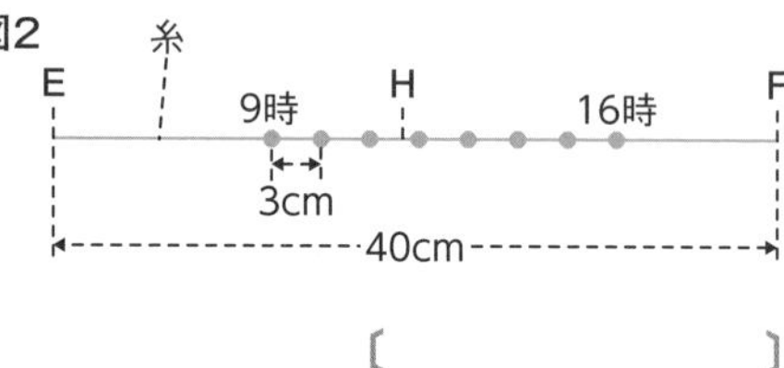

ミス注意 (3) この日に，同じ観測をこの地点より低緯度で西の位置にある日本のある地点で行うとどうなるか。次の文中の（　　）にあてはまる言葉を書け。

①〔　　〕 ②〔　　〕 ③〔　　〕

この地点と比べた場合，南中時刻は（ ① ）くなり，南中高度は（ ② ）くなる。また，透明半球上に現れる昼の長さは（ ③ ）くなる。

(4) 一般に，低緯度の地点ほど平均気温が高くなる。このことと最も関係が深いことがらを，次のア～ウから１つ選び，記号で答えよ。 〔　　〕

ア　昼の長さ　　イ　太陽の南中時刻　　ウ　太陽の高度

2 【四季の星座】

右の図は，地球の公転のようすと黄道近くにある12の星座を示したものである。これについて，次の問いに答えなさい。

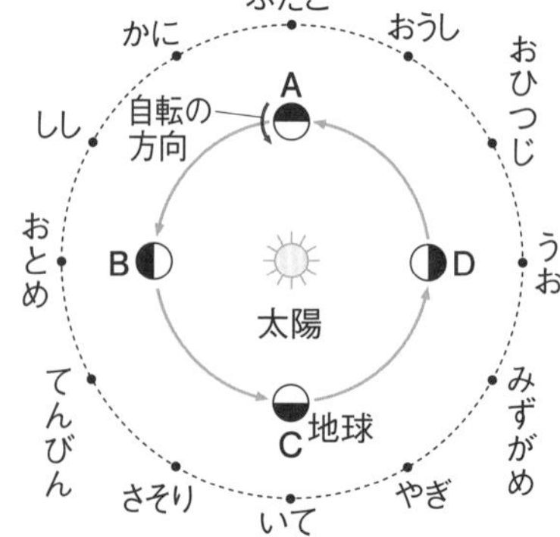

✓よくでる (1) 秋分の日，真夜中近くにうお座が南中した。秋分の日の地球の位置はA～Dのどれか。 〔　　〕

(2) 地球がBの位置にあるとき，一晩中見える星座は何か。 〔　　〕

ミス注意 (3) 地球がCの位置にあるとき，日没後しばらくの間，西の空に見える星座は何か。次のア～エから１つ選び，記号で答えよ。 〔　　〕

ア　おうし座　　イ　かに座　　ウ　いて座　　エ　うお座

ミス注意 (4) 地球がDの位置にあるとき，真夜中に東の地平線近くに見える星座は何か。 〔　　〕

3 【地球の公転と四季】

右の図は，地球が公転しているようすを模式的に示したものであり，A～Dは春分・夏至・秋分・冬至のいずれかの日の地球の位置を示している。次の問いに答えなさい。

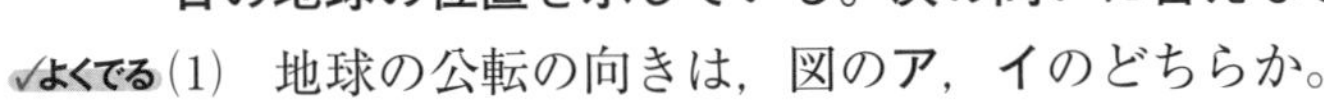

✓よくでる (1) 地球の公転の向きは，図のア，イのどちらか。

〔　　　〕

(2) 夏至の日の地球の位置はA～Dのどれか。〔　　　〕

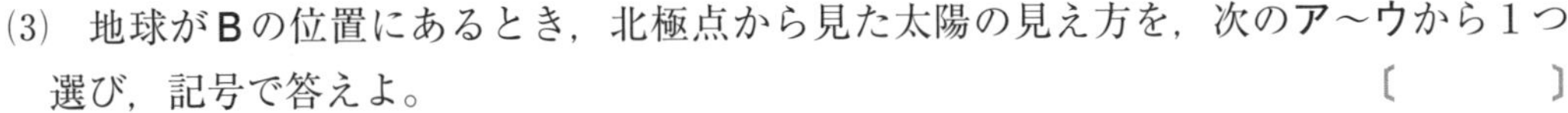

(3) 地球がBの位置にあるとき，北極点から見た太陽の見え方を，次のア～ウから1つ選び，記号で答えよ。〔　　　〕

ア　太陽は1日中見えない。　　イ　太陽は1日中見える。

ウ　太陽は午前中だけ見える。

(4) 日本で，日の出の位置が最も南寄りになるのは，地球がA～Dのどの位置にあるときか。〔　　　〕

4 【星の見え方】

日本のある地点で午後8時に見えたオリオン座を右の図のようにスケッチした。次の問いに答えなさい。

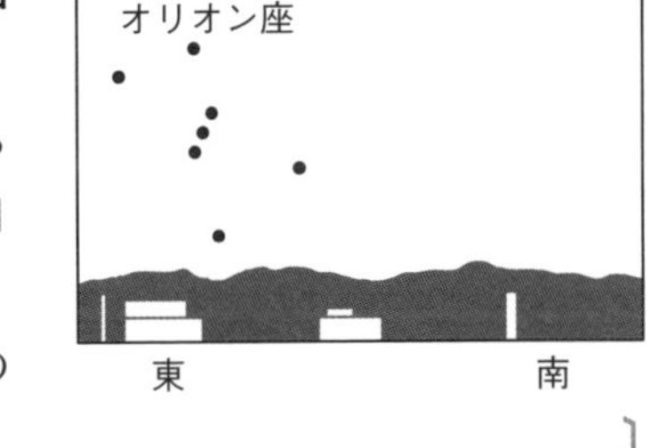

(1) この観察を行ったのは何月ごろか。次のア～エから1つ選び，記号で答えよ。〔　　　〕

ア　3月　　イ　6月　　ウ　9月　　エ　12月

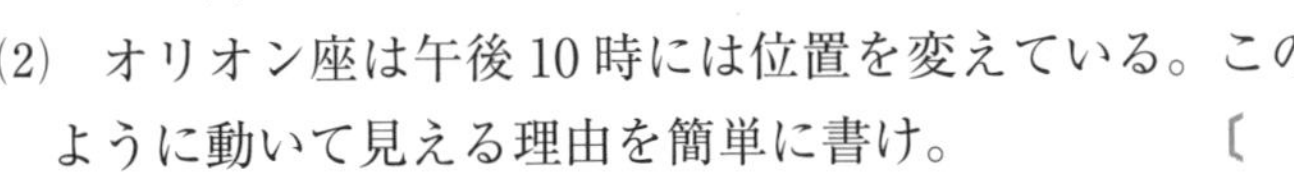

(2) オリオン座は午後10時には位置を変えている。このように動いて見える理由を簡単に書け。〔　　　〕

(3) 半年後の夜には，オリオン座を見ることができない。その理由を簡単に書け。

〔　　　〕

入試レベル問題に挑戦

5 【太陽の動き】

右の図のように，日本のある地点Xで6月1日と8月22日にそれぞれ透明半球上に太陽の位置を1時間ごとに記録し，線で結んで太陽の道すじを示した。地点Xにおける夏至の日の太陽の道すじを右の図と同様に透明半球上に表して西の方向から見たものとして最も適するものを，次のア～エから1つ選び，記号で答えなさい。〔　　　〕

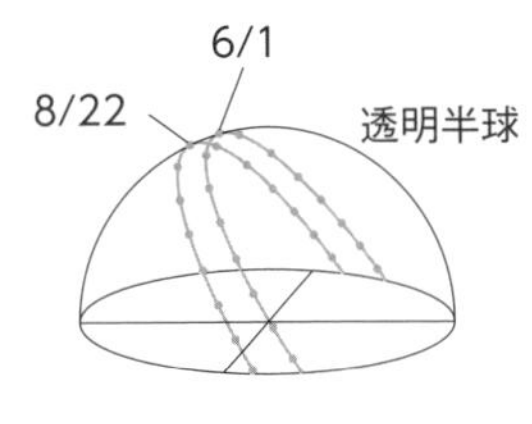

ア
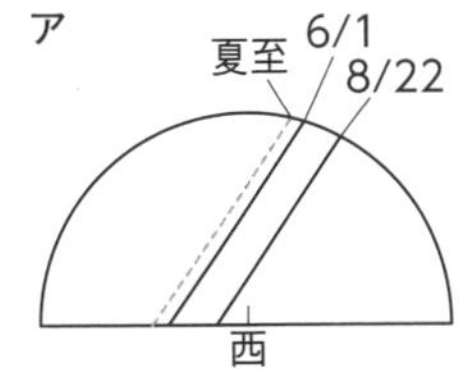

イ
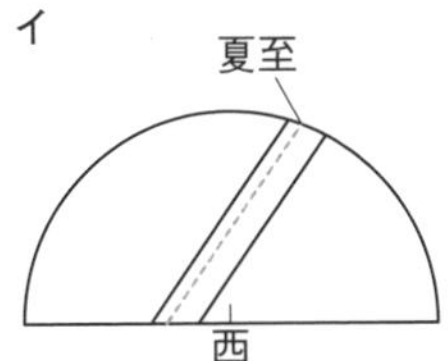

ウ
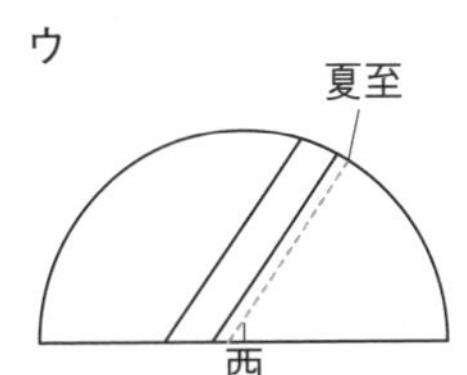

エ
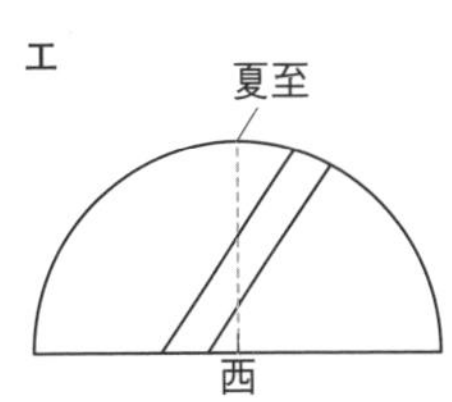

ヒント

夏至の6月22日のころからは，しだいに昼の長さは短くなっていく。

4 月と惑星の見え方

リンク
ニューコース参考書
中3理科
p.226～241

攻略のコツ 月や惑星の動きを，月や惑星の公転のようすをもとにつかむ。

テストに出る！ 重要ポイント

●月の満ち欠け

月の形は，**新月→三日月→半月（上弦の月）→満月**→半月（下弦の月）…新月 と変化する。

●日食と月食

❶ **日食**…月が太陽に重なり，太陽がかくされる現象。新月のときに起こる。

❷ **月食**…月が地球の影に入って，月が見えなくなる現象。満月のときに起こる。

●金星の見え方

❶ 金星の見え方…太陽から大きく離れず，真夜中に見ることはできない。

❷ **明けの明星**…明け方，東の空に見える。

❸ **よいの明星**…夕方，西の空に見える。

❹ 満ち欠け…満ち欠けする。また，見かけの大きさも変化する。

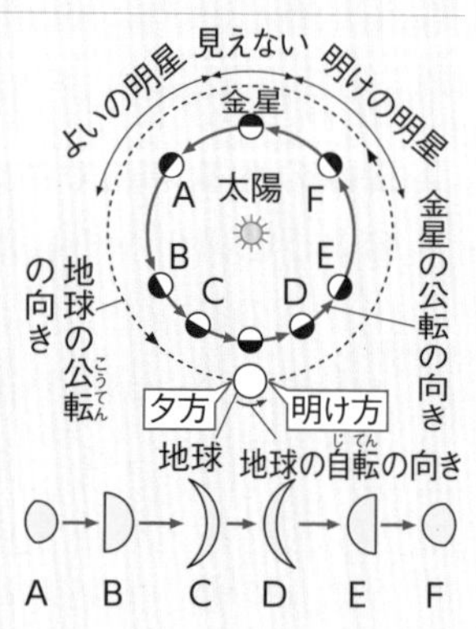

Step 1 基礎力チェック問題

解答 別冊p.22

1 次の〔　　〕にあてはまるものを選ぶか，あてはまる言葉を書きなさい。

(1) 太陽に照らされている部分の右半分が見える月を，〔上弦の月　下弦の月〕という。

(2) 太陽に照らされている部分がすべて見える円形の月を〔　　　　〕という。

(3) 月が太陽に重なり，太陽が見えなくなる現象を〔　　　　〕といい，〔満月　新月〕のときに起こる。

(4) 月が地球の影に入り，月が見えなくなる現象を〔　　　　〕といい，〔満月　新月〕のときに起こる。

(5) 明け方に見える金星は，〔東　西〕の空に見え，この金星を，〔明けの明星　よいの明星〕という。

(6) 夕方に見える金星は，〔東　西〕の空に見え，この金星を，〔明けの明星　よいの明星〕という。

得点アップアドバイス

1

(1) 半月には，右半分が光って見えるものと，左半分が光って見えるものがある。

(2) 中秋の名月といわれるような，月見のときの月である。

(5)(6) 明け方と夕方に見えるのだから，そのころの名前が金星についている。

2 【月の形と見え方】

次の図は，月のいろいろな形を示したもので，■の部分は月の見えない部分を示している。あとの問いに答えなさい。

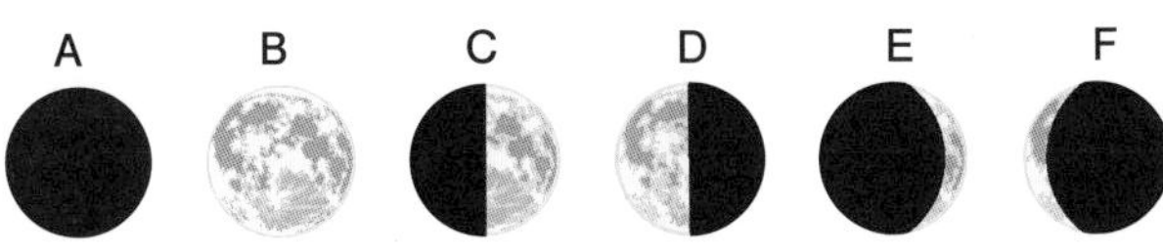

☑ (1)　AとCの形の月の名前を書け。　A〔　　　　〕　C〔　　　　〕

☑ (2)　夕方に南中（なんちゅう）する月を，A～Fから選べ。　〔　　　　〕

☑ (3)　ほぼ一晩中見えている月を，A～Fから選べ。　〔　　　　〕

☑ (4)　A～Fを，月の形が変化する順に並べるとどうなるか。次のア～エから１つ選び，記号で答えよ。　〔　　　　〕

ア　A→E→D→B→C→F　　イ　A→E→C→B→D→F

ウ　A→D→C→B→E→F　　エ　A→E→D→C→B→F

3 【日食と月食】

次の図は，太陽・地球・月の位置関係を模式的に示したものである。あとの問いに答えなさい。

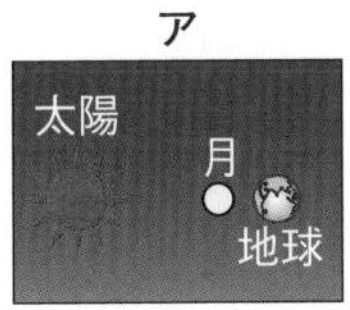

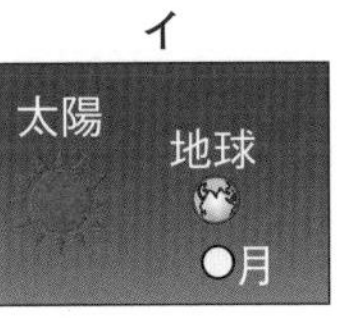

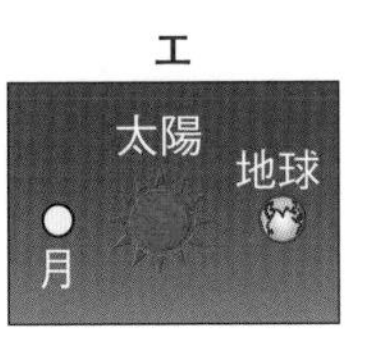

☑ (1)　日食のときの位置関係をア～エから１つ選べ。　〔　　　　〕

☑ (2)　月食のときの位置関係をア～エから１つ選べ。　〔　　　　〕

4 【金星の見え方】

右の図１は，太陽を中心として，金星と地球が公転しているようすを北極側から見て模式的に示したものである。次の問いに答えなさい。

図1

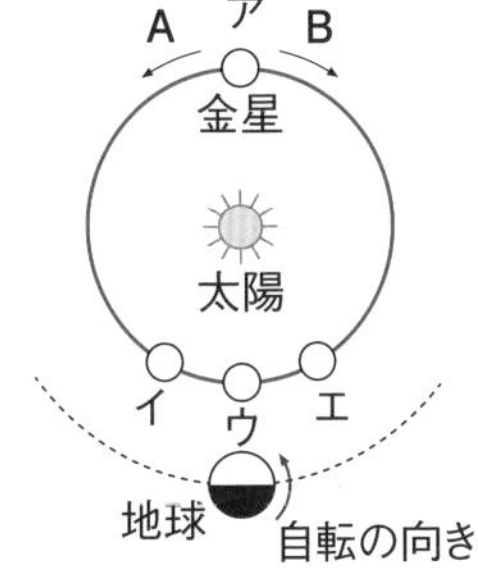

図2

a　b　c　d

☑ (1)　金星の公転の向きはA，Bのどちらか。　〔　　　　〕

☑ (2)　日没（にちぼつ）後，西の地平線に近い空に見える金星はア～エのどれか。　〔　　　　〕

☑ (3)　イ，エの金星はどのように見えるか。それぞれ図２のa～dから選び，記号で答えよ。

イ〔　　　　〕　エ〔　　　　〕

☑ (4)　地球から見ることのできない金星をア～エからすべて選び，記号で答えよ。　〔　　　　〕

☑ (5)　明け方，東の空に見える金星を特に何というか。　〔　　　　〕

得点アップアドバイス

2

(1)　Aは月が見えていないのだから，太陽の方向にある。Cは右半分が光っている。

(2)　夕方には太陽は西にあるので，西側（右側）が光っている。

(3)　一晩中見えるということは，真夜中に南中するということ。

確認　日食・月食

日食は太陽が見えなくなり，月食は月が見えなくなる。

4

(1)　惑星（わくせい）の公転の向きは同じである。

(2)　日没後，西の空に見えるのだから，金星は太陽の東側（左側）にある。

(4)　太陽と重なると，金星は見えなくなる。

Step 2 実力完成問題

解答 別冊p.22

1 【月の動きと見え方】

右の図1は，太陽の光と，地球，月の位置関係を模式的に示したものである。これについて，次の問いに答えなさい。

図1

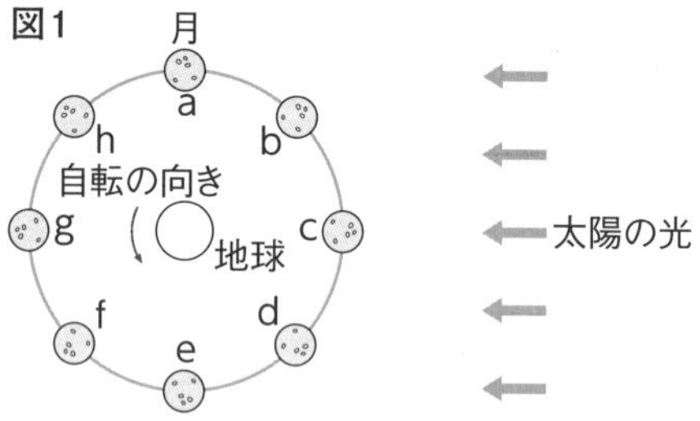

よくでる (1) 三日月（みかづき）が観察されるのは，月がa～hのどこにあるときか。 〔　　　〕

(2) 次の①～③の月は，a～hのどこにあるときに観察されるか。

① 日の入りのころ南中（なんちゅう）する月 〔　　　〕

② 日の入りのころ，東からのぼってくる月 〔　　　〕

③ 日の出のころ南中する月 〔　　　〕

(3) 月がaの位置にあるとき，どのような形に見えるか。次の**図2**の**ア**～**カ**から1つ選び，記号で答えよ。 〔　　　〕

図2

(4) **図2**の**ウ**の月は，a～hのどのときに観察できるか。 〔　　　〕

(5) **図1**のdの月を観察してから2週間の間に観察することができない月を，**図2**の**ア**～**カ**からすべて選べ。ただし，dの月もふくみ，その期間に新月（しんげつ）のときがあれば，実際には見えなくても観察できるものとする。 〔　　　〕

ミス注意 (6) 日食（にっしょく）を観察することができるのは，月がa～hのどこにあるときか。 〔　　　〕

(7) 日食が観察できるのは，地球から見た太陽と月の見かけの大きさがほぼ同じだからである。実際には，太陽の直径は月の直径の約400倍ある。このことから，地球から太陽までの距離（きょり）と地球から月までの距離について，どのようなことがいえるか。簡単に説明せよ。

〔　　　　　　　　　　　　　　　〕

ミス注意 (8) 月食（げっしょく）を観察することができるのは，月がa～hのどこにあるときか。 〔　　　〕

(9) 地球は惑星（わくせい）の1つである。月のように，惑星のまわりを公転する天体を何というか。 〔　　　〕

2 【金星の見え方】

右の図1は，太陽を中心とした金星と地球の軌道（きどう），および地球に対する金星の位置A～Dを示している。図2は，金星が図1のA～Dのいずれかにあるときの，地球から観察した金星の形を模式的に表したものである。次の問いに答えなさい。

図1

地球の軌道
金星の軌道
A
太陽
B
C
D
公転の向き
地球
自転の向き

図2

① ② ③ ④

よくでる (1) **図1のAに金星があるとき，**金星はいつごろ，どの方角に見えるか。次の**ア～エ**から1つ選び，記号で答えよ。〔　　　　〕

ア　明け方，東の空　　　　**イ**　明け方，西の空

ウ　夕方，東の空　　　　**エ**　夕方，西の空

ハイレベル (2) **図1のA～Dのうちで，**地球から観察したとき，金星が太陽の見える方角から最も離（はな）れるのはどの位置か。**A～D**から1つ選び，記号で答えよ。〔　　　　〕

(3) **図1のA～Dのうちで，**金星が**図2の④**のように観察されるのは，**A～D**のどの位置にあるときか。〔　　　　〕

ミス注意 (4) 金星が公転（こうてん）によって**図1のB→C→D**と位置を変えたとき，地球から観察した金星の形の変化を示しているものを，次の**ア～エ**から1つ選び，記号で答えよ。〔　　　　〕

ア　①→②→③　　**イ**　①→④→②　　**ウ**　②→④→①　　**エ**　②→④→③

3 【惑星の動きと見え方】

右の図は，太陽のまわりを公転している金星，火星，地球の公転軌道とその位置関係を表したもので，A～Cはそのいずれかの惑星である。これについて，次の問いに答えなさい。

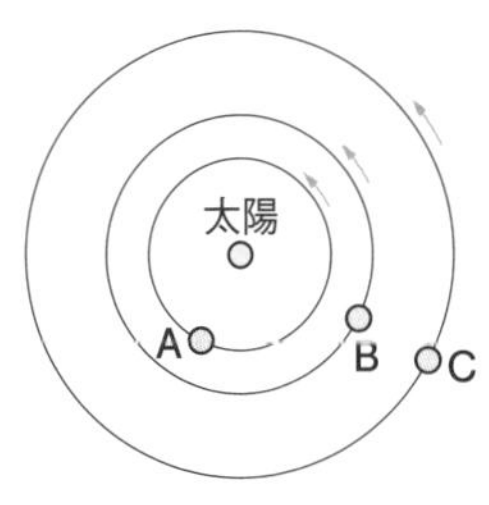

(1) 地球は**A～C**のどれか。〔　　　　〕

(2) 金星は真夜中に見ることができない。その理由を簡単に説明せよ。〔　　　　　　　　　　〕

入試レベル問題に挑戦

4 【金星の動き】

右の図は，ある日の地球，金星，太陽の位置関係を示したものである。次の文の①，②にあてはまるものの組み合わせとして最も適当なものを，あとのア～エから選べ。ただし，地球の公転周期は約1年，金星の公転周期は約0.62年である。〔　　　　〕

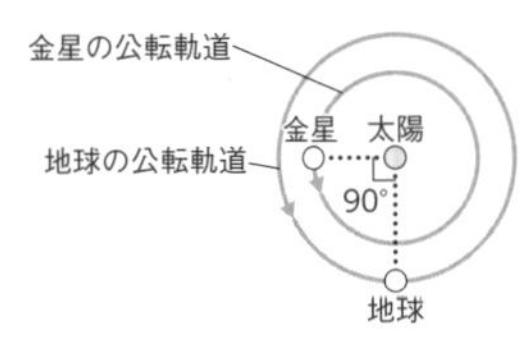

金星と地球の距離はたえず変化している。地球は1か月で約30°，金星は1か月で約［①］太陽のまわりを公転する。このことから，図で示した位置にある日から［②］か月後に金星は地球に最も近づくことがわかる。

ア　①48°　②1.5か月後　　**イ**　①48°　②5か月後

ウ　①62°　②3か月後　　**エ**　①62°　②6か月後

ヒント

金星が地球を追いかけて，毎月の公転の角度の差の分，地球に近づいていると考えてみよう。

定期テスト予想問題 ⑥

時間 50分
解答 別冊p.23

得点 /100

1 右の図は，天体望遠鏡を使って２日おきに太陽を観測し，太陽の表面の変化を記録したものである。次の問いに答えなさい。 【3点×4】

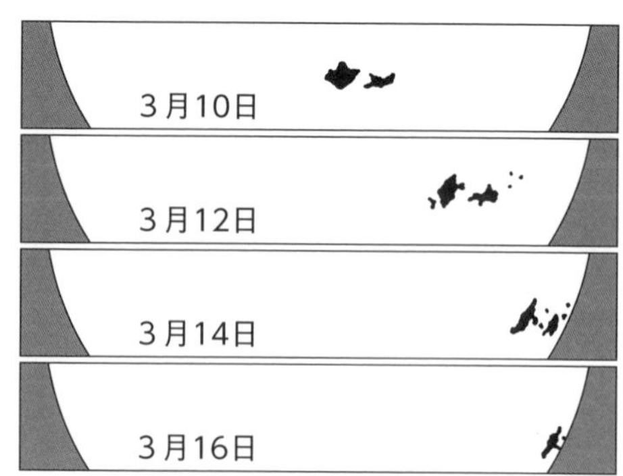

(1) 図の黒い斑点(はんてん)を何というか。名前を書け。

(2) 図の斑点が黒く見えるのはなぜか。その理由を簡単に書け。

(3) 3月16日の斑点は，3月10日の斑点と比べて細長く見える。このことから，太陽はどのような形をしていることがわかるか。

(4) 図の斑点の位置が2日おきにずれているのはなぜか。その理由を簡単に書け。

(1)		(2)	
(3)		(4)	

2 ある場所で透明半球(とうめいはんきゅう)を用いて，太陽の動きを観測した。右の図はその結果を表したものである。図中の×印は，ペン先を透明半球に沿って動かし，ペンの先の影(かげ)が点Oに一致(いっち)したときにつけた。また，点P，点Qは×印をなめらかに結んだ線と透明半球との交点である。これについて，次の問いに答えなさい。 【4点×3】

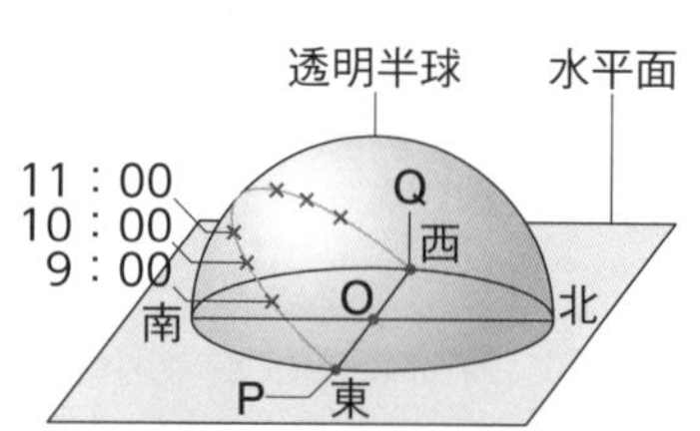

(注) 点Oは，透明半球を水平面上に置いたときにできる円の中心である。

(1) この観測においては，透明半球を観測者から見た天球(てんきゅう)と考えている。この考えに立って，10時に観測したときの，観測者の位置から太陽に向かう矢印を図中にかけ。

(2) この観測において，×印は透明半球上を東から西へ移動した。×印が東から西へ移動するのはなぜか。地球の運動の方向をもとに簡単に書け。

(3) 右の表は，透明半球上の×印間の長さを示したものである。この観測において，15時のときの×印と点Qの間の長さは80.5 mmであった。これをもとにすると，この日の日の入りの時刻は次のア～エのどれに最も近いか。1つ選び，記号で答えよ。

観測時刻	9:00	10:00	11:00	12:00	13:00	14:00	15:00
×印の間の長さ〔mm〕	25.4	25.5	25.6	25.5	25.6	25.4	

ア 17時10分　**イ** 17時30分　**ウ** 17時50分　**エ** 18時10分

(1)	図に記入	(2)		(3)	

3 **右の図は，日本のある地点で，ある日の午後９時に，北の空に見えるカシオペヤ座をスケッチしたものである。これについて，次の問いに答えなさい。なお，カシオペヤ座は，図中の星Ｐを中心にして回転しているように見えた。** 【3点×4】

真上
A
30°
P

(1) 星**Ｐ**の名前を書け。

(2) 星**Ｐ**は時間がたっても動いて見えなかった。これは，星**Ｐ**が何というものの延長線上にあるからか。

(3) この日の同じ場所で星**Ａ**が星**Ｐ**の真上にある時刻は何時か。次の**ア**～**エ**から１つ選び，記号で答えよ。

ア 午後７時　　**イ** 午後８時　　**ウ** 午後10時　　**エ** 午後11時

(4) 同じ場所で，星**Ａ**が午後９時に星**Ｐ**の真上に見えるのは，何か月後になるか。次の**ア**～**エ**から１つ選び，記号で答えよ。

ア １か月後　　**イ** ２か月後　　**ウ** ５か月後　　**エ** 11か月後

(1)		(2)		(3)		(4)	

4 **右の図１は，春分，夏至(げし)，秋分，冬至(とうじ)における太陽と地球の位置関係を模式的に表したものである。また，図２は，夏至および冬至の日に，日本のある地点で太陽の動きを観察し，透明半球にそれぞれの経路を記録したものである。これについて，次の問いに答えなさい。** 【3点×4】

図１

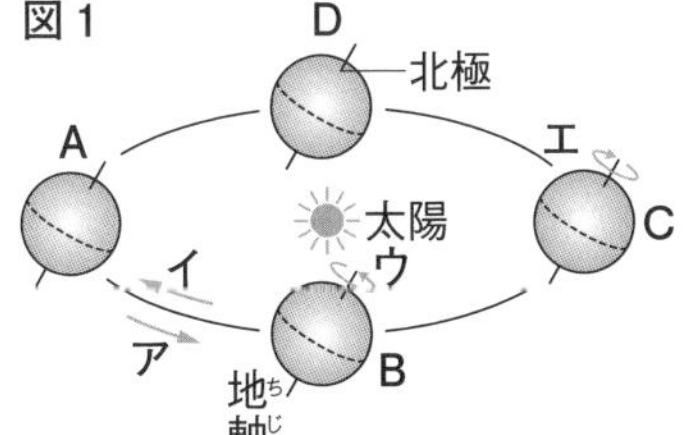

(1) **図１**において，地球の自転(じてん)の向きと公転(こうてん)の向きを図に示した**ア**～**エ**からそれぞれ選び，記号で答えよ。

(2) **図１**において，日本で春分となるのは，地球が**Ａ**～**Ｄ**のどの位置にあるときか。１つ選び，記号で答えよ。

図２

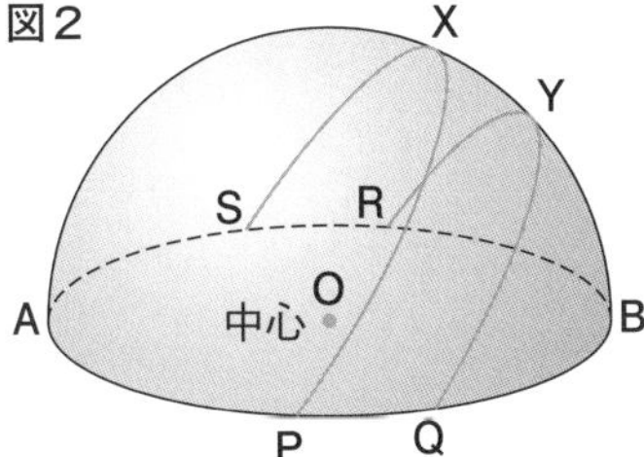

(3) **図２**において，観測地点における夏至の日の太陽の経路を，図中の記号を用いて，日の出→南中(なんちゅう)→日の入りの順に表せ。

(4) 冬至の日の経路において，太陽の南中高度(なんちゅうこうど)はどのように表されるか。図中の記号と角の記号（∠）を用いて書け。

(1)	自転の向き	公転の向き	(2)		(3)		(4)	

5

右の図は，日本のある地点での３月，６月，９月，12 月のころの太陽と地球の位置，および太陽の通り道付近にある４つの代表的な星座を示したものである。これについて，次の問いに答えなさい。 【3 点× 4】

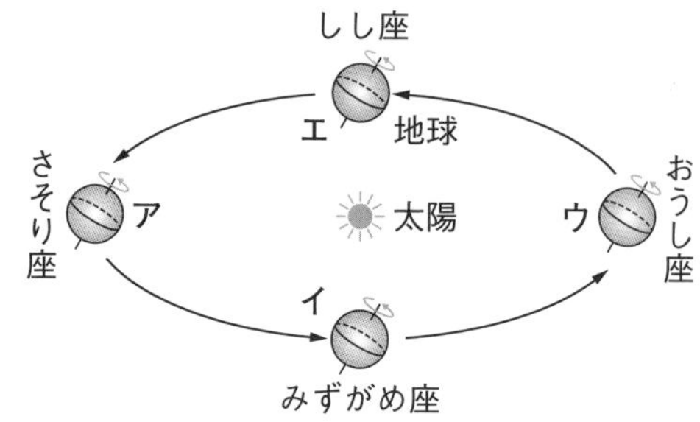

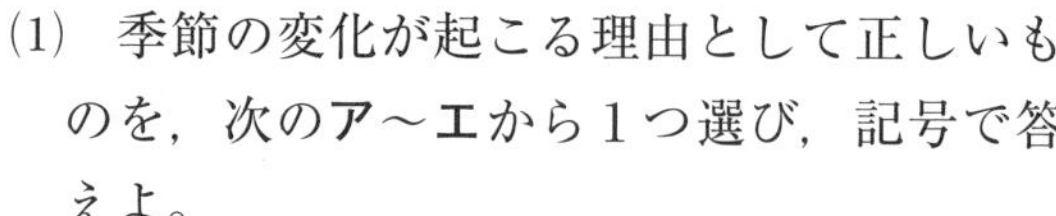

(1) 季節の変化が起こる理由として正しいものを，次の**ア**～**エ**から１つ選び，記号で答えよ。

ア 地球の公転面に立てた垂線に対して，地軸が平行であるため。

イ 地球の公転面に立てた垂線に対して，地軸が傾いているため。

ウ 地球の公転する速さが変化するため。

エ 地球の自転する速さが変化するため。

(2) ３月のころの地球の位置を，図の**ア**～**エ**から１つ選び，記号で答えよ。

(3) 図において，９月のころに，観測地において一晩中見える星座はどれか。星座名で答えよ。

(4) 観測地で，ある日のある時刻にさそり座が真南の方向に見えた。この場所でしし座がほぼ同時刻に同じ方向に見えるのは，約何か月後か。

(1)		(2)		(3)		(4)	

6

右の表は，４つの恒星と地球から恒星までの距離，および等級をまとめたものである。これについて，次の問いに答えなさい。 【3 点× 4】

恒星（星座）	距離〔　〕	等級
シリウス（おおいぬ座）	8.6	−1.5
北極星（こぐま座）	430	2.0
アンタレス（さそり座）	550	1
リゲル（オリオン座）	860	0.1

(1) 表の〔　　〕にあてはまる，恒星までの距離を表す単位を書け。

(2) 等級は，恒星の明るさを表すものであるが，表の４つの恒星の中で最も明るいものはどれか。

(3) 恒星について述べた次の**ア**～**エ**の文から，まちがっているものをすべて選び，記号で答えよ。

ア 恒星は自ら光を出してかがやいている天体である。

イ 太陽以外の恒星はすべて太陽系の外にある。

ウ 地球から見える恒星の明るさは，地球から恒星までの距離だけに関係している。

エ 恒星は太陽のまわりを公転している。

(4) リゲルが真夜中近くに南の空に見えるのはいつか。次の**ア**～**エ**から記号で１つ選べ。

ア 春分の日　**イ** 夏至の日　**ウ** 秋分の日　**エ** 冬至の日

(1)		(2)		(3)		(4)	

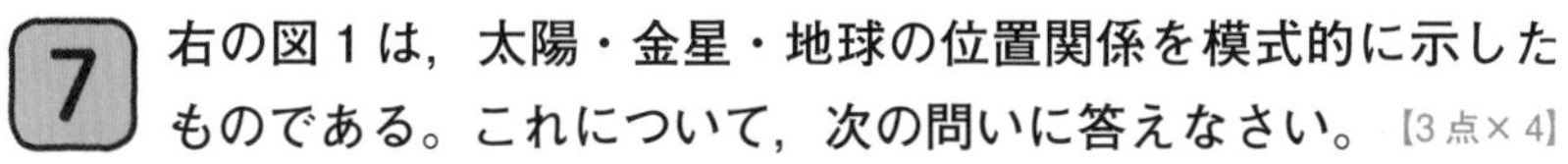

7 **右の図1は，太陽・金星・地球の位置関係を模式的に示したものである。これについて，次の問いに答えなさい。** 【3点×4】

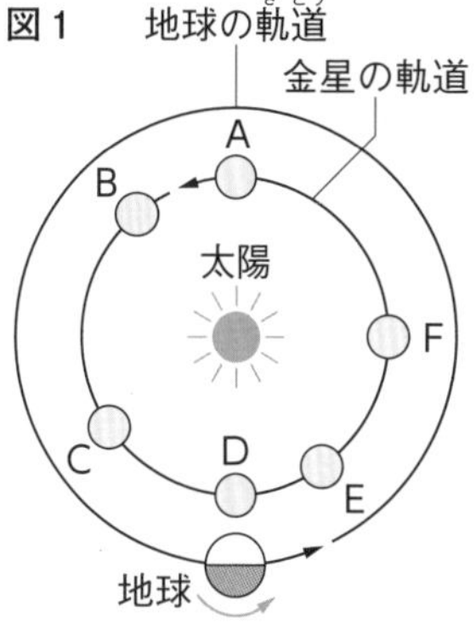

(1) 地球から夕方にも明け方にも見ることができないのは，**A〜F**のどの位置の金星か。すべて選び，記号で答えよ。

(2) **E**の金星は明け方ごろ，どの方角の空に見えるか。次の**ア〜エ**から1つ選び，記号で答えよ。

ア 東の空

イ 西の空

ウ 南の空

エ 北の空

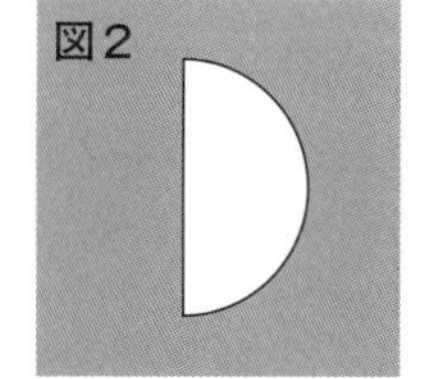

(3) **図2**のように見えるのは，金星が**A〜F**のどの位置にあるときか。ただし，**図2**は，肉眼で見たときと同じ向きでかいてある。

(4) 地球から金星を真夜中に見ることができないのはなぜか。その理由を簡単に書け。

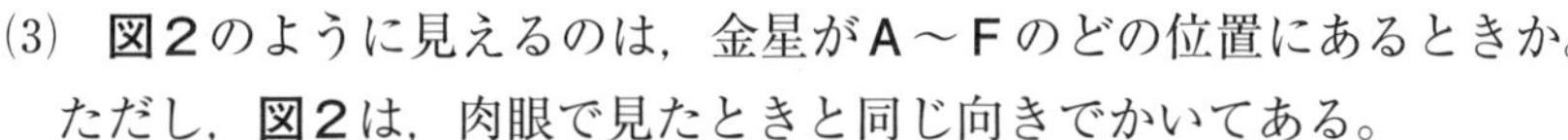
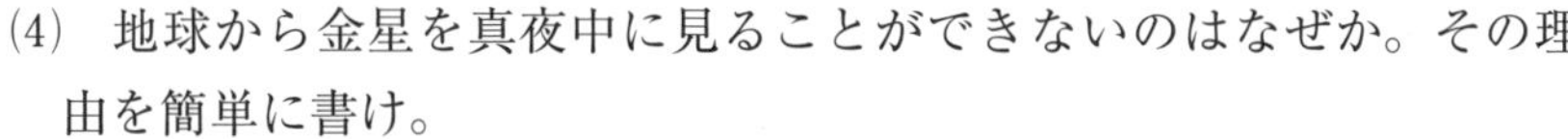

(1)		(2)		(3)	
(4)					

8 **日本のある地点で，月を観察した。図1はそのときのスケッチである。また，図2は，地球の北極側から見た太陽，地球，月の位置関係を模式的に示したものである。これについて，次の問いに答えなさい。** 【4点×4】

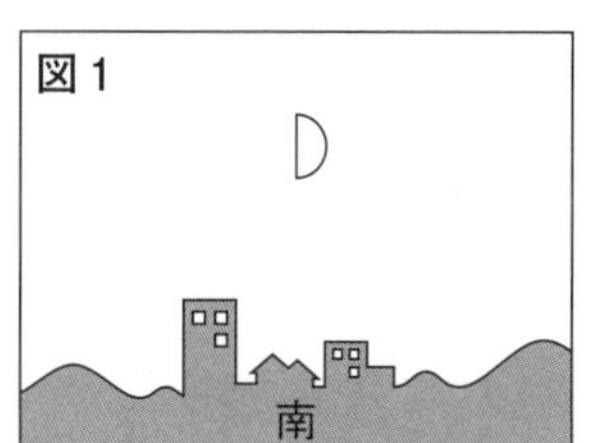

(1) **図1**の月を観察したのはいつか。次の**ア〜ウ**から1つ選び，記号で答えよ。

ア 明け方　**イ** 夕方　**ウ** 真夜中

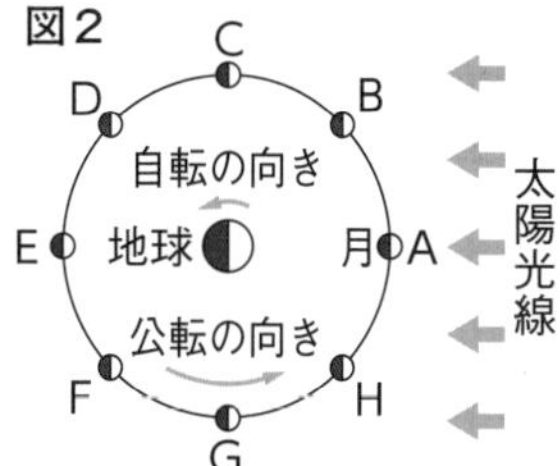

(2) **図1**の月は，**図2**の**A〜H**のどこにあるときに見られるか。1つ選び，記号で答えよ。

(3) **図1**の月を観察してから約1週間後に見える月を何というか。次の**ア〜エ**から1つ選び，記号で答えよ。

ア 新月(しんげつ)　**イ** 上弦(じょうげん)の月　**ウ** 満月　**エ** 下弦(かげん)の月

(4) 月食が観察されるのは，月が**図2**の**A〜H**のどこにあるときか。1つ選び，記号で答えよ。

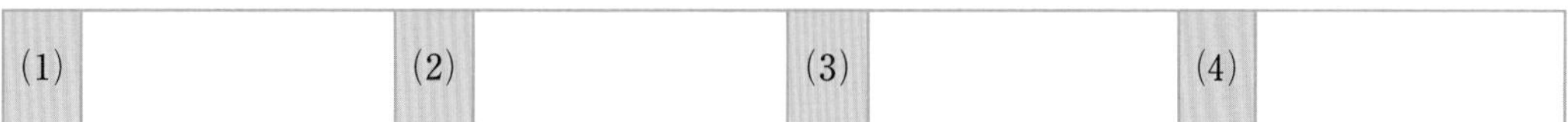

(1)		(2)		(3)		(4)	

1 科学技術と人間

リンク
ニューコース参考書
中3理科
p.250～263

攻略のコツ 新しい発電方法，新素材の性質と利用法がよく問われる！

テストに出る！ 重要ポイント

- **エネルギー資源**
  - ❶ おもな発電…火力発電，水力発電，原子力(げんしりょく)発電。
  - ❷ 化石燃料…石油，石炭，天然ガスなど。
  - ❸ 再生可能なエネルギー資源…風力発電，地熱発電，波力(はりょく)発電，太陽光発電，バイオマス発電など。
- **放射線(ほうしゃせん)の性質**
  - ❶ 放射線の種類…α(アルファ)線，β(ベータ)線，中性子(ちゅうせいし)線，X(エックス)線，γ(ガンマ)線など。
  - ❷ 放射能(ほうしゃのう)…放射線を出す能力。単位はベクレル。
- **新素材の利用**
  - ❶ プラスチック……石油などからつくる人工的な有機物。加工しやすく，軽く，腐(くさ)りにくく，燃焼時は二酸化炭素を発生。
  - ❷ 新素材…機能性高分子，形状記憶(きおく)合金，炭素繊維(たんそせんい)など。
- **科学技術の発展**
  - ● 科学技術の進歩…携帯(けいたい)電話，コンピュータでインターネットを通して世界とつながる。ロボット，AI(エーアイ)（人工知能）など。
- **循環型社会(じゅんかんがたしゃかい)**
  - ❶ 循環型社会…資源を再利用し，循環を可能とする社会。
  - ❷ 持続可能(じぞくかのう)な社会(しゃかい)…自然環境(かんきょう)を保全しながら，将来も資源やエネルギーを安定して手に入れることができる社会。

Step 1 基礎力チェック問題

解答 別冊p.24

1 次の〔　〕にあてはまるものを選ぶか，あてはまる言葉を書きなさい。

(1) 水力発電などで力学的エネルギーから変換(へんかん)され，日常生活などでも大量に消費されているのは，〔　　　〕エネルギーである。

(2) 石油や天然ガスを燃やすと〔二酸化炭素　アンモニア〕や二酸化窒(ちっ)素(そ)が大量に発生する。

(3) 〔　　　〕発電では，ウランなどの少量の核(かく)燃料から大量のエネルギーが得られる。

(4) 太陽光，風力，地熱などの〔人工的　再生可能(さいせいかのう)〕なエネルギーの利用が期待されている。

(5) 燃料電池は，水素と酸素から〔　　　〕ができるときに発生するエネルギーを電流としてとり出す。

(6) プラスチックは，〔有機物　無機物〕である。

得点アップアドバイス

1

(1) 水力発電は，ダムなどにためた水の位置エネルギーにより，発電機のタービンを回して，エネルギーをとり出す方法。

(3) ウランなどの核燃料が核分裂するときの熱エネルギーで，高温・高圧の水蒸気を得る。

2 【エネルギー資源】

右の図は，日本で行われるおもな発電の発電量の割合を示している。次の問いに答えなさい。

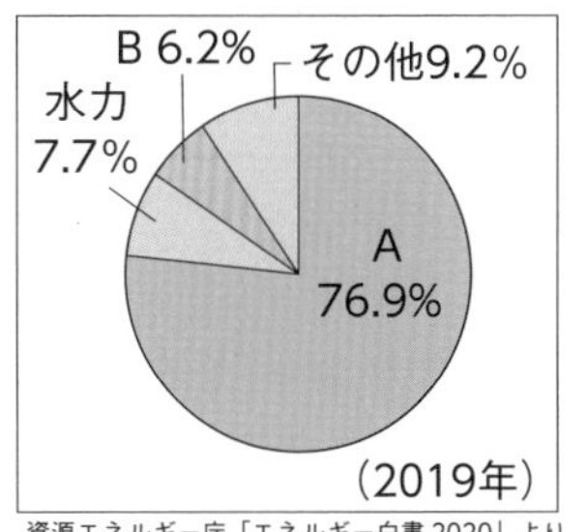

資源エネルギー庁「エネルギー白書 2020」より

☑(1)　火力発電はA，Bのどちらか。〔　　　　〕

☑(2)　火力発電の燃料を1つ答えよ。〔　　　　〕

☑(3)　エネルギー資源の枯渇(こかつ)に備えて，再生可能なエネルギーを利用した発電方法を1つあげよ。〔　　　　〕

3 【科学技術の進歩】

次の問いに答えなさい。または，あてはまるものを選びなさい。

☑(1)　現在，新素材は，どのようなことに重点を置いて開発が進められているか。次のア～ウから選び，記号で答えよ。〔　　　　〕

ア　製造にかかるお金が安く，大量生産しやすいこと。

イ　地球の環境に悪影響をおよぼさないこと。

ウ　腐らず長もちすること。

☑(2)　ケイ素と窒素の化合物をおもな材料とする新素材で，人工歯根，自動車の部品などに利用されているものは何か。〔　　　　〕

☑(3)　炭素繊維は〔軽くて　重くて〕，じょうぶなため，飛行機の翼(つばさ)などに利用されている。

☑(4)　右の図のように，のびたばねをある温度の湯につけたらばねがもとの形にもどった。このばねはどのような金属でつくられていたと考えられるか。〔　　　　〕

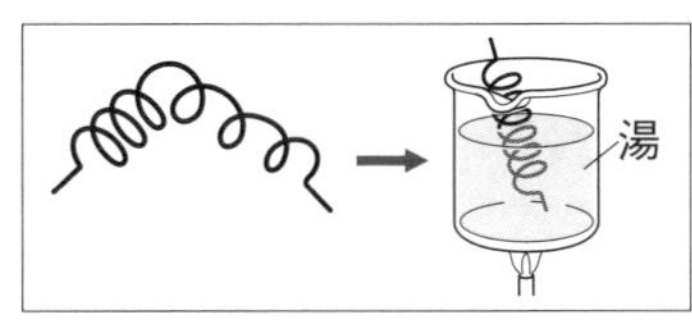

4 【環境を守る技術】

次の問いに答えなさい。

☑(1)　科学技術の進歩によって，生活は豊かになったが，一方ではオゾン層の破壊(はかい)，地球温暖化など，地球規模の問題が生じている。このような問題をまとめて何というか。〔　　　　〕

☑(2)　使い終わった製品を回収し，再資源化することをカタカナで何というか。〔　　　　〕

☑(3)　農林業から出る農作物の残りかす，間伐材(かんばつざい)，家畜(かちく)のふんなどを燃やしたときに出る熱を利用して，蒸気タービンで発電する方法を何というか。〔　　　　〕

得点アップアドバイス

2

(1)　火力発電と原子力発電の割合は，火力発電の方が高い。

3

(2)　ファインセラミックス…熱に強く，かたくてじょうぶ。自動車のエンジン，義歯などに利用。

(4)　形状記憶合金…ある温度で一定の形を記憶させることができ，変形させても，もう一度その温度にすると，形がもとにもどる。メガネのフレームなどに利用されている。

4

(1)　フロンは冷蔵庫やクーラーなどの冷媒(れいばい)として使われていた。このフロンがオゾン層を破壊し，地上に達する紫外線(しがいせん)が増加すると，皮膚(ひふ)がんや白内障(はくないしょう)がふえたり，農作物の収穫量(しゅうかくりょう)が減ったりする。

Step 2 実力完成問題

解答 別冊p.24

1 【エネルギー資源】

右の図は，世界のエネルギー消費量のようすを示したグラフである。次の問いに答えなさい。

〔石油換算10⁹L/日〕
30
20
10
0
1400 1600 1800 2000〔年〕

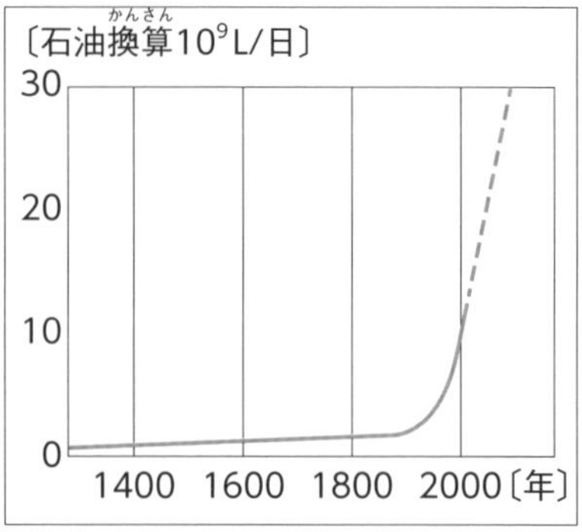

(1) 世界のエネルギー消費量は，年々どうなっているか。

〔　　　〕

(2) 日本では，エネルギーの多くは電気エネルギーとして消費されている。電気エネルギーをつくるとき，最も多く使われているものは，**ア**～**エ**のどれか。記号で答えよ。〔　　　〕

ア 原子力　**イ** 石油，石炭，天然ガス　**ウ** 太陽光　**エ** 地熱

よくでる (3) 石油や石炭などの地下資源のことを何というか。〔　　　〕

2 【発　電】

発電について，次の問いに答えなさい。

(1) 次の①～③は，それぞれの発電方法について，エネルギーの移り変わりを示したものである。**ア**～**エ**にあてはまる言葉を書け。

ア〔　　　〕 **イ**〔　　　〕 **ウ**〔　　　〕 **エ**〔　　　〕

① 風力発電：プロペラの（　**ア**　）エネルギー→電気エネルギー

② 水力発電：水の（　**イ**　）エネルギー→運動エネルギー→電気エネルギー

③ 火力発電：燃料の（　**ウ**　）エネルギー→（　**エ**　）エネルギー→運動エネルギー→電気エネルギー

ミス注意 (2) 原子力発電は，エネルギーの移り変わりから考えると，(1)の①～③のどれに最も近いか。番号を答えよ。〔　　　〕

(3) 原子力発電の燃料は何か。名称を書け。〔　　　〕

よくでる (4) 火力発電では，化石燃料を燃やすため，地球温暖化のおもな原因の1つと考えられているある気体を出す。その気体の名称を書け。〔　　　〕

(5) (4)の気体が地球温暖化の原因と考えられるのは，その気体にどのような性質があるからか。〔　　　〕

3 【新素材の利用や新しいエネルギー資源】

次の問いに答えなさい。

よくでる (1) 次の特徴をもつものを，あとの**ア**～**オ**から選び，記号で答えよ。

① 炭素をふくむ物質を原料としてつくられた繊維で，テニスのラケットやスキー板などに使われている。〔　　　〕

② 太陽の光エネルギーを電気エネルギーに変える装置。〔　　　〕

③ 熱や摩擦に強く，人工骨・関節・包丁などに使われている。〔　　　〕

④ 多量の水を吸収し，保持できる。紙おむつなどに使われている。 〔　　　　〕

⑤ コンピュータや時計などで，文字や図の表示に使われている。 〔　　　　〕

ア 吸水性高分子　イ ファインセラミックス　ウ 液晶

エ 炭素繊維　オ 光電池（太陽電池）

(2) 2030年までに持続可能でよりよい世界を目指し，国連で決めた17の国際目標のことを，英字4文字で答えよ。 〔　　　　〕

4 【再生可能なエネルギー資源】

再生可能なエネルギー資源について，次の問いに答えなさい。

よくでる (1) 次の発電方法についての文の①〜④にあてはまる言葉を書け。

①〔　　　　〕 ②〔　　　　〕 ③〔　　　　〕 ④〔　　　　〕

・太陽光発電では，太陽の ① エネルギーを電気エネルギーに変換している。

・風車を回して電気エネルギーをとり出す発電方法を， ② 発電という。

・ ③ 発電では，波の力を利用して発電している。

・地下にあるマグマの熱を利用する発電方法は， ④ 発電という。

(2) 農作物の残りかすや家畜のふん尿，間伐材など，エネルギー資源として利用できるものを何というか。 〔　　　　〕

思考 (3) (2)の資源が燃料として使用された際に，大気中の二酸化炭素の量を新たに増加させない理由を「光合成」という言葉を使って簡単に説明せよ。

〔　　　　　　　　〕

入試レベル問題に挑戦

5 【プラスチック】

プラスチックについて，次の問いに答えなさい。

(1) 次のア〜エのうち，一般的なプラスチックに共通の性質をすべて選び，記号で答えよ。

〔　　　　〕

ア さびない。　イ 電気を通す。

ウ 燃えると二酸化炭素が発生する。

エ 有機物のものと無機物のものがある。

(2) 図のマーク PE と PET で表されるプラスチックの名称をそれぞれ書け。また，PE と PET の小片を水に入れると，浮くか，それとも沈むか。

プラ
PE

1
PET

PE 名称〔　　　　〕 水に入れたとき〔　　　　〕

PET 名称〔　　　　〕 水に入れたとき〔　　　　〕

ヒント

(2) 水に入れたときの物質の浮き沈みは，物質の密度が水の密度より大きいか，小さいかで決まる。

2 生態系と食物連鎖

リンク
ニューコース参考書
中3理科
p.264～277

攻略のコツ 食物連鎖では，生産者，消費者，分解者の関係がよく問われる！

テストに出る！ 重要ポイント

● 食物連鎖（しょくもつれんさ）

❶ 食物連鎖…生物どうしの「食べる・食べられる」という関係。
①生産者（せいさんしゃ）…植物
②消費者（しょうひしゃ）…動物

❷ 食物連鎖での生物の数量関係
…ピラミッドの形で，通常つり合いが保たれる。

《生物量ピラミッド》

● 分解者（ぶんかいしゃ）

● 分解者…菌類（きんるい）・細菌類（さいきんるい）・土の中の小動物など。
①菌類…カビ，キノコのなかま。胞子（ほうし）でふえる。
②細菌類…単細胞生物（たんさいぼうせいぶつ）。分裂（ぶんれつ）でふえる。

● 物質の循環（じゅんかん）

❶ 炭素の循環…有機物の形で，食物連鎖により移動。
❷ 酸素・二酸化炭素の循環…光合成や生物の呼吸で移動。

Step 1 基礎力チェック問題

解答 別冊p.24

1 次の〔　〕にあてはまる言葉を選ぶか，あてはまる言葉を書きなさい。

- (1) 自然界の生物どうしにおける「食べる・食べられる」という食物によるつながりを〔　　　　〕という。
- (2) 生物どうしの「食べる・食べられる」というつながりのいちばんはじめに位置する生物は，〔植物　動物〕である。
- (3) 光合成によって有機物をつくり出すことができる植物などを，自然界の役割から〔　　　　〕という。
- (4) 植物がつくり出した有機物を食べたり，ほかの動物を食べたりする動物を，〔　　　　〕という。
- (5) 自然界で数量が最も多いのは〔植物　動物〕である。
- (6) 食物連鎖における生物の数量的な関係は，〔　　　　〕形になる。
- (7) 菌類や細菌類は，生物の死がいや動物のふんなどの有機物を無機物に分解するので，〔　　　　〕とよばれる。
- (8) 生物の呼吸によって生じた〔炭素　二酸化炭素〕は，植物が光合成によって有機物をつくる原料になる。

得点アップアドバイス

1 ………………

(2) 上の重要ポイントの図「生物量ピラミッド」の底辺にあたる生物が食物連鎖のはじめになる。

(5)(6) 食物連鎖のピラミッドで考える。植物の数量が最も多く，草食動物→肉食動物と上位の動物ほど数量が少なくなる。

2 【食べる・食べられるの関係】

右の図は，自然界の生物どうしの<u>食べる・食べられるという関係</u>を表したものである。矢印は，食べられるものから食べるものへの向きを表している。次の問いに答えなさい。

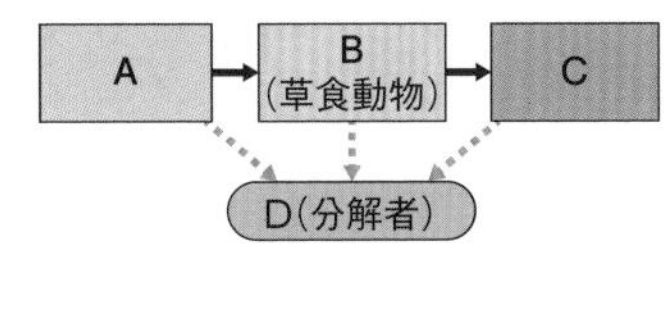

(1) 下線部の関係を何というか。名称を書け。〔　　　〕

(2) 図のA～Cの生物を，生産者，消費者に分けて，それぞれ記号で答えよ。　生産者〔　　　〕　消費者〔　　　〕

(3) 図のA→B→Cのような関係を，次のア～エから1つ選び，記号で答えよ。〔　　　〕

ア　ススキ→ヘビ→イナゴ　　イ　ヘビ→カエル→イネ

ウ　イネ→カエル→ヘビ　　エ　イネ→イナゴ→カエル

3 【食物連鎖】

次の問いに答えなさい。

(1) 生産者は光合成によって何をつくり出しているか。〔　　　〕

(2) 大形肉食動物と草食動物で，数が多いのはどちらか。〔　　　〕

(3) ある野原に，バッタとそのバッタを食べるモズがすんでいる。この野原では，どちらの数が多いか。〔　　　〕

(4) ある一定地域の生物の数量関係は，何によってつり合いがとれているか。〔　　　〕

4 【分解者と物質の循環】

下の図を見て，次の問いに答えなさい。

(1) 分解者とよばれる生物のなかまは，生物の死がいなどの有機物を何に変えるはたらきに関わっているか。〔　　　〕

(2) 分解者に属する微生物には，何類と何類があるか。2種類答えよ。〔　　　〕〔　　　〕

(3) 炭素は自然界を循環するが，空気中では何という化合物の成分になっているか。〔　　　〕

(4) 酸素は生物の何というはたらきによって，生物の体内にとり入れられるか。〔　　　〕

(5) 食物連鎖によって移動する炭素の形は，有機物か無機物か。〔　　　〕

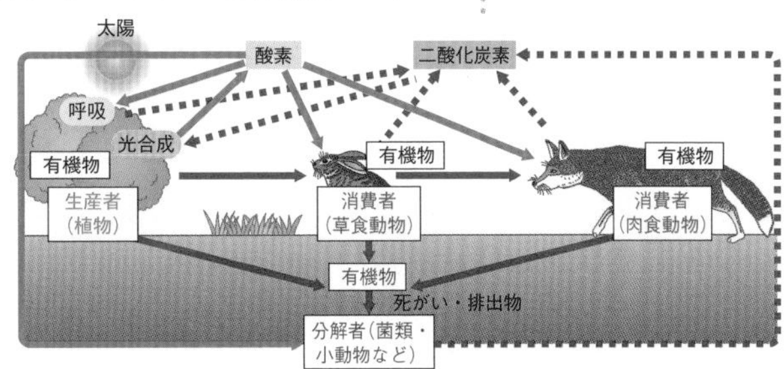

▲自然界での炭素・酸素の循環

得点アップアドバイス

2

(2) 食べる・食べられるの矢印の始まりが生産者になる。

3

(4) 「食べる・食べられる」の関係があるため，ある生物が一時的にふえても，食べ物が不足し，もとの一定数量にもどる。

4

確認 **自然界の循環**

自然界では，物質は下の図のように循環している。

Step 2　実力完成問題

解答 別冊p.25

1 【生物の「食べる・食べられる」の関係】

生物どうしには，右の図のような「食べる・食べられる」の関係がある。次の問いに答えなさい。

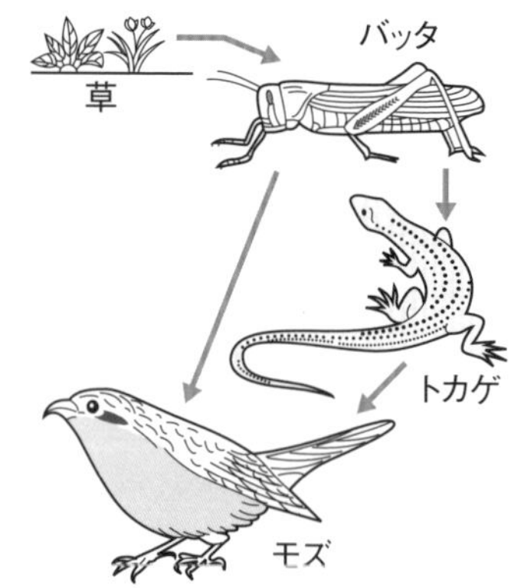

よくでる (1) 右の図のような「食べる・食べられる」の関係を何というか。〔　　　　〕

(2) 図に示した生物のうち，自然界における生産者(せいさんしゃ)とよばれているものはどれか。〔　　　　〕

(3) (2)の生物は，なぜ生産者とよばれるのか。その理由を簡単に書け。

〔　　　　　　　　〕

2 【生物どうしのつり合い】

右の図は，生物を「食べる・食べられる」の関係で見たときの数量関係を示したものである。次の問いに答えなさい。

(1) 食べる生物と食べられる生物では，一般(いっぱん)にどちらの生物のほうが個体数が多いか。〔　　　　〕

よくでる (2) 草食動物は図の**A**～**D**のうちのどれか。〔　　　　〕

(3) ある池にいた次の**ア**～**エ**の生物を，図の**A**～**D**にあてはめると，**B**にあてはまるのはどれか。記号で答えよ。

〔　　　　〕

ア ナマズ　**イ** ミジンコ　**ウ** フナ　**エ** ケイソウ

よくでる (4) ある理由で，**B**の生物の個体数が急にふえると，その後一時的にほかの生物の個体数にどのような変化が見られるか。正しいものを，次の**ア**～**エ**から選び，記号で答えよ。

〔　　　　〕

ア **A**は減少し，**C**は増加する。　**イ** **A**は増加し，**C**は減少する。

ウ **A**は減少するが，**C**は変化しない。　**エ** **A**は増加するが，**C**は変化しない。

(5) **D**の生物が全くいなくなってしまったら，**A**～**C**の生物はどうなってしまうか。簡単に説明せよ。〔　　　　　　　　〕

3 【分解者のはたらき】

林の土をとってきて，ふくまれていた小動物をとり除いた。次に，うすいデンプン液，2つのポリエチレンの袋(ふくろ)を用意し，右の図のように，Aには土にうすいデンプン液をかけたもの，Bには焼いた土にうすいデンプン液をかけたものを入れ，2日間置いた。次の問いに答えなさい。

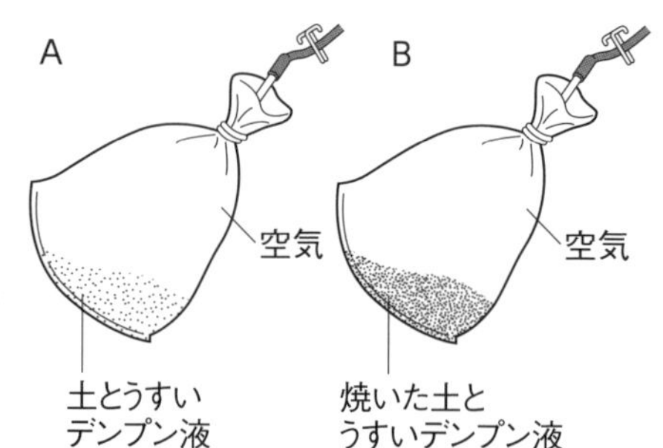

(1) A，Bの袋の中の空気を石灰水(せっかいすい)に通すと，石灰水はどのようになるか。

A〔　　　　　　〕　B〔　　　　　　〕

ミス注意 (2) 気体を押(お)し出したあとのA，Bの袋の中の土に，それぞれ水を加えて，ガーゼでこした。こした水を試験管にとってヨウ素液を入れると，一方だけが青紫色(あおむらさきいろ)に変化した。変化したのは，A，Bどちらの袋の土か。〔　　　　〕

✓よくでる (3) (2)の結果から，どのようなことがわかるか。次の文の〔　　〕の中からそれぞれ適するものを選び，記号で答えよ。

①〔　　　　〕　②〔　　　　〕　③〔　　　　〕

土の中の微生物(びせいぶつ)は，土の中の①〔ア　有機物　　イ　無機物〕を②〔ア　有機物　イ　無機物〕に③〔ア　分解　　イ　合成〕していることがわかる。

4 【炭素の循環と自然環境】

右の図は，炭素を中心とした物質の循環(じゅんかん)の一部を模式的に示したものである。次の問いに答えなさい。

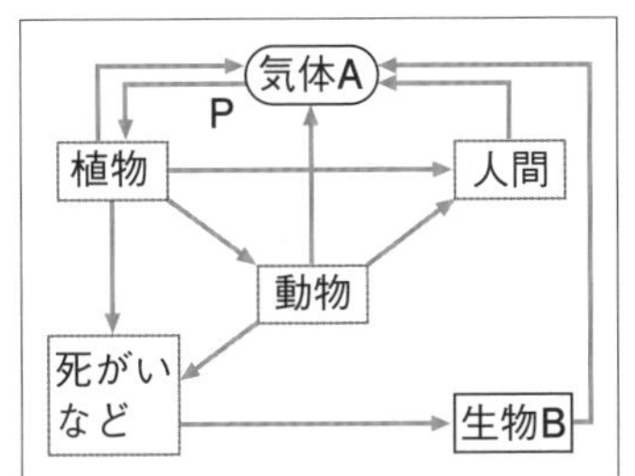

✓よくでる (1) 気体Aは，生物の呼吸によって排出(はいしゅつ)される炭素の化合物である。気体Aは何か。〔　　　　〕

(2) 生物Bは，自然界では，そのはたらきから何とよばれているか。その名称を書け。〔　　　　〕

(3) 図中の矢印Pは，植物が行うあるはたらきを示したものである。そのはたらきの名称を書け。〔　　　　〕

入試レベル問題に挑戦

5 【土の中の小動物】

ある地域の土壌(どじょう)の調査を行うために土を採取した。土からムカデ，ミミズ，ダンゴムシ，クモが見つかった。これらを採取したあとの土を図1の装置に入れ，電球で照らすと，カニムシ，トビムシが落ちてきた。次の問いに答えなさい。

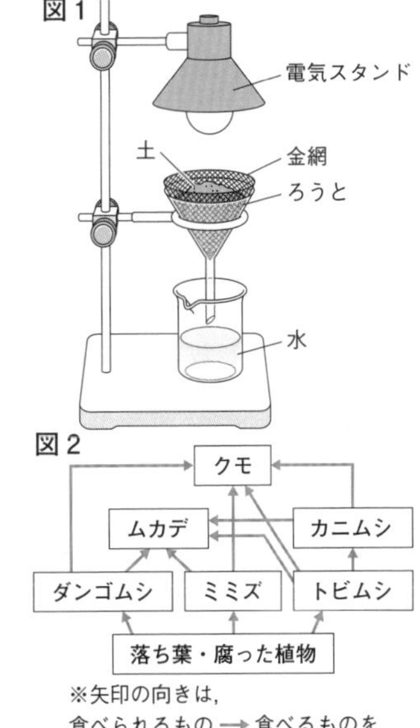

✓よくでる (1) 図1で，電球を照らすとカニムシ，トビムシが落ちてきたのは，これらが何を避(さ)けようとするためか。次のア～エから選べ。〔　　　　〕

ア　音　　イ　水　　ウ　金網(かなあみ)　　エ　乾燥(かんそう)

(2) 図2は，採取した土の中の小動物の食物連鎖(しょくもつれんさ)の関係を表したものである。図2の中で，肉食動物とよばれる生物を，次のア～エからすべて選べ。〔　　　　〕

ア　トビムシ　　イ　カニムシ
ウ　ムカデ　　エ　ダンゴムシ

ヒント

(2) 肉食動物は，植物を食べる草食動物やほかの肉食動物を食べている。

5章／自然・科学技術と人間　2　生態系と食物連鎖

3 自然と人間

リンク
ニューコース参考書
中3理科
p.278～287

攻略のコツ 自然環境の調査方法と日本の特徴的な自然災害についてつかんでおこう！

テストに出る！ 重要ポイント

◉ 人間の活動と自然環境の変化

❶ **外来種**…人間の活動で持ちこまれて地域に定着した生物。
❷ **地球温暖化**…化石燃料の大量使用と森林減少による大気中の二酸化炭素濃度の増加が原因の１つと考えられている。

◉ 自然環境の調査・保全

❶ **自然環境の調査**…生物は自然環境の変化に影響されるので，生息する生物から環境を調査。例 マツの気孔→大気の汚染
❷ **環境の保全**…自然界のつり合いをくずさず，守るとり組み。

◉ 自然災害と自然の恵み

❶ **プレートの動き**…プレートの境界で地震・火山活動が起こる。
❷ **地震災害**…ゆれによる建築物の倒壊，津波，二次的な火災など。
❸ **火山災害と恵み**…災害は，噴火で火砕流，火山灰，火山ガスなどの発生。恵みとしては，景観，温泉，農作物に適した土壌，地熱発電。
❹ **気象災害と恵み**…災害は，台風や集中豪雨，竜巻，河川の氾濫，土砂くずれなど。恵みとしては，農作物を育む。

Step 1 基礎力チェック問題

解答 別冊p.25

1 次の〔　〕にあてはまる言葉を書きなさい。

☑(1) その地域に生息していなかった生物が人間によって持ちこまれ，その地域で定着して子孫を残している生物を〔　　　　〕という。

☑(2) 近年の地球温暖化は，大気中の〔　　　　〕濃度の増加がおもな原因の１つであると考えられている。

☑(3) 大陸がのっているプレートを大陸プレート，海底をつくっているプレートを〔　　　　〕プレートという。

☑(4) 日本列島はプレートの〔　　　　〕付近にあり，火山や地震が多い。

☑(5) 大地がゆれる〔　　　　〕によって，建築物の倒壊や土砂くずれ，津波などが発生する。

☑(6) 日本の南海上で発生し，夏から秋にかけて日本に接近，上陸することがある熱帯低気圧のことを〔　　　　〕という。

☑(7) 日本は年間を通じて降水量が多く，洪水などの〔　　　　〕も多い。

得点アップアドバイス

1 ……………

(2) 化石燃料を燃やすことによって大量に発生する気体である。

(4) 日本付近で４つのプレートがぶつかり合っている。

2 【人間の活動と自然環境の変化】
次の問いに答えなさい。

☑ (1) 人間活動の影響により，地球上，またはある地域からいなくなってしまうことを心配されている生物の種を何というか。〔　　　　〕

☑ (2) (1)の生物の生息，生育状況をまとめたもので，環境省などから発行されているものを何というか。〔　　　　〕

☑ (3) ある地域に定着した外来種は，もとからその地域に生息していた生物の生存をおびやかすことがあるか。〔　　　　〕

☑ (4) 日本における在来種を，次のア～エから選び，記号で答えよ。〔　　〕

ア　ブルーギル　　　イ　ヤンバルクイナ
ウ　マングース　　　エ　アライグマ

3 【地球温暖化】
大気中の二酸化炭素濃度の増加について，次の問いに答えなさい。

☑ (1) 近年の大気中の二酸化炭素濃度の増加が，地球温暖化を引き起こす要因の１つと考えられている。これは二酸化炭素がもつどのような性質によるか。〔　　　　〕

☑ (2) 大気中の二酸化炭素濃度の増加の原因として直接考えられる人間活動を，次のア～エから２つ選び，記号で答えよ。〔　　　　〕

ア　風力エネルギーの利用　　　イ　化石燃料の消費
ウ　森林の伐採　　　エ　原子力エネルギーの利用

☑ (3) 大気中の二酸化炭素は，植物のあるはたらきによって吸収される。このはたらきの名称を書け。〔　　　　〕

4 【日本の自然災害】
日本の自然災害について，次の問いに答えなさい。

☑ (1) 右の図は，東京における月別の降水量の平均値を表したグラフである。降水量の多い時期に起こる災害にはどのようなものがあるか。〔　　　　〕

降水量〔mm〕 300 250 200 150 100 50 0
1 2 3 4 5 6 7 8 9 10 11 12〔月〕

東京の降水量の月別平均値
(1981 年から 2010 年までの平均値)
出典理科年表平成 30 年

☑ (2) 地震の災害には，地面のゆれによる建物の倒壊や土砂くずれ以外にも，海面の水位が急激に上がることで起こる災害がある。この災害を引き起こす自然現象を何というか。〔　　　　〕

☑ (3) 自然災害の被害を予測して，被害の程度や範囲などを地図に示したものを何というか。〔　　　　〕

得点アップアドバイス

2 ……

(3) 外来種はある地域の生態系のつり合いを壊すことがある。

3 ……

(2) 有機物を燃焼すると，二酸化炭素が発生する。

(3) 植物は，呼吸とは反対に二酸化炭素を吸収して酸素を放出するはたらきを行っている。

4 ……

(1) 台風が接近し，降水量がふえると，平地の河川に上流での降水分が流れこみ，下流の水位が上がる。

Step 2　実力完成問題

解答 別冊p.25

1【自然環境の調査】

右の図は，ある川のA～C地点で，水質調査を行ったところ，多く見られた水生生物をまとめたものである。これについて，次の問いに答えなさい。

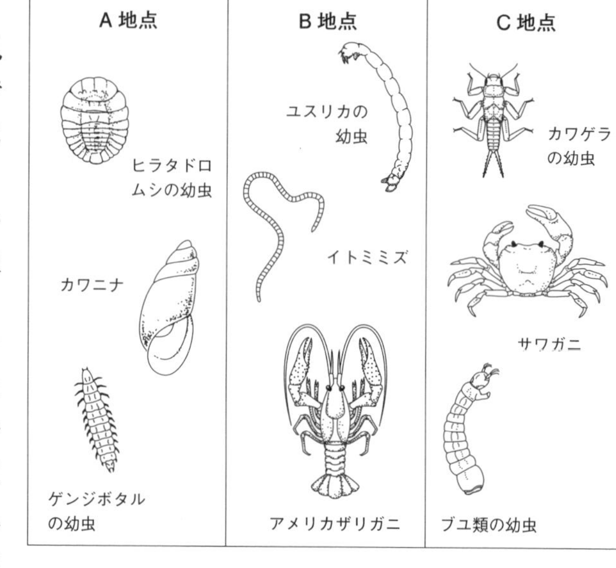

(1) 図のA～C地点の水質について，きれいと考えられる順に並べ記号で答えよ。
〔　　　　〕

思考 (2) 人の住んでいない，まわりに工場も住宅地もない川の上流で水質調査を行うと，A～C地点のどの地点で見られた生物が見られると考えられるか。A～Cから選び，記号で答えよ。〔　　　　〕

(3) 水生生物に影響(えいきょう)する，川の水が汚(よご)れる原因として考えられるものはどれか。次のア～ウから選び，記号で答えよ。〔　　〕

ア　台風による増水
イ　未処理(みしょり)の生活排水(はいすい)の流入
ウ　水生生物の増加

2【火山活動の恵みと災害】

火山活動について，次の問いに答えなさい。

よくでる (1) 高温の火山ガスとともに溶岩の破片や火山灰(かざんばい)などの火山噴出物(かざんふんしゅつぶつ)が，高速で山の斜面(しゃめん)を流れ下る現象のことを何というか。
〔　　　　〕

(2) 火山の活動が人間に与(あた)える恵(めぐ)みと災害について，<u>誤りの部分があるもの</u>を，次のア～エから選び，記号で答えよ。〔　　〕

ア　大量の火山灰が農作物や自動車などに降り積もる。
イ　美しい景観がつくられたり，温泉がわき出るなどの観光資源になっている。
ウ　火山噴出物が積もったところに大雨が降ると，土石流(どせきりゅう)などが発生することによって被害(ひがい)が出ることがある。
エ　マグマがふき飛ばされて空中で冷えて固まってできた凝灰岩(ぎょうかいがん)が降って人に当たり，被害が出ることがある。

(3) 火山活動の恵みといえる，火山の噴火(ふんか)を引き起こすマグマの熱を利用した発電方法を何というか。〔　　　　〕

3 【自然環境の調査】

自然環境を調べるために，地点A～Dでマツの葉を採取し，顕微鏡(けんびきょう)で気孔(きこう)のようすを観察した。右の図は，そのとき顕微鏡で観察した気孔のようすのスケッチである。次の問いに答えなさい。

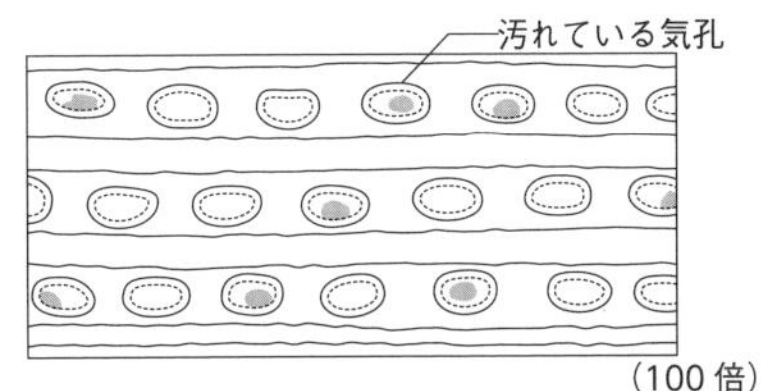

（100倍）

よくでる (1) この観察で調べているのは，どのような自然環境か。次のア～エから選び，記号で答えよ。 〔　　〕

ア 土壌(どじょう)　　イ 水質
ウ 大気
エ ほかの生物

	地点A	地点B	地点C	地点D
観察した気孔の数	118	112	129	132
汚れた気孔の数	24	15	4	44

(2) 表の結果をもとに考えて，地点A～Dのうち，最も自動車の交通量が少ないと考えられる地点はどこか。記号で答えよ。 〔　　〕

(3) ある地点Xで地点A～Dと同じように，マツの葉を採取して観察したところ，139個の気孔のうち，汚れているものが18個あった。地点Xにおける自動車の交通量は地点A～Dのどの地点に近いと考えられるか。記号で答えよ。 〔　　〕

(4) 表をもとに，(3)と考えた理由を答えよ。

〔　　　　　　　　　　　　　　　　〕

入試レベル問題に挑戦

4 【地震の災害】

右の図は，2013年から2017年の間に，図の地域で起きたマグニチュード5.0以上の規模の大きな地震(じしん)の震央(しんおう)の分布である。このことについて，次の問いに答えなさい。

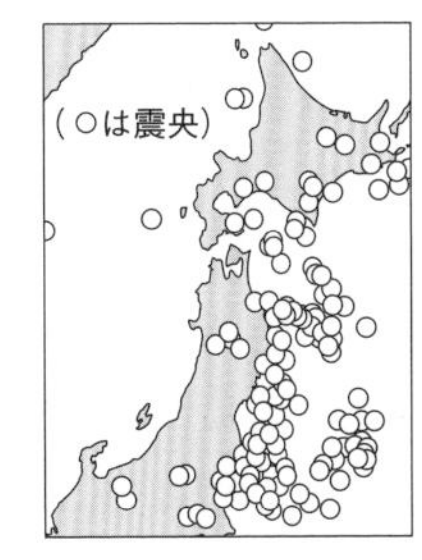

（2013～2017年の間におきたマグニチュード5.0以上の規模の地震の分布）

(1) この地震が起こっている震央の多くは，プレートとプレートがぶつかり合うことでできた，海底が深く沈み込んだ地形付近に集中している。この地形を何というか。

〔　　　　〕

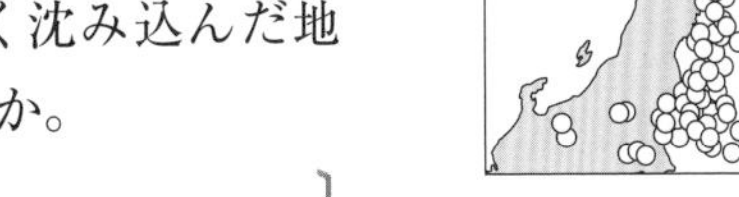

思考 (2) 地震によって起こる災害やその対策について述べたものとして，正しいものを，次のア～ウから選び，記号で答えよ。

〔　　〕

ア 緊急(きんきゅう)地震速報は，地震が発生する前に地震を予測し，発表される。

イ 地震のゆれによる液状化現象は，山地の中腹で起こるので，その付近では特に注意が必要である。

ウ 津波が発生すると，海や川の水位が高くなり，堤防(ていぼう)をこえて水がおし寄せることがある。

ヒント

(1) 日本の太平洋側では，海洋プレートが大陸プレートの下に沈みこんでいる。

定期テスト予想問題 ⑦

時間 50分
解答 別冊p.25

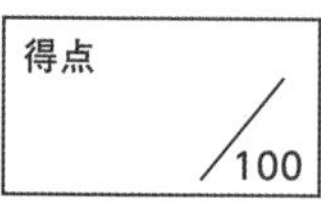

1

池の水，オオカナダモ，川底の小石と砂を採集し，図１のような水そうでメダカを飼育した。２週間後，水そうの底にカビなどの菌類が観察でき，さらに図２のようなミジンコやケイソウが顕微鏡で観察できた。次の問いに答えなさい。

【3点×4】

図１

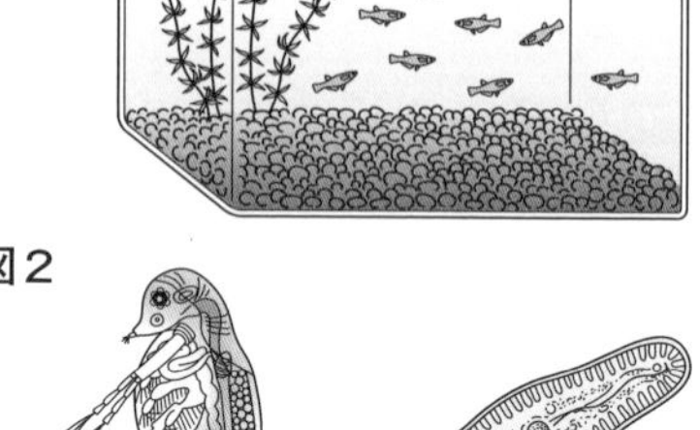

図２

(1) 図２のミジンコとケイソウのうち，生産者とよばれるものはどちらか。

(2) 生産者がつくり出しているデンプンのような，炭素をふくむ物質を一般に何というか。

(3) カビなどの菌類は，どのようなはたらきをしているか。

(4) メダカ，ミジンコ，ケイソウのうち，個体数が最も多いと考えられるものは何か。

(1)		(2)	
(3)		(4)	

2

右の図１は，林の中の落ち葉やその下の土の中で生活している生物である。また，図２はこれらの生物や落ち葉の数量関係を示したものである。次の問いに答えなさい。

【2点×5】

(1) 図１のA～Dの生物や落ち葉を食物連鎖で考えたとき，いちばんはじめにくるものはどれか。記号で答えよ。

(2) 図２の*a*，*b*にあてはまるものはどれか。図１のA～Dからそれぞれ選び，記号で答えよ。

(3) 何らかの原因で，図２の*c*が急激に減少したとすると，*a*～*d*の数量関係は，そのあとどうなるか。次のア～エから選び，記号で答えよ。

図１

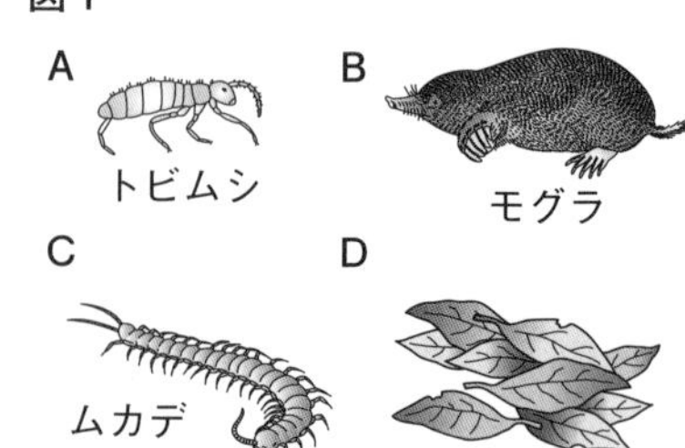

ア

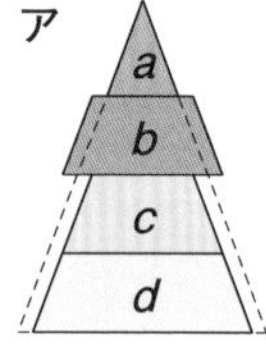

イ

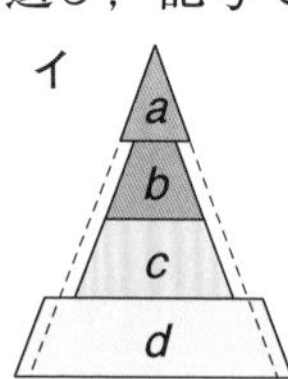

ウ

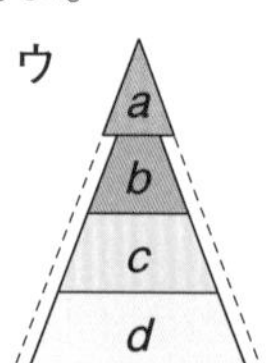

エ

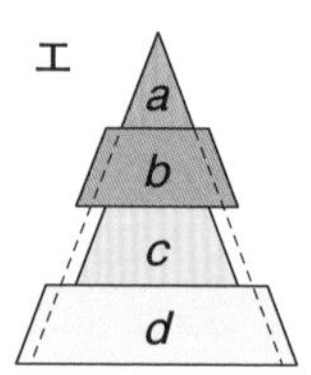

図２

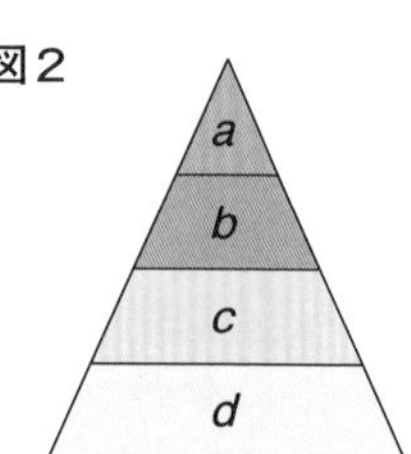

(4) 土の中で生活する動物に共通する性質は何か。

(1)		(2)	*a*	*b*	(3)		(4)	

3 右の図は自然界を炭素が循環（じゅんかん）するようすを示したものである。次の問いに答えなさい。

【3点×6】

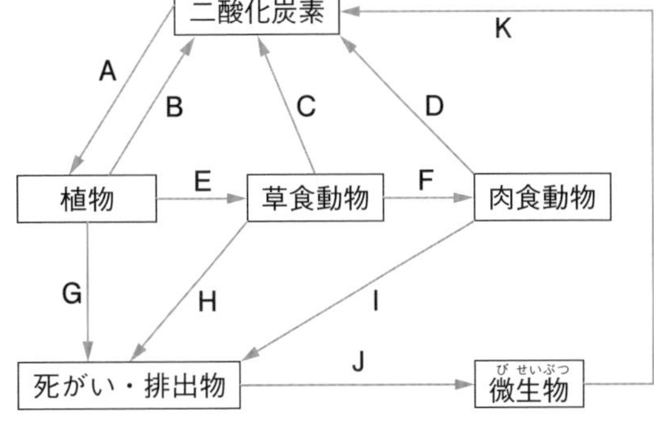

(1) 二酸化炭素は有機物か，無機物か。

(2) 「食べる・食べられる」の関係による炭素の移動を示している矢印はどれか。図のA～Kの中からすべて選び，記号で答えよ。

(3) Aの炭素の移動は，植物の何というはたらきによるものか。

(4) (3)のはたらきに必要なものは，二酸化炭素と水と何のエネルギーか。

(5) 生物の呼吸のはたらきを示している矢印はどれか。図のA～Kの中からすべて選び，記号で答えよ。

(6) アオカビは，図の植物にあてはまる生物といえるか。

(1)		(2)		(3)		(4)	
(5)		(6)					

4 カビなどの微生物のはたらきを調べるために，次の実験を行った。下の問いに答えなさい。

【3点×4】

〈実験〉雑木林（ぞうきばやし）の腐（くさ）った葉の混ざった土を採集し，ビーカーに水とこの土を入れてよく混ぜてこした。次に，こした液にうすいデンプンのりを加え，右の図のように，ポリエチレンの袋（ふくろ）に入れて密封（みっぷう）して，数日間放置したあとで，ポリエチレンの袋の中の気体を緑色にしたBTB溶液に通した。

(1) ポリエチレンの袋の中の気体を通すと，緑色にしたBTB溶液は何色に変化するか。

(2) (1)の結果は，ポリエチレンの袋の中に，微生物のはたらきによって発生した何という気体が多く入っていたからか。

(3) (2)の気体が発生したことを確かめるにはどのような方法があるか。用いる試薬と，結果がどのようになるかを簡単に答えよ。

(4) ポリエチレンの袋の中の液にヨウ素液を加えたが，色の変化が見られなかった。ヨウ素液を加えたのは，微生物のどんなはたらきを調べるためか。

(1)		(2)	
(3)		(4)	

5 現在の日本におけるおもな発電方法は，A．水力発電，B．火力発電，C．原子力発電の３つである。次の問いに答えなさい。(1)〜(4)はA，B，Cで答えなさい。【2点×9】

(1) ある物質のもつ位置エネルギーを利用した発電方法はどれか。

(2) 日本独自の地形などの立地条件から，発電量の増加が今後もあまり期待できない発電方法はどれか。

(3) 発電のとき，人体に有害な放射線を出す物質を使うので，その取り扱い方法など，安全面では注意が必要な発電方法はどれか。

(4) ３つの発電方法のうち，燃料がいらない発電方法はどれか。

(5) 日本の火力発電で使われている，石油や天然ガスのような資源を何というか。次のア〜エから選び，記号で答えよ。

ア バイオマス　イ 化石燃料　ウ アルコール　エ プラスチック

(6) (5)を燃焼させると二酸化炭素が発生し，地球温暖化の原因の１つになっているが，これは二酸化炭素にどのような性質があるためか。「熱」という言葉を用いて，簡単に説明せよ。

(7) 下の表は再生可能なエネルギーなどによる発電方法である。①〜③にあてはまる言葉を書け。

地熱発電	地下の（　①　）の熱であたためられた水蒸気でタービンを回して発電する。
波力発電	波の力で（　②　）を押し縮め，②が反発する力によって発電する。
燃料電池	水素と酸素から（　③　）ができるときの化学エネルギーを電気エネルギーとして得る。

(1)		(2)		(3)		(4)		(5)	
(6)		(7)	①	②	③				

6 下の表は新素材のおもな特徴，用途についてまとめたものである。次の問いに答えなさい。【2点×6】

新素材	おもな特徴	用途
形状記憶合金	ある（　①　）になると，一定の形にもどる。	（　④　）など
炭素繊維	軽くて，じょうぶ。	（　⑤　）など
ファインセラミックス	金属より軽く，（　②　）や衝撃に強い。	自動車のエンジン部品など
（　③　）高分子	非常に多くの水を保持することができる。	紙おむつ，砂漠化防止など

(1) ①〜③にあてはまる言葉を，下のア〜オから選び，記号で答えよ。

ア 吸水性　イ ガラス　ウ 温度　エ プラスチック　オ 熱

(2) ④，⑤にあてはまる言葉を，下のア〜エから選び，記号で答えよ。

ア 飛行機の翼　イ メガネのフレーム　ウ 液晶　エ 超伝導物質

(3) 表の新素材の中で，陶磁器を改良した素材はどれか。

(1)	①	②	③
(2)	④	⑤	(3)

 次の文を読んで，あとの問いに答えなさい。【2点×9】

地球の大気の成分は，おもに窒素と（ ① ）であり，ほかに二酸化炭素やオゾンなどもふくまれている。二酸化炭素は生物の呼吸などにより大気中に放出されるが，植物が行う（ ② ）によって吸収され，その濃度はほぼ一定に保たれてきた。しかし，近年では，その濃度が右の図のようにだんだん高まってきている。また，オゾン層の調査では，南極の上空でオゾンの量が減少していることがわかった。この原因の１つは，（ ③ ）の大量使用であったと指摘されている。

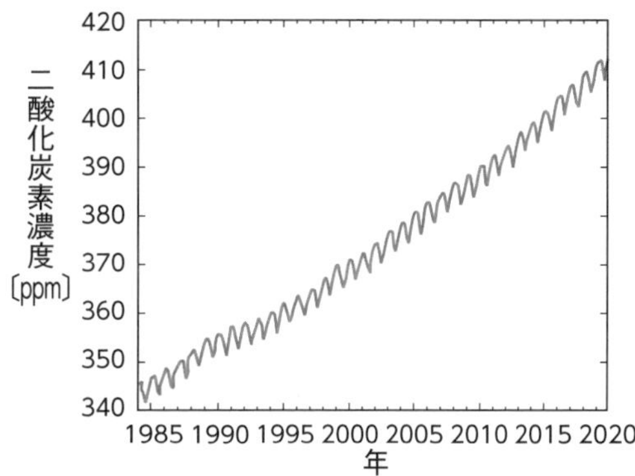

地球全体の大気中の二酸化炭素濃度（月平均値）の変化
（1 ppmは100万分の1の意味）

(1) ①～③にあてはまる言葉を答えよ。

(2) 右の図のように，グラフの変化を1年ごとに見ると，大気中の二酸化炭素の濃度は夏に減少している。その理由を簡単に説明せよ。

(3) 近年，二酸化炭素の濃度が高くなってきた原因は何だと考えられるか。次の**ア**～**エ**からすべて選び，記号で答えよ。

ア 化石燃料の大量使用　**イ** 海水の温度上昇
ウ 伐採による森林の減少　**エ** 海洋の汚染

(4) 大気中に二酸化炭素がふえると，二酸化炭素が大気の外側へ放出される熱を吸収して，閉じこめてしまう。これを何効果というか。

(5) (4)が原因となって，どのようなことが起こると考えられるか。次の**ア**～**エ**から１つ選び，記号で答えよ。

ア 酸性雨が降る。　**イ** 火山が噴火しやすくなる。
ウ 海面が上昇する。　**エ** 海面が下降する。

(6) オゾンの量が減少すると，地表に達する紫外線が強まるが，これは人体にどのような悪影響をおよぼすか。次の**ア**～**エ**から１つ選び，記号で答えよ。

ア 足・腰が弱まる。　**イ** 皮膚がんの原因となる。
ウ ぜんそくを起こしやすくする。　**エ** 聴力をおとろえさせる。

(7) ③は，次の**ア**～**エ**のどれに使用されていたか。１つ選び，記号で答えよ。

ア 水道水　**イ** 冷凍食品
ウ 電気冷蔵庫　**エ** 乾電池

(1)	①	②	③						
(2)									
(3)		(4)		(5)		(6)		(7)	

定期テスト予想問題⑦

高校入試対策テスト①

時間 50分
解答 別冊p.26

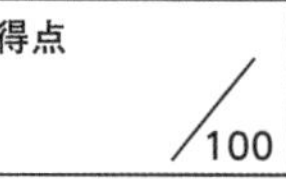

1 次の実験１，２を行った。これについて，あとの問いに答えなさい。　【(3)５点，他２点×５】

［実験１］右の図のような装置で，うすい塩酸の中にアルミニウムを入れて，発生する気体を集めた。

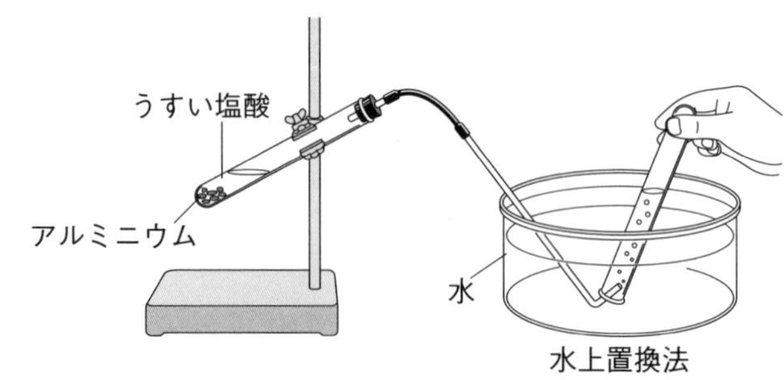

［実験２］アルミニウムを入れて気体が発生している塩酸に，水酸化ナトリウム水溶液を少量ずつ加えていったところ，気体の発生がしだいに弱くなった。

(1)　実験１で発生した気体は何か。その名前を答えよ。

(2)　発生した気体が，(1)で答えた気体であることを確かめるには，どのような実験を行えばよいか。次の**ア**～**エ**から１つ選び，記号で答えよ。

ア　気体を集めた試験管に，石灰水を加えてよく振ってみる。
イ　気体を集めた試験管に，火のついた線香をさしこんでみる。
ウ　気体を集めた試験管の口に，マッチの火を近づける。
エ　気体を集めた試験管に，赤インクをとかした水を加えてよく振ってみる。

(3)　上の図のような水上置換法で気体を集めることができるのは，発生した気体にどのような性質があるからか。簡単に説明せよ。

(4)　実験２で，気体の発生がしだいに弱くなったのはなぜか。その理由を次の**ア**～**エ**から１つ選び，記号で答えよ。

ア　水溶液の酸性の性質がしだいに強くなったから。
イ　水溶液の酸性の性質がしだいに弱くなったから。
ウ　水溶液のアルカリ性の性質がしだいに強くなったから。
エ　水溶液のアルカリ性の性質がしだいに弱くなったから。

(5)　実験２で，塩酸と水酸化ナトリウム水溶液の間で起こっている反応を何というか。

(6)　塩酸と水酸化ナトリウム水溶液が(5)の反応をしたとき，水とともに生じる物質を一般に何というか。その名前を答えよ。

(1)		(2)			
(3)					
(4)		(5)		(6)	

2 右の図1は，凸レンズの焦点より遠いところに物体を置いたとき，物体のP点から出る光のうち，光軸に平行な光の進み方を示したものである。次の問いに答えなさい。

【3点×6】

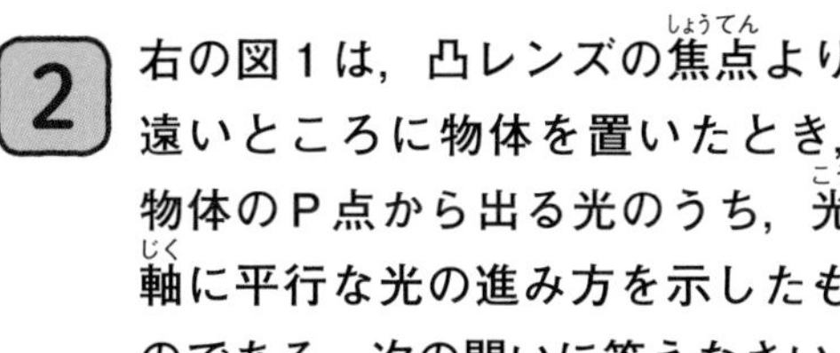

(1) このとき，ついたてにはっきりとした像ができた。この像は，実像，虚像のどちらか。

(2) (1)の像は，ついたてにどのようにうつるか。右の**図2**の**ア**～**エ**から選び，記号で答えよ。

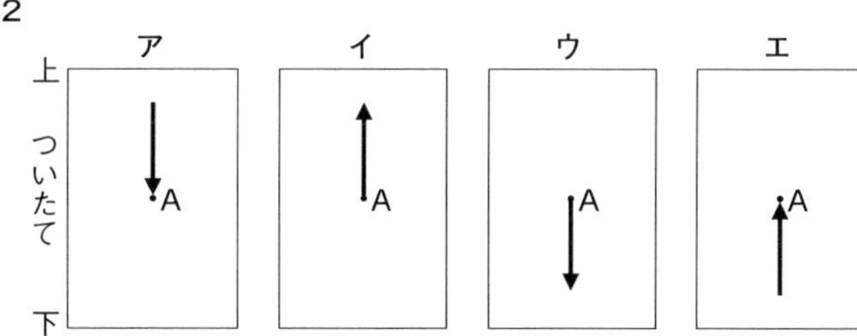

(3) 物体をQ点に移すと，ついたてに像がはっきりとうつらなくなった。ついたてをⓐ，ⓑのどちらの方向に動かせば，はっきりした像がうつるか。記号で答えよ。

(4) (3)でできた像は，(1)でできた像と比べて，大きさはどうなるか。次の**ア**～**ウ**から選び，記号で答えよ。

ア 大きくなる。　**イ** 小さくなる。　**ウ** 変わらない。

(5) 凸レンズの下半分を黒い紙でおおうと，どんな像ができるか。次の**ア**～**エ**から選び，記号で答えよ。

ア 像はできなくなる。　**イ** 上半分の像ができる。

ウ 下半分の像ができる。　**エ** 全体の像ができるが，暗くなる。

(6) **図1**の凸レンズを，大きいもの（ただし，レンズの焦点距離は同じ）に変えると，(1)の像と比べて，どうなるか。次の**ア**～**エ**から選び，記号で答えよ。

ア 大きく，明るくなる。　**イ** 同じ大きさで，明るくなる。

ウ 同じ明るさで，大きくなる。　**エ** 像に変化はない。

(1)		(2)		(3)	
(4)		(5)		(6)	

3

2種類の抵抗(ていこう) R_1，R_2 について，抵抗にかかる電圧と流れる電流との関係を調べたところ，右の図1のようなグラフが得られた。この抵抗を用いて，次の図2および図3の回路をつくり，電流計や電圧計の読みを調べた。これについて，あとの問いに答えなさい。【3点×6】

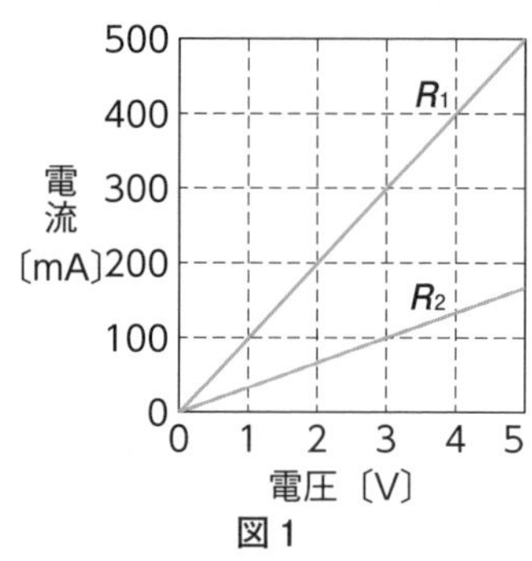

図1

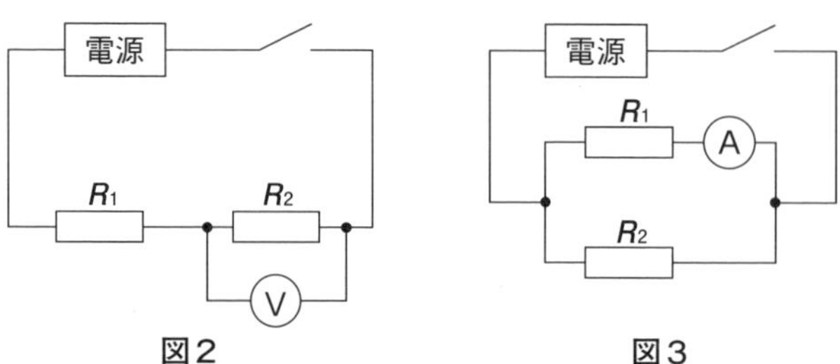

図2　図3

(1) 抵抗 R_1 の大きさは何Ωか。

(2) **図2**で電源の電圧を6Vにしてスイッチを入れたとき，電圧計の読みは何Vになるか。

(3) (2)のとき，抵抗 R_2 を流れる電流の大きさは何Aか。

(4) 右の**図4**は，**図3**で用いた電流計を表している。**図3**で電源の電圧を3Vにしてスイッチを入れ，電流計の読みを調べるとき，電流計の端子(たんし)の適切なつなぎ方はどれか。次の**ア**～**エ**から1つ選び，記号で答えよ。

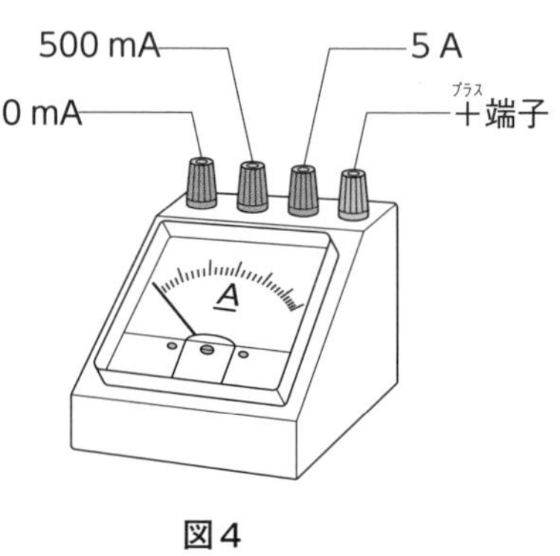

図4

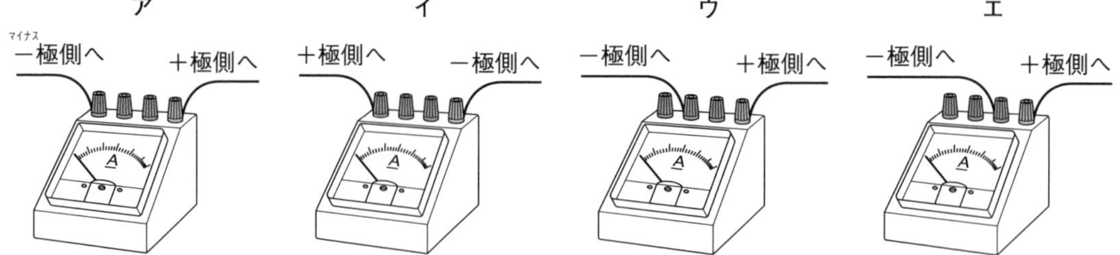

(5) **図3**でスイッチを入れたとき，電流計は300 mAを示した。このとき，抵抗 R_2 に流れる電流の大きさは何Aか。

(6) **図3**で電源の電圧を6Vにしてスイッチを入れたとき，回路を流れる電流（電源から出ていく電流）は何Aか。

(1)	Ω	(2)	V	(3)	A
(4)		(5)	A	(6)	A

4

右の図１は，ある日の気温と湿度（しつど）の変化を調べ，グラフに表したものである。これについて，次の問いに答えなさい。【3点×7】

図１

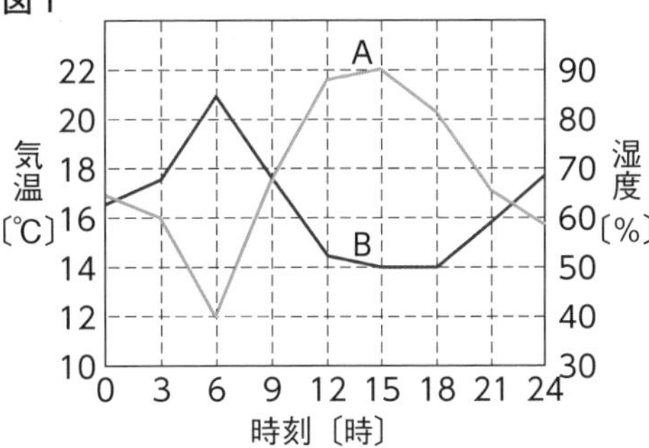

(1) 気温の変化を表すグラフは，A，Bのどちらか。

(2) この日の天気はどうであったか。次のア～エから１つ選び，記号で答えよ。

ア　一日中よく晴れていた。

イ　一日中雨であった。

ウ　午前中は晴れていたが，午後は雨になった。

エ　午前中は雨であったが，午後には晴れた。

(3) 図２は，気温と飽和水蒸気量（ほうわすいじょうきりょう）の関係を示している。図２を参考にして，図１のように，気温と湿度の変化がほぼ逆になっている理由を，簡単に説明せよ。

図２

気温〔℃〕	飽和水蒸気量〔g／m^3〕	気温〔℃〕	飽和水蒸気量〔g／m^3〕
9	8.8	16	13.6
10	9.4	17	14.5
11	10.0	18	15.4
12	10.7	19	16.3
13	11.4	20	17.3
14	12.1	21	18.3
15	12.8	22	19.4

(4) 15時の気温と湿度をもとにして，15時における空気１m^3中にふくまれる水蒸気量を答えよ。

(5) この日の21時の空気の露点（ろてん）は，およそ何℃か。図２の中の気温から選んで答えよ。

(6) 右の図３は，この日のある時刻における乾湿球温度計（かんしつきゅうおんどけい）の示度と，湿度表の一部を表している。

図３

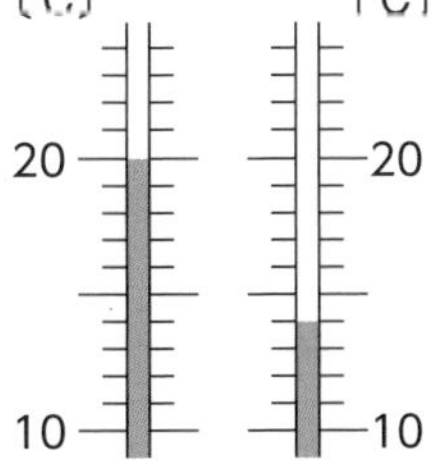

乾球温度計の示度〔℃〕	乾球温度計と湿球温度計の示度の差〔℃〕						
	0.0	1.0	2.0	3.0	4.0	5.0	6.0
20	100	91	81	72	64	56	48
18	100	90	80	71	62	53	44
16	100	89	79	69	59	50	41
14	100	89	78	67	57	46	37
12	100	88	76	65	53	43	32

① 図３のときの湿度は何%か。

② 乾湿球温度計がこの示度を示した時刻に最も近いのはどれか。次のア～エから１つ選び，記号で答えよ。

ア　5時　　イ　7時　　ウ　11時　　エ　18時

(1)		(2)	
(3)			
(4)	g	(5)	℃
(6)	① %	②	

5 右の図１は，インゲンマメの種子を暗室の中に置いて発芽させ，のびた根のある部分を切りとって，次のような手順により細胞分裂のようすを顕微鏡で観察してスケッチしたものである。これについて，あとの問いに答えなさい。 【(3) 3点，他2点×5】

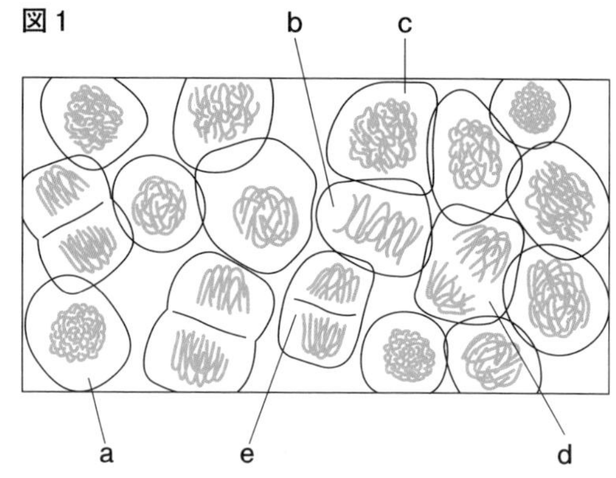

［手順］

① 切りとった根の部分を，塩酸にひたしてあたためた。

② ①の処理をした根を水洗いし，スライドガラスの上にのせて染色液を１～２滴落とした。

③ ②の上にカバーガラスをかけ，ろ紙をかぶせて上からゆっくりと根を押しつぶしてプレパラートをつくった。

④ ③でつくったプレパラートをステージにのせ，顕微鏡で観察した。

(1) 図１のａ～ｅのように，細胞分裂の途中のいろいろな時期の細胞が観察された。ａ～ｅをａをはじめとして細胞分裂が進む順に並べ，記号で答えよ。

(2) 上の観察に使ったインゲンマメの根の部分はどこか。右の図２のア～エから１つ選び，記号で答えよ。

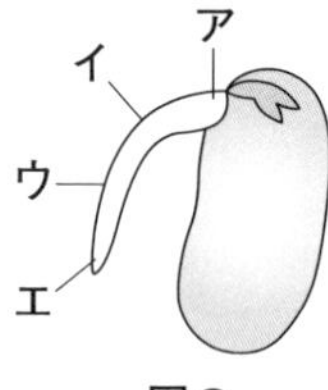

図２

(3) 手順の①で，塩酸にひたしたのはなぜか。その理由を簡単に説明せよ。

(4) 手順の②で使用した下線部の染色液は何か。次のア～エから適するものをすべて選び，記号で答えよ。

ア ベネジクト液　　　イ ヨウ素液

ウ 酢酸カーミン液　　エ 酢酸オルセイン液

(5) (4)で答えた染色液に染まっている，図１のｂ～ｅに見られるひも状のつくりを何というか。

(6) (5)で答えたつくりについて，正しい説明はどれか。次のア～エから１つ選び，記号で答えよ。

ア 発芽に必要な栄養分をふくんでいる。

イ 遺伝子をふくんでいる。

ウ 呼吸を行うための酵素をふくんでいる。

エ 光合成を行う場所である。

(1)	a → 　→ 　→ 　→	(2)			
(3)					
(4)		(5)		(6)	

6 右の図１のように，なめらかな斜面の上に台車を置き，斜面に沿って上向きにポンと強く押して運動させた。台車には紙テープがとりつけてあり，１秒間に 50 回打点する記録タイマーで運動のようすを記録できるようにしてある。右の図２は，そのテープを台車が運動し始めた瞬間から５打点ごとに切りとり，時間順に並べて台紙にはりつけたものである。次の問いに答えなさい。　【3 点× 5】

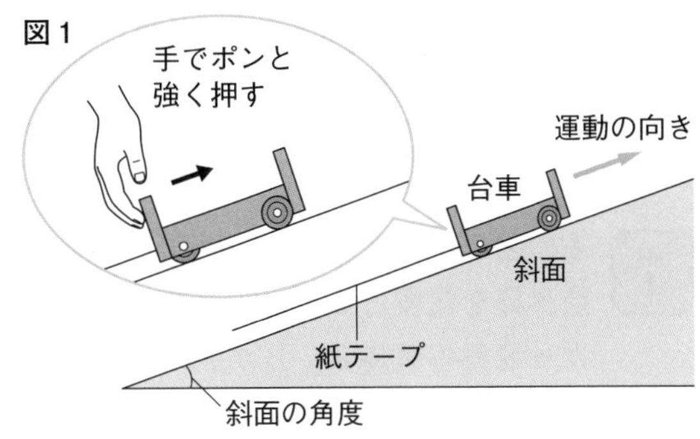

図２

テープの長さ〔cm〕　A　x cm　時間　〔5打点〕

(1) **図２**のグラフから，台車はどのような運動をしたことがわかるか。次の**ア**～**エ**から選び，記号で答えよ。

ア　しだいに速さが速くなった。

イ　しだいに速さが遅くなった。

ウ　しだいに速くなったあと，しだいに遅くなった。

エ　ほぼ一定の速さで運動した。

(2) 台車が**図２**のような運動をしたのはなぜか。次の**ア**～**エ**から１つ選び，記号で答えよ。

ア　運動の向きに重力の斜面方向の分力がはたらいたから。

イ　運動の向きに重力の斜面に垂直方向の分力がはたらいたから。

ウ　運動の向きと逆向きに重力の斜面方向の分力がはたらいたから。

エ　運動の向きと逆向きに重力の斜面に垂直方向の分力がはたらいたから。

(3) **図２**のテープ**A**の長さが 16.2 cm とすると，この間の台車の平均の速さは何 cm/s か。

(4) **図２**の範囲で，台車が斜面上で進んだ距離と時間の関係をグラフに表すとどのようになるか。次の**ア**～**エ**から選び，記号で答えよ。

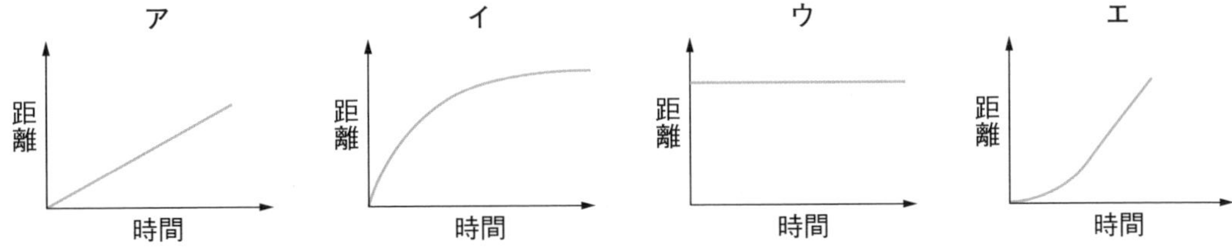

(5) 斜面の角度をもっと大きくし，**図１**のときと同じ強さで台車を押したときのようすについて，あてはまらないものはどれか。次の**ア**～**エ**から選び，記号で答えよ。

ア　**図１**の実験と比べて，斜面に沿って台車にはたらく力が大きくなる。

イ　**図１**の実験と比べて，**図２**のグラフの各テープの長さの差（図の x cm）が小さくなる。

ウ　斜面に沿って台車にはたらく力の大きさは，斜面上のどこでも同じである。

エ　**図１**の実験と比べて，**図２**のグラフで，各テープの長さがそれぞれ短くなる。

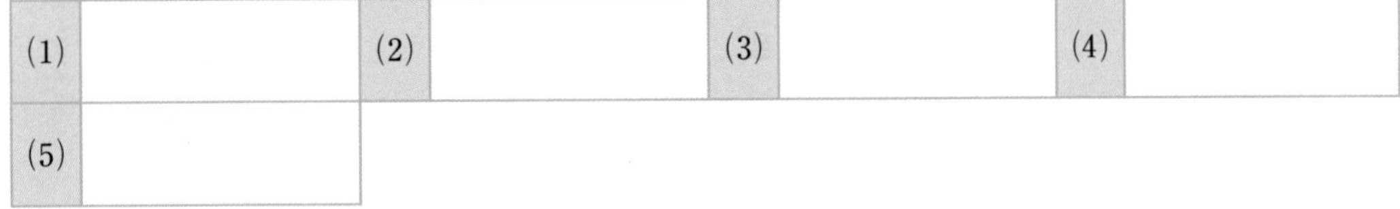

(1)		(2)		(3)		(4)	
(5)							

高校入試対策テスト②

時間 50分
解答 別冊p.27

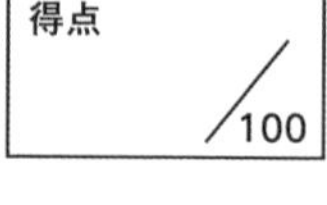

1 **右の図のようなH字管に<u>物質X</u>を少量とかした水を入れ，炭素棒を電極として水の電気分解を行ったところ，電極から無臭の気体A，Bが発生し，それぞれが図のように管の上部にたまった。これについて，次の問いに答えなさい。** 【2点×7】

ゴム栓
気体A
気体B
炭素棒
クリップ

(1) 下線部の物質**X**として適切なものはどれか。次の**ア**～**エ**から1つ選び，記号で答えよ。

ア 塩化銅
イ 食塩（塩化ナトリウム）
ウ 水酸化ナトリウム
エ アルコール

(2) 下線部の物質**X**を水にとかしたのはなぜか。その理由を簡単に説明せよ。

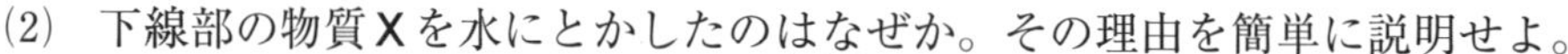

(3) 気体**A**と気体**B**は何か。それぞれ名称を答えよ。

(4) 気体**A**と気体**B**の分子1個の質量の比は，**A**：**B**＝1：16である。発生した気体**B**の質量は，気体**A**の何倍か。次の**ア**～**エ**から1つ選び，記号で答えよ。

ア 4倍　　**イ** 8倍　　**ウ** 16倍　　**エ** 32倍

(5) 気体Aが何であるかを確認する方法はどれか。次の**ア**～**エ**から選び，記号で答えよ。

ア ゴム栓をとり，すばやくBTB溶液を加えて再びゴム栓をし，色の変化をみる。
イ ゴム栓をとり，すばやく石灰水を加えて再びゴム栓をし，変化をみる。
ウ ゴム栓をとり，管の中に火のついた線香をさしこんでみる。
エ ゴム栓をとり，管の口にマッチの火を近づけてみる。

(6) この実験で行った電気分解について，最も適切に説明しているものはどれか。次の**ア**～**エ**から1つ選び，記号で答えよ。

ア 物質のもつ化学エネルギーを，電気エネルギーに変えている。
イ 電流による発熱で，化合物を分解する化学変化である。
ウ 電気エネルギーを消費して，化合物を分解する化学変化である。
エ 単体の物質から化合物ができるとき，電気エネルギーが得られる。

(1)		(2)			
(3)	気体A		気体B	(4)	
(5)		(6)			

2 右の図は，ある地震の震源からの距離と２種類の地震波Ｐ波，Ｓ波がそれぞれ到着した時刻との関係をグラフに表したものである。この地震を観測した地域では，地下を伝わる地震波の速さはそれぞれ一定であったことがわかっている。これについて，次の問いに答えなさい。【3点×8】

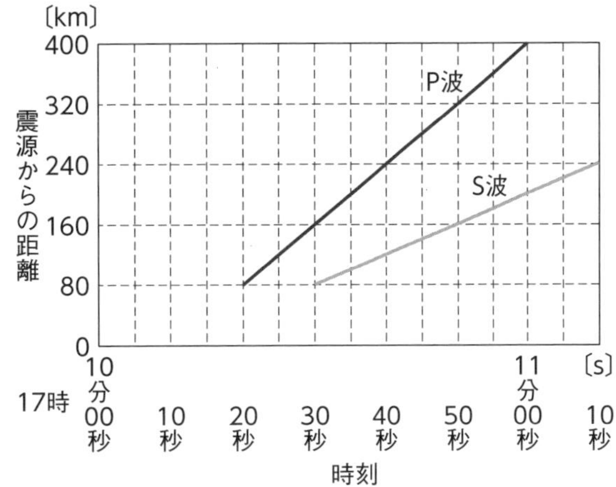

(1) はじめの小さなゆれを起こす地震波は，Ｐ波，Ｓ波のどちらか。また，その速さは何 km/s か。

(2) この地震が発生したのは，17 時 10 分何秒か。

(3) 大きなゆれが始まるまでに，はじめの小さなゆれが続く時間を何というか。

(4) この地震をある地点で観測したところ，はじめの小さなゆれが 15 秒間続いた。この観測地点の震源からの距離は何 km か。次の**ア**～**エ**から最も近い値を１つ選び，記号で答えよ。

ア 80 km　**イ** 100 km　**ウ** 120 km　**エ** 140 km

(5) 図の地震はマグニチュード５と発表された。マグニチュードについて，正しく説明しているものはどれか。次の**ア**～**エ**から１つ選び，記号で答えよ。

ア マグニチュードは地震の規模を示す値で，各地のゆれの程度を表している。

イ マグニチュードの値が１だけ増えると，地震のエネルギーは 10 倍になっている。

ウ マグニチュードの値は，１つの地震については１つだけ決まる。

エ マグニチュードは，いろいろな基準によって 10 段階に分けられている。

(6) 震度について，正しく説明しているものはどれか。次の**ア**～**エ**から１つ選び，記号で答えよ。

ア 震度０とは，地震が全く起こっていないときを示す。

イ 震度５と震度６は，強弱の２段階に分けられている。

ウ 震源からの距離が同じであれば，震度も常に同じになる。

エ 震度５以上では，必ず津波が起こる。

(7) 地震は，地球をおおういくつかの岩盤が衝突する境目で起こることが多い。このような岩盤を何というか。

(1)	地震波	波	速さ	km/s	(2)	17 時 10 分	秒
(3)			(4)		(5)		
(6)		(7)					

3 ヒトが食べ物をとり入れると，食物中の栄養分であるタンパク質やデンプン，脂肪は，右の図に示すいくつかの消化器官のはたらきにより消化され，小腸から吸収される。デンプンは，まず最初に［　①　］の中にふくまれるアミラーゼという消化酵素によって，麦芽糖に分解される。麦芽糖はさらに，すい臓から分泌される［　②　］にふくまれるマルターゼにより消化され，最終的に小腸の壁の消化酵素によって［　a　］に変えられ，柔毛内に吸収される。また，タンパク質は，［　b　］ではペプシンという消化酵素により，また［　②　］にふくまれるトリプシンという消化酵素によりペプチドやアミノ酸に分解され，小腸の壁の消化酵素によって最終的にすべてアミノ酸に変えられて吸収される。また，脂肪は，［　②　］にふくまれる消化酵素により小腸内で消化され柔毛内に吸収される。［　c　］で合成され，胆のうから分泌される胆汁は，この脂肪の消化を助けるはたらきをする。これについて，次の問いに答えなさい。

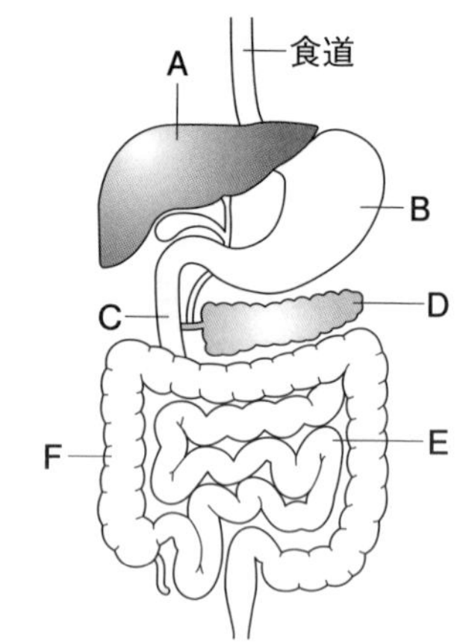

【2点×7】

※麦芽糖…糖の一種。　※ペプチド…タンパク質が比較的小さな粒に分解されたもの。

(1) 文中の空欄［　①　］，［　②　］にあてはまる消化液の名称をそれぞれ答えよ。

(2) 文中の空欄［　a　］にあてはまる物質の名称を答えよ。

(3) 文中の空欄［　b　］，［　c　］にあてはまる消化器官の名称を答えよ。また，その位置を上の図のA～Fからそれぞれ選び，記号で答えよ。

(4) 脂肪にはいろいろな種類があるが，どんな脂肪でも，消化酵素により分解されると脂肪酸とある物質Xを生じる。ある物質Xの名称を答えよ。

(5) 栄養分の消化・吸収についての説明として，まちがっているものはどれか。次のア～エから選び，記号で答えよ。

ア　デンプンが最終的に消化されてできた物質は，柔毛内で血管内の血液中にとけこむ。

イ　タンパク質が消化されてできたアミノ酸は，柔毛内で血管内の血液中にとけこむ。

ウ　脂肪が最終的に消化されてできた物質は，柔毛内でそのままのかたちでリンパ管内のリンパ液にとけこむ。

エ　胆汁は脂肪の消化を助けるが，消化酵素はふくんでいない。

(1)	①		②			
(2)		(3)	b	記号	c	記号
(4)		(5)				

4 うすい塩酸とうすい水酸化ナトリウム水溶液(すいようえき)を，下の表のA～Dのような割合で混合し，混合溶液の性質をBTB溶液で調べた。その結果は表のようになった。これについて，次の問いに答えなさい。

【(2)3点，他2点×5】

	A	B	C	D
塩酸〔cm^3〕	80	60	40	20
水酸化ナトリウム水溶液〔cm^3〕	20	40	60	80
BTB溶液の色	黄色	黄色	緑色	x

(1) 表の x にあてはまる色は何色か。次のア～エから1つ選び，記号で答えよ。

ア 黄色　　イ 緑色　　ウ 赤色　　エ 青色

(2) 塩酸50 cm^3 を中和(ちゅうわ)して中性にするには，水酸化ナトリウム水溶液が何 cm^3 必要か。

(3) Aの混合溶液中に最も多くふくまれているイオンは何か。次のア～エから1つ選び，記号で答えよ。

ア H^+　　イ OH^-　　ウ Na^+　　エ Cl^-

(4) 塩酸と水酸化ナトリウム水溶液の中和反応について，まちがっているものはどれか。次のア～エから1つ選び，記号で答えよ。

ア 中和して中性になっている混合溶液中では，ナトリウムイオンと塩化物イオンの数が等しい。

イ 塩酸と水酸化ナトリウム水溶液の中和反応では，塩化ナトリウムと水ができる。

ウ 塩酸と水酸化ナトリウム水溶液をどんな割合で混合しても，必ず発熱する。

エ 混合溶液中のナトリウムイオンの数は，常に塩化物イオンより多い。

(5) 一定量の塩酸に水酸化ナトリウム水溶液を少量ずつ加えていくとき，混合溶液中の①塩化物イオンと②ナトリウムイオンの数の変化をグラフに表すとどうなるか。次のア～エから1つずつ選び，それぞれ記号で答えよ。

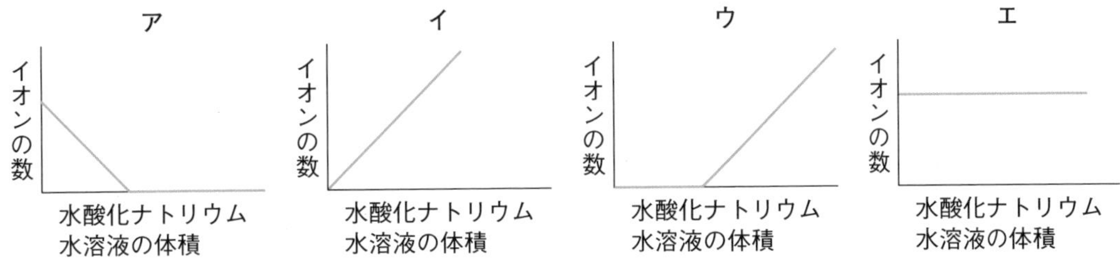

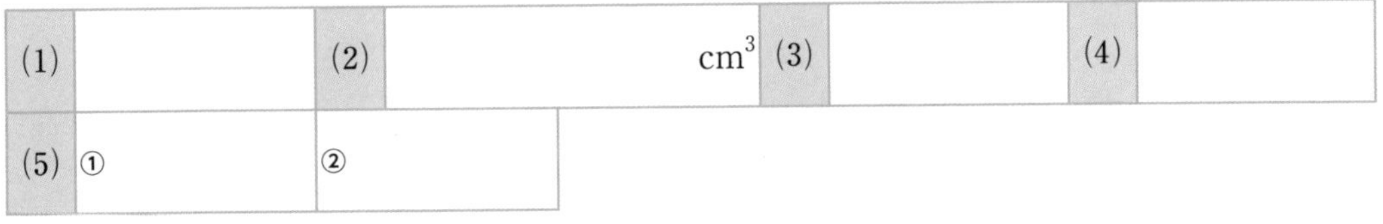

高校入試対策テスト②

5 底面積が 50 cm^2，高さが 10 cm の金属でできた円柱形の物体Pとばね Q，いろいろな重さのおもりを用いて，力のはたらきやつり合いに関する次の実験を行った。これについて，あとの問いに答えなさい。ただし，質量が 100 g の物体にはたらく重力の大きさを，1 N（ニュートン）とする。

【3点×7】

［実験１］右の図１のように，ばねQにいろいろな重さのおもりをつるして，ばねの長さをはかった。図２は，その結果の一部を表している。

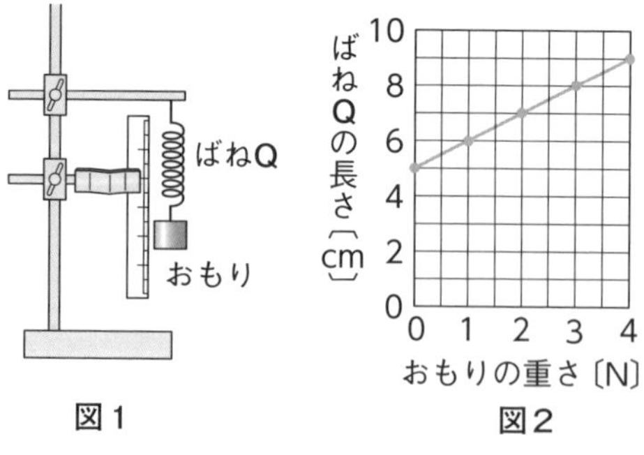

図１　図２

［実験２］右の図３のように，ばねQに物体Pをつるし，物体Pを上皿台ばかりにのせた。ばねQを上向きに引く力の大きさをいろいろ変えて，上皿台ばかりの示す値を読みとった。

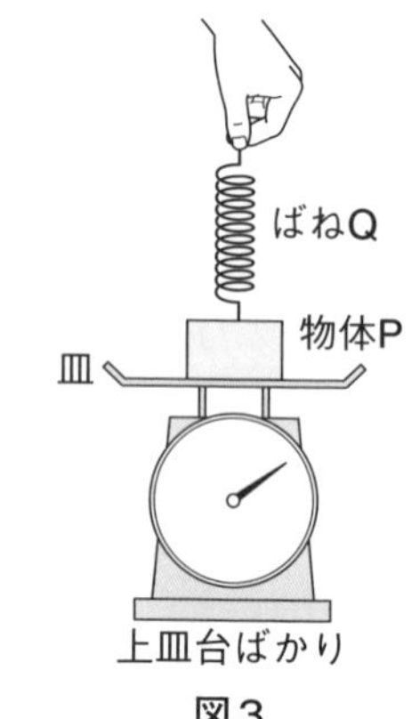

図３

(1) ばねQを 1 cm のばすには，何 N の力が必要か。

(2) 実験１で，おもりをつるしたばねQの長さが 7 cm のとき，おもりがばねを引いている力の大きさは何 N か。

(3) 実験２で，ばねQを鉛直（えんちょく）上向きに引いたら，ばねの長さが 10 cm になり，上皿台ばかりの読みは 40 N であった。物体Pの重さは何 N か。次のア～エから選び，記号で答えよ。

ア　50 N　　イ　45 N　　ウ　35 N　　エ　30 N

(4) (3)のとき，上皿台ばかりの皿にかかっている圧力は何 Pa（パスカル）か。ただし，1 Pa = 1 N/m^2 である。

(5) 上の図３で，ばねQを鉛直方向に保ったまま手を下に動かしてばねをゆるめたら，ばねののびが 3 cm になった。このとき，上皿台ばかりは何 N を示しているか。

(6) 物体Pの密度は何 g/cm^3 か。

(7) 物体Pを細いひもで手につるし，物体P全体を水中に沈（しず）めると，手が引く力は何 N になるか。ただし，水の密度を 1 g/cm^3 とし，水中にあるひもの部分の体積は無視するものとする。

(1)		(2)		(3)	
(4)		(5)		(6)	
(7)					

6 **生物には，からだが多くの細胞からなる多細胞生物と，１個の細胞だけからなる単細胞生物とがある。これらの生物が，自分と同じ種類の個体を子孫として残していくことを生殖という。多くの生物では雄と雌の区別があって，新しい個体がつくられるとき，①雌の生殖細胞の核と雄の生殖細胞の核とが合体する。このような生殖のしかたを［　A　］生殖という。しかし，雌，雄によらないで新しい個体がつくられていくふえ方もある。**

ゾウリムシなどの単細胞生物では，からだが分裂して２つの個体ができる。また，多細胞生物でも雄と雌によらない生殖でふえることができるものがある。例えば，②ヒドラはからだの一部がのびて新しい個体がふえていく。ジャガイモなどは，③からだの一部に栄養分をたくわえたものをつくり，そこから芽や根が出て新しい個体となる。高等植物では，根，茎，葉などの器官から新しい個体をつくることができるものがあり，農業や園芸の世界では古くから利用されている。これについて，次の問いに答えなさい。

【2点×7】

(1)　ゾウリムシと同じく単細胞生物に属するのはどれか。次の**ア**～**オ**からすべて選び，記号で答えよ。

ア　アメーバ　　**イ**　ミカヅキモ　　**ウ**　ミジンコ　　**エ**　ミミズ

オ　ケイソウ

(2)　文中の［　A　］にあてはまる適切な語句（用語）を，漢字２字で答えよ。

(3)　［　A　］生殖によって，親から子が生まれた場合，その形質はどのように受けつがれるか。次の**ア**～**エ**から１つ選び，記号で答えなさい。

ア　どちらか一方の親の形質のみ，子に受けつがれる。

イ　親と子の形質は，完全に同じになる。

ウ　親と子の形質は，完全に同じになる場合も同じにならない場合もある。

エ　親と子の形質は，よく似ているが必ず異なる部分が存在する。

(4)　下線部①のことを何というか。

(5)　下線部②のふえ方を特に何というか。漢字２字で答えよ。

(6)　下線部③と同じふえ方をする植物はどれか。次の**ア**～**エ**から１つ選び，記号で答えよ。

ア　アサガオ　　**イ**　ワラビ　　**ウ**　サツマイモ　　**エ**　ススキ

(7)　代々丸い種子をつくるエンドウの花のめしべに，代々しわのある種子をつくるエンドウの花粉を受粉させてできた種子を植えて育てると，子の代には丸い種子だけができた。この丸い種子を植えて育て自家受粉させると，孫の代には丸い種子としわのある種子ができた。このとき，できた丸い種子としわのある種子の個体数の比はどうなるか。最も簡単な整数比で答えよ。

(1)		(2)		(3)		(4)	
(5)		(6)		(7)			

Memo

カバーイラスト	サコ
ブックデザイン	next door design（相京厚史，大岡喜直） 株式会社エデュデザイン
本文イラスト	加納徳博
図版	青木隆，株式会社アート工房，有限会社ケイデザイン，株式会社日本グラフィックス， 株式会社四国写研
写真	出典は写真そばに記載。　無印：編集部
編集協力	株式会社ダブルウィング
データ作成	株式会社四国写研
製作	ニューコース製作委員会 （伊藤なつみ，宮﨑純，阿部武志，石河真由子，小出貴也，野中綾乃，大野康平，澤田未来，中村円佳，渡辺純秀，相原沙弥，佐藤史弥，田中丸由季，中西亮太，髙橋桃子，松田こずえ，山下順子，山本希海，遠藤愛，松田勝利，小野優美，近藤想，辻田紗央子，中山敏治）

読者アンケートのお願い

本書に関するアンケートにご協力ください。右のコードか URL からアクセスし，アンケート番号を入力してご回答ください。当事業部に届いたものの中から抽選で年間 200 名様に，「図書カードネットギフト」500 円分をプレゼントいたします。

アンケート番号：305302
https://ieben.gakken.jp/qr/nc_mondai/

学研ニューコース問題集　中３理科

学研グループの書籍・雑誌についての新刊情報・詳細情報は，下記をご覧ください。
［学研出版サイト］ https://hon.gakken.jp/

この本は下記のように環境に配慮して製作しました。
●製版フィルムを使用しない CTP 方式で印刷しました。
●環境に配慮して作られた紙を使っています。

⑤

【学研ニューコース】

問題集

中3理科

[別冊]

解答と解説

- 解説がくわしいので，問題を解くカギやすじ道がしっかりつかめます。
- 特に誤りやすい問題には，「ミス対策」があり，注意点がよくわかります。

「解答と解説」は別冊になっています。
本冊と軽くのりづけされていますので，はずしてお使いください。

Gakken

1・2年の要点整理 (p.6-13)

1 植物・動物の分類とからだのつくり

① シダ ② 胞子 ③ 区別がある
④ 区別がない ⑤ むき出し ⑥ 平行
⑦ ひげ ⑧ 2 ⑨ 網状 ⑩ つくらない
⑪ ない ⑫ 無脊椎 ⑬ えら ⑭ 肺
⑮ 胎生 ⑯ 羽毛 ⑰ 核 ⑱ 細胞質
⑲ 細胞膜 ⑳ 道管 ㉑ 師管
㉒ 維管束 ㉓ 二酸化炭素
㉔ デンプン(栄養分) ㉕ 葉緑体 ㉖ 気孔
㉗ (消化)酵素 ㉘ ブドウ糖 ㉙ アミノ酸
㉚ 脂肪酸 ㉛ モノグリセリド(㉚㉛順不同)
㉜ 柔毛 ㉝ 毛細血管 ㉞ 脂肪 ㉟ リンパ管
㊱ 肺循環 ㊲ 体循環 ㊳ 動脈血
㊴ 静脈血 ㊵ 肝臓 ㊶ 脊髄

解説 ⑲ 細胞膜は動物, 植物どちらにもあるが, 細胞壁は植物にのみ存在する。
㉓～㉕ 光合成によって, デンプンとともに酸素がつくられ, 気孔から空気中へ放出される。

2 身のまわりの物質, 化学変化と原子・分子

① 炭素 ② 金属光沢 ③ 電流
④ 熱 ⑤ 質量 ⑥ 体積 ⑦ 水上
⑧ 下方 ⑨ 上方 ⑩ にくい
⑪ 重い ⑫ 軽い ⑬ 水素
⑭ 二酸化炭素 ⑮ アンモニア ⑯ なし
⑰ 少しとける ⑱ 燃やす ⑲ 密度
⑳ アルカリ性 ㉑ 溶質 ㉒ 溶媒
㉓ 溶液 ㉔ 溶質 ㉕ 規則正しい
㉖ 結晶 ㉗ 体積 ㉘ 液体 ㉙ 気体
㉚ 気体 ㉛ 液体 ㉜ 2種類
㉝ 原子 ㉞ 分子 ㉟ 単体 ㊱ 水
㊲ 二酸化炭素 ㊳ 新しい ㊴ 酸素
㊵ 同時 ㊶ 銅 ㊷ 二酸化炭素
㊸ 質量

解説 ㉖ 再結晶によって固体にふくまれる不純物がとり除かれ, より純粋な結晶が得られる。
㉚㉛ 蒸留によって液体にふくまれる不純物がとり除かれ, より純粋な液体が得られる。

3 身のまわりの現象, 電気の世界

① 反射角 ② > ③ < ④ 反射
⑤ 実像 ⑥ 大きい ⑦ 虚像
⑧ 可視光線 ⑨ 緑 ⑩ 波 ⑪ 回数
⑫ 大小(大きさ) ⑬ 高低(高さ) ⑭ 大きい
⑮ 高い ⑯ 弾性力 ⑰ 摩擦(摩擦力)
⑱ 重力 ⑲ 比例 ⑳ 質量 ㉑ 反対
㉒ 一直線上 ㉓ ＝ ㉔ ＋ ㉕ ＋
㉖ ＝ ㉗ 比例 ㉘ $V=RI$ ㉙ N極
㉚ 磁界 ㉛ 電流 ㉜ 磁界(㉛㉜順不同)
㉝ 誘導電流 ㉞ 磁界 ㉟ 電流
㊱ 内側 ㊲ 電流 ㊳ 磁界 ㊴ 電子
㊵ 同種 ㊶ 異種 ㊷ － ㊸ X
㊹ 透過

解説 ⑯ ばねをのび縮みさせたとき, もとにもどろうとする力などが弾性力にあたる。
㉓㉔ 直列回路のとき, 電流はどの点で計測しても同じになる。全体の電圧は各部分に加わる電圧の和になる。
㉕㉖ 並列回路のとき, 各部分に加わる電圧は同じになる。回路全体を流れる電流はそれぞれの電熱線に流れる電流の和になる。

4 大地の変化, 天気とその変化

① 溶岩 ② おだやか ③ 白っぽい
④ 深成 ⑤ 斑状 ⑥ 等粒状 ⑦ P
⑧ 主要 ⑨ 距離 ⑩ 大きさ
⑪ 規模 ⑫ 初期微動継続時間 ⑬ れき
⑭ れき岩 ⑮ 凝灰岩 ⑯ 石灰岩
⑰ 環境 ⑱ 時代 ⑲ しゅう曲
⑳ 露点 ㉑ 飽和水蒸気量 ㉒ 露点
㉓ 押す力 ㉔ 面積 ㉕ 空気
㉖ 垂直 ㉗ 高気圧 ㉘ 低気圧
㉙ 寒冷 ㉚ 温暖 ㉛ 積雲状 ㉜ 西
㉝ 南東 ㉞ 17.2 ㉟ 西高東低
㊱ 南高北低 ㊲ 移動性

解説 ⑤ 細かい鉱物の集まりやガラス質の石基と大きな鉱物の斑晶でできている組織のこと。
⑩⑪ マグニチュードが地震そのものの大きさを表すのに対し, 震度はゆれがどの程度大きいかを表す。

【1章】化学変化とイオン

1 電流が流れる水溶液

Step 1 基礎力チェック問題 (p.14-15)

1 (1) 流れない (2) 流れない (3) 流れない
(4) ×, ○, ○, ○, ×, ○, ○, ○
(5) 同じではない (6) 電解質(でんかいしつ) (7) 非電解質(ひでんかいしつ)

解説 (4) 雨水には空気中の二酸化炭素, 水道水には塩素などがとけている。

2 (1) 陽極(ようきょく) (2) 塩素
(3) 手であおぎ寄せてかぐ。(同様の内容は正解。)
(4) イ (5) 銅 (6) イ

解説 塩化銅水溶液を電気分解すると, 陽極に塩素が発生し, 陰極に銅が付着する。

3 (1) 塩化水素 (2) 塩素 (3) 水素
(4) マッチの炎(ほのお)を近づけると音を出して燃える。
(5) 陰極側(いんきょく) (6) 塩素は水にとけやすいから。

解説 (1)~(3) 電気分解によって塩化水素 HCl は, 水素と塩素に分かれる。
(6) 水素は, ほとんど水にとけない。

Step 2 実力完成問題 (p.16-17)

1 (1) ① ○ ② × ③ ○ ④ ×
⑤ × ⑥ ×
(2) 食塩, 塩化銅 (3) イ

解説 (1)(2) 電解質の水溶液には, 電流が流れる。

2 (1) $CuCl_2$ (2) Cu (3) 色が消える。
(4) Cl_2 (5) $CuCl_2 \rightarrow Cu + Cl_2$ (6) エ

解説 (3) 塩素には漂白作用(ひょうはくさよう)がある。
(6) 電極を逆にすると, 気体の発生や赤色の物質の付着が起こる電極も, 逆になる。

3 ① 陽極 ② 水素
③ 異種の電気をもつ電極に引かれるから。
(同様の内容は正解)

解説

> **ミス対策** 異種の電気は引き合うから, 陽極には－の電気を帯(お)びた粒子(りゅうし)が集まる。

4 ① 流れる ② 電解質 ③ 流れない
④ 非電解質 ⑤ 電極

解説 ①~⑤ 電解質の水溶液中では, とけた粒子は分かれて電気を帯びている。そのため, 異種の電気をもつ電極に引き寄せられ, 電極で電子が受けわたしされて電流が流れる。

5 (1) 陽極 (2) ウ
(3) 青色がしだいにうすくなる。

解説 (1)(2) 塩化銅は銅と塩素に分かれている。陽極から発生する気体は塩素。
(3) 水溶液の青色は, とけた銅の色。水溶液中の銅が減ると, 色はうすくなる。

2 原子の構造とイオン

Step 1 基礎力チェック問題 (p.18-19)

1 (1) 電子(でんし) (2) 陽子(ようし) (3) ＋(プラス) (4) －(マイナス)
(5) 等しい (6) いない (7) イオン
(8) 陽(よう)イオン (9) 陰(いん)イオン
(10) 水素イオン (11) 電離 (12) 塩化物イオン

解説 (2)(10) 水素原子の原子核(げんしかく)は陽子が1つの原子である。

2 (1) ① イ ② ア ③ エ ④ ウ
(2) －の電気 (3) ＋の電気

解説 (1)~(3) 原子は, ＋の電気をもつ原子核と－の電気をもつ電子からできている。原子全体は電気を帯びていない。

3 (1) イオン (2) 陽イオン (3) 陰イオン
(4) ナトリウムイオン…Na^+, 銅イオン…Cu^{2+}
塩化物イオン…Cl^-

解説 (4) イオンには, 銅イオンのように全体として 2＋の電気を帯びたものがある。また, 水酸化物イオンのように原子が 2 個以上集まった原子の集団が, 全体として電気を帯びたものもある。

4 (1) ナトリウムイオン, 塩化物イオン(順不同)
(2) 電離 (3) $NaCl \rightarrow Na^+ + Cl^-$
(4) $HCl \rightarrow H^+ + Cl^-$

解説 (1)~(3) 塩化ナトリウムの結晶(けっしょう)は Na^+ と Cl^- が 1 : 1 の割合で集まってできていて, 全体として電気をもたない。水にとけるとばらばらになり, Na^+ と Cl^- が自由に動けるようになる。自由に動けるイオンが水溶液中にあると, 電流が流れる。

Step 2 実力完成問題 (p.20-21)

1 (1) ア…陽子　イ…原子核　ウ…電子

(2) −の電気　(3) イ

解説 (2) 電子は，電子殻とよばれるいくつかの層をなして，原子核のまわりに存在している。

2 (1) ① H^+　② Na^+　③ Cu^{2+}　④ Mg^{2+}

⑤ 塩化物イオン　⑥ 水酸化物イオン

⑦ 硫酸イオン　⑧ NO_3^-

(2) ウ，エ，カ

解説 (1) 水酸化物イオンは，水酸化ナトリウムや水酸化カリウムが水溶液中で電離して生じる。

$NaOH \rightarrow Na^+ + OH^-$　　$KOH \rightarrow K^+ + OH^-$

(2) 銅，亜鉛，マグネシウムは電子を2個放出して，2+の電気をもつイオンになる。

3 ① Na^+　② Cl^-　③ ナトリウム

④ 塩化物　⑤ H^+　⑥ Cl^-　⑦ 水素

⑧ 塩化物

解説 ②④⑥⑧ 塩素がイオンになるとき注意。

> **ミス対策** 塩素がイオンになったとき塩化物イオンという。塩素イオンとはいわない。

4 (1) H^+　(2) Cl^-　(3) 陰極

(4) (電極から)電子を受けとる　(5) Cl_2

解説 (1)(2) 塩酸は塩化水素 HCl の水溶液。H^+ と Cl^- に電離している。

(3)(4) +の電気をもつⒶ$^+$は−の電気をもつ陰極へ引かれ，陰極の表面で電子を受けとり，原子になる。

5 (1) $CuCl_2 \rightarrow Cu^{2+} + 2Cl^-$　(2) イ　(3) 8個

解説 (1) 塩化銅は，水溶液中で銅イオン Cu^{2+} と塩化物イオン Cl^- が 1：2 の割合で電離している。

(3) 1個の Cl^- が陽極に1個の電子を与える。よって，8個の Cl^- が電子を失ったことになる。

6 ① エ　② オ　③ カ　④ イ　⑤ ア

解説 陰極に達した水素イオンは電子を受けとり，水素原子になる。塩化物イオンは陽極に電子を与えて，塩素原子になる。

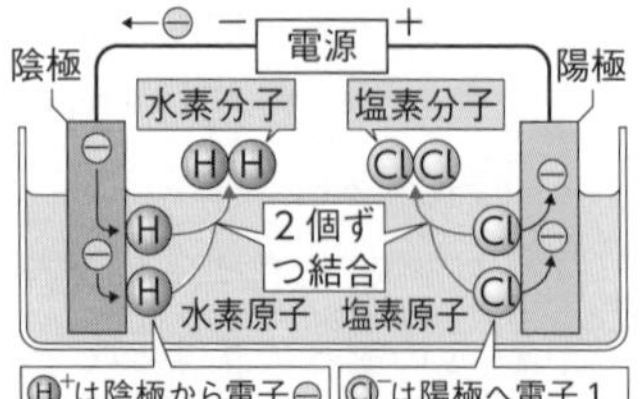

3 電池

Step 1 基礎力チェック問題 (p.22-23)

1 (1) 電圧　(2) 電池(化学電池)　(3) マグネシウム

(4) −極　(5) 水素イオン　(6) 銅イオン

(7) 一次電池

解説 (1) 同種の金属ではイオンになりやすい度合い(イオン化傾向)が同じなので，電圧は生じない。

2 (1) 電解質の水溶液(電流が流れる)

(2) 銅板　(3) A　(4) 電池　(5) イ

解説 (2) イオン化傾向が小さい銅が+極になる。

(3)
> **ミス対策** 電流は+極から−極へ流れる。電子が移動する向きとは逆になる。

3 ウ

解説 **ア**…ガラス板は電流が流れない。**イ**…砂糖水は非電解質の水溶液なので，電流は流れない。**エ**…電極が同じ金属なので，電圧が生じない。

4 (1) 電子　(2) 亜鉛

(3) ① 電解質(塩酸)　② 電子

解説 (1)(2) −極では，イオン化傾向の大きい亜鉛が，うすい塩酸にとけて電子を放出し，イオンになる。電子は導線を伝わり，+極の銅板へ移動する。

Step 2 実力完成問題 (p.24-25)

1 (1) 砂糖　(2) 電流が流れない

(3) 電気エネルギー

解説 (1)(2) 食塩水，塩酸，塩化銅水溶液は電流を流す水溶液。砂糖水は電流を流さない。

(3) 亜鉛板と銅板上での化学変化を利用して，電気エネルギーをとり出している。

2 (1) 水素　(2) ア…H^+　イ…H_2

(3) 亜鉛がとけたから。　(4) $Zn \rightarrow Zn^{2+}$ + ⊖⊖

(5) 電気エネルギー　(6) ア，ウ

解説 (1)(2) +極の銅板の表面では，水素イオンが導線から流れてくる電子を受けとって水素原子になり，水素原子が2個結びついて水素となる。

(6) **ア**…銅板どうしの電極では，電流は流れない。**ウ**…砂糖水は電流を流さない。

3 (1) C　(2) B　(3) 一次電池

(4) ① 電圧　② 二次電池

解説 (1) C は二酸化マンガン，黒鉛，塩化アンモニウムをふくむ塩化亜鉛の水溶液をねり合わせたもので，合剤という。合剤は電解質の水溶液の役割をする。

(2) 炭素棒は＋極，－極は亜鉛。－極の亜鉛が電池の缶をかねたつくりになっている。

4 イ

解説 燃料電池は，水素と酸素が結びついて水ができるときに生じる電気エネルギーを利用する。できるものは水だけなので，地球の自然環境にやさしい発電装置といえる。

5 (1) エ

(2) 亜鉛と銅イオンの間で電子の受けわたしが起きて電流が流れなくなる。

解説 (1) 硫酸銅水溶液中の銅イオンが銅板の表面上で電子を受けとって銅原子となって付着する。

(2) 亜鉛板上では，亜鉛がイオンとなって水溶液中にとけ出す。銅イオンは亜鉛板上で電子を受けとって銅原子となり，電流は流れなくなる。

定期テスト予想問題 ①　(p.26-29)

1 (1) ア，ウ，エ　(2) 電解質

(3) 流れない　(4) 流れない　(5) イ

解説 (4) 食塩(塩化ナトリウム)の固体は，ナトリウムイオンと塩化物イオンが規則正しく並んでいる。この＋と－のイオンどうしは強く引き合い，動けないので，電流が流れない。

2 (1) HCl　(2) 陽イオン　(3) 陰イオン

(4) ○$^{+}$…水素イオン，○$^{-}$…塩化物イオン

(5) 電離　(6) $HCl \rightarrow H^{+} + Cl^{-}$

(7) $NaCl \rightarrow Na^{+} + Cl^{-}$

解説 (1)～(4) 塩酸中では，塩化水素が水素イオン1個と塩化物イオン1個に電離している。電子を失いやすい水素原子は陽イオンになり，電子を受けとりやすい塩素原子は陰イオンになっている。

3 (1) 水素　(2) 塩素

(3) エ　(4) ア　(5) ウ

解説 (4) それぞれの物質を化学式にして考え，塩素原子(Cl)がふくまれるものを選ぶ。

(5) 塩素原子は1個のままでは存在できない。

4 (1) 塩素　(2) 手であおぎ寄せるようにしてかぐ。

(3) (色が)消える　(4) 銅

(5) $CuCl_2 \rightarrow Cu^{2+} + 2Cl^{-}$

(6) $CuCl_2 \rightarrow Cu + Cl_2$

解説 (1)(3)(4)(5) 塩化銅は水にとけると，銅イオンCu^{2+}と塩化物イオンCl^{-}に電離する。陰極(電極B)の表面では，銅イオンが陰極から電子を2個受けとって銅原子となり，陰極の表面に付着する。陽極(電極A)の表面では，塩化物イオンが陽極で電子を1個失って塩素原子となる。塩素原子は2個ずつ結びついて塩素分子となり，気体となって空気中に出ていく。

5 (1) ア…陽子　イ…原子核　ウ…中性子

エ…電子

(2) －(の電気)　(3) ア，エ

解説 (3) **イ**…陽子の質量は電子の質量のおよそ1840倍ある。陽子1個の＋の電気の量と，電子1個の－の電気の量は等しい。

ウ…原子核は陽子と中性子からできている。

オ…電子は－の電気をもっているので，電子を受けとれば陰イオンになり，失えば陽イオンになる。

6 (1) 電池(化学電池，ボルタの電池でもよい)

(2) ア…○　イ…○　ウ…×　エ…○

(3) ① 化学　② 電気　(4) 電子

(5) A　(6) イ

解説 (1) 亜鉛板や銅板上では化学変化が起こっている。化学エネルギーを電気エネルギーに変えるこのようなしくみを(化学)電池という。

(2) 2種類の金属の組み合わせでは，電流が流れる。

(5) 電子は亜鉛板から銅板へ向かって移動する。電流の向きは電子の移動の向きとは逆になる。

7 (1) ②　(2) X…水素　Y…酸素

(3) 燃料電池　(4) イ，エ，オ

解説 (4) **図1** の端子 **A** は－極，端子 **B** は＋極になる。＋極の銅板の表面では水素が発生する。

8 (1) 炭素棒

(2) 亜鉛イオン(イオンでもよい)

解説 (2) マンガン乾電池で，電解質の水溶液の役割をしているのは，二酸化マンガン，黒鉛，塩化アンモニウムをふくむ塩化亜鉛の水溶液をねり合わせたものである。

4 酸・アルカリ

Step 1 基礎力チェック問題 (p.30-31)

1 (1) 青色, 赤色, 黄色 (2) 赤色 (3) 水素イオン
(4) H^+ (5) 水酸化物イオン (6) 陰極(いんきょく), 青
(7) pH(ピーエイチ) (8) 中性

解説 (2) アルカリ性の水溶液(すいようえき)特有の性質である。

(6) **ミス対策** +の電気をもつ水素イオンH^+は, 電源装置の－極につながった陰極側に引き寄せられる。

2 (1) ア, ウ, エ, オ (2) 小さい
(3) イ, キ

解説 (2) pHの値が7より小さいとき, その水溶液は酸性。7より大きいとき, アルカリ性。純粋(じゅんすい)な水のpHは7（中性）。

(3) 植物の灰を入れた水はアルカリ性。アルカリという言葉は, アラビア語で灰を意味する。

3 (1) ア, ウ (2) 水酸化物イオン

解説 (1) **エ**…「電解質(でんかいしつ)の水溶液」という性質は, 酸性の水溶液にもあてはまる。

オ…アルカリ性の水溶液では, 水素は発生しない。

4 (1) 陰極 (2) 陽(よう)イオン (3) 陽極(ようきょく) (4) 陰(いん)イオン
(5) 名称…水素イオン 化学式…H^+

解説 (1) 青色リトマス紙が赤くなるのは, 酸性の水溶液中にある水素イオンH^+による。

(2) +の電気をもつH^+(陽イオン)は, 陰極の方に移動していく。

(3) アルカリ性の水溶液では, －の電気をもつOH^-(陰イオン)が, 陽極の方へ移動していく。

Step 2 実力完成問題 (p.32-33)

1 (1) 記号…イ, カ 性質…酸性
(2) 記号…ウ, エ, キ 性質…アルカリ性
(3) 記号…ア, オ 数値…7

解説 (2) フェノールフタレイン溶液は酸性や中性の水溶液に加えても無色であるが, アルカリ性の水溶液に加えると, 赤色に変化する。

(3) 中性の水溶液を選ぶ。

2 (1) ア (2) アルカリ性
(3) 水溶液…C 気体名…水素

解説 (1) においをかぐときは, 手であおぐようにして, 少しずつかぐようにする。

(2) 3種類の水溶液のうち, 赤色リトマス紙を青色に変化させるのは, アルカリ性の石灰水(せっかいすい)である。

3 ① H^+ ② 黄 ③ 酸 ④ 水酸化物
⑤ アルカリ ⑥ OH^-

解説 ①酸の水溶液に亜鉛(あえん)を入れると, 亜鉛がとけて水素が発生する。硫酸(りゅうさん)と塩酸は次のように電離(でんり)している。共通しているイオンはH^+である。

硫酸…$H_2SO_4 \rightarrow 2H^+ + SO_4^{2-}$

塩酸……$HCl \rightarrow H^+ + Cl^-$

④アンモニアは水にとけると, 次のような反応が起こり, 水酸化物イオンが生じる。

アンモニア…$NH_3 + H_2O \rightarrow NH_4^+ + OH^-$

4 (1) 陽イオン…ナトリウムイオン
陰イオン…水酸化物イオン
(2) $NaOH \rightarrow Na^+ + OH^-$
(3) 陽極の方に移動した。

解説 (3) 陽極(図の右側)に向かって移動したものは, 陰(いん)イオンである。この陰イオンは水酸化物イオンなので, これが移動するにしたがい, アルカリ性を示す青色の部分も移動することになる。

5 (1) 電流が流れるようにするため。
(2) H^+ (3) C

解説 (1) 台紙(ろ紙)だけでは電流が流れないので, 電流が流れる水溶液でしめらせる。

(3) 水酸化ナトリウム水溶液をしみこませたろ紙に電流を流すと, 水酸化物イオンOH^-が陽極に移動するため, Cの赤色リトマス紙が青色に変わる。

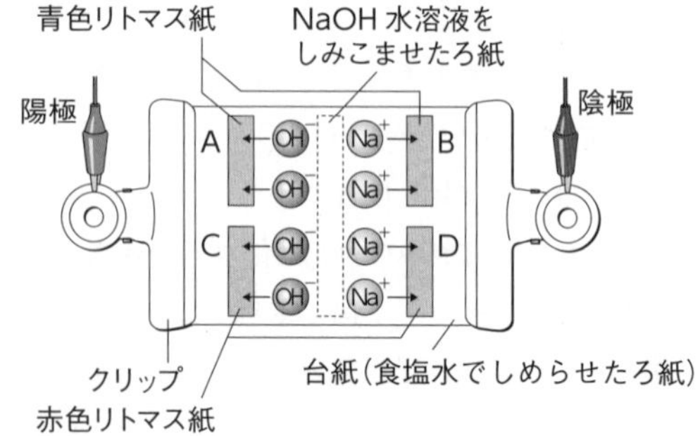

5 中和反応

Step 1 基礎力チェック問題 (p.34-35)

1 (1) 黄色 (2) アルカリ性 (3) 中性
(4) 塩化ナトリウム (5) 中和(ちゅうわ)
(6) 中性
(7) 硝酸(しょうさん)カリウム

解説 (6) 中性の水溶液では，すべての水素イオンと水酸化物イオンが結びついて，水になっている。
(7) 硝酸の陰イオン NO_3^- と水酸化カリウム水溶液の陽(よう)イオン K^+ が結びついて，塩(えん) KNO_3 ができる。

2 (1) 黄色 (2) こまごめピペット
(3) 塩化ナトリウム (4) 中和

解説 (3)(4) 酸性の水溶液とアルカリ性の水溶液を混ぜ合わせたときに，たがいの性質を打ち消し合う反応を中和という。中和によって，水とともにできた物質を塩(えん)という。塩酸と水酸化ナトリウム水溶液では，中和反応によって塩化ナトリウムができる。

3 ウ→イ→ア

解説 **ウ**は水酸化ナトリウム水溶液と塩酸を混ぜ合わせる前の状態。混ぜ合わせると，**イ**の H^+ と OH^- が結びつく中和反応が起こり，**ア**の H_2O ができる。

4 (1) 硫酸バリウム (2) ア
(3) 水溶液…水酸化バリウム水溶液
体積…10 cm^3

解説 (1) 硫酸と水酸化バリウム水溶液を混ぜ合わせると，硫酸バリウムと水ができる。硫酸バリウムは水にとけないため，白い沈殿(ちんでん)ができる。
(2) 硫酸 30 cm^3 に対して，水酸化バリウム水溶液 15 cm^3 でちょうど中性になる。ビーカー**D**は，アルカリ性の性質をもつ水酸化バリウム水溶液が 15 cm^3 より多いから，混合液はアルカリ性。
(3) ビーカー**C**の水溶液がちょうど中性になったのだから，水酸化バリウム水溶液を 15−5=10 cm^3 加えればよい。

> **ミス対策** 中性のときの酸とアルカリの水溶液の体積比に注目。同じ体積比になるようにする。

Step 2 実力完成問題 (p.36-37)

1 (1) エ (2) 発生しない (3) 酸性

解説 (1) 液の性質は，酸性→中性→アルカリ性と変化した。
(2) 塩酸と水酸化ナトリウム水溶液がちょうど中和して中性になっているので，マグネシウムリボンを入れても気体(水素)は発生しない。
(3) 塩酸 15 cm^3 と水酸化ナトリウム水溶液 18 cm^3 がちょうど中和するので，同じ濃度(のうど)であれば，水酸化ナトリウム水溶液の割合が少ないと酸性を示す。

2 (1) 水素イオン
(2) 水酸化物イオン
(3) ① H^+ ② OH^-
③ NaCl
(4) 中和 (5) 塩
(6) 解答例は，右図

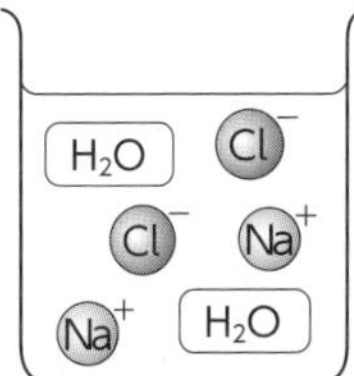

解説 (6) **図2**の塩酸中の水素イオンの数と水酸化ナトリウム水溶液の水酸化物イオンの数は，それぞれ2個で等しい。混ぜ合わせると完全に中和して，混合液中には水素イオンと水酸化物イオンはなくなり，水の分子が2個できる。

3 (1) 中和 (2) 20 cm^3
(3) 水素 (4) ウ

解説 (2) 塩酸と水酸化ナトリウム水溶液がちょうど中和するときの体積比は，塩酸：水酸化ナトリウム水溶液=1：1なので，さらに塩酸を 40−20=20 cm^3 加える。
(4) **D**のビーカーは酸性であるから，その性質を打ち消すアルカリ性の水溶液を加えればよい。

4 (1) 塩化水素 (2) $HCl \rightarrow H^+ + Cl^-$
(3) 水素イオン

解説 (2)(3) 塩化水素は水溶液(塩酸)中で，水素イオンと塩化物イオンに電離している。この水素イオンが酸性を示すもとになっている。

5 (1) 赤，無 (2) ① エ ② ア

解説 (2) 水酸化ナトリウム水溶液中で，ナトリウムイオンと水酸化物イオンに電離している。水酸化物イオンは，塩酸を加えると中和によって数が減り，中性になったときには数は0となる。
水溶液中では，ナトリウムイオンは，ほかのイオン

と結びつくことがないので数はそのままである。

定期テスト予想問題 ②　(p.38-41)

1 (1) アルカリ性
(2) D…食塩水　E…石灰水　(3) B, C
(4) 砂糖

解説 (2) 実験2で蒸発皿に固体が残るのは，固体をとかした水溶液である。また，こげた黒い固体が残るのは，炭素をふくむ有機物の固体をとかした水溶液である。したがって，Dは，酸性か中性で無機物の固体がとけた水溶液なので，食塩水である。また，Eは，アルカリ性で固体がとけた水溶液なので，石灰水である。

(3) Bはアンモニアが，Cは二酸化炭素がとけた水溶液である。

(4) 砂糖は炭素をふくむ有機物である。

2 (1) アルカリ性
(2) 緑色　(3) 7　(4) KNO_3
(5) 青色

解説 (5) (2)の結果から，混合液が中性になったときの硝酸と水酸化カリウム水溶液の体積比は10：6=5：3である。硝酸5 cm^3に水酸化カリウム水溶液を4 cm^3加えると体積比は5：4となり，混合液はアルカリ性になる。

3 (1) ① 赤　② 青　③ 黄
(2) エ　(3) 中和

解説 (1) 水溶液の性質により，指示薬の色は次のように変化する。

指示薬	酸性	中性	アルカリ性
リトマス紙	赤色	——	青色
BTB溶液	黄色	緑色	青色
フェノールフタレイン溶液	無色	無色	赤色

4 (1) ウ　(2) イ
(3) 名称…水酸化物イオン
化学式…OH^-

解説 (1) 硝酸が電離して生じた水素イオンが，陰極の方へ移動するため，ウの青色リトマス紙が赤色に変わる。

(2)(3) 水酸化ナトリウム水溶液中の水酸化物イオンが，陽極の方へ移動するため，イの赤色リトマス紙が青色に変わる。

5 (1) 黄色　(2) 塩化ナトリウム
(3) 中性　(4) ア　(5) 水素　(6) 24 cm^3

解説 (4) 最初は，マグネシウムリボンと塩酸は反応して気体を発生する。水酸化ナトリウム水溶液を加えていくと，酸性が弱まるため，しだいに発生しなくなる。

(6) うすい塩酸5 cm^3に水酸化ナトリウム水溶液を3 cm^3加えたところで，混合液は中性になった。体積比は5：3である。うすい塩酸40 cm^3のときは，同じ濃度の水酸化ナトリウム水溶液を24 cm^3加えると同じ体積比になり，混合液は中性になる。

6 (1) 赤色　(2) $H^+ + OH^- \rightarrow H_2O$
(3) K^+, NO_3^-
(4) ① 水素イオン　② 水酸化物イオン
③ 水　④ 中和

解説 (1) うすい硝酸を8 cm^3加えるまでは，混合液はアルカリ性なので，赤色。

(3) ミス対策 中性の水溶液では，水素イオンと水酸化物イオンはすべて結びついて水になっている。

7 (1) 塩酸
(2) 解答例は，右図
(3) 青色を赤色に変える。
(4) NaCl
(5) 20 cm^3
(6) ア

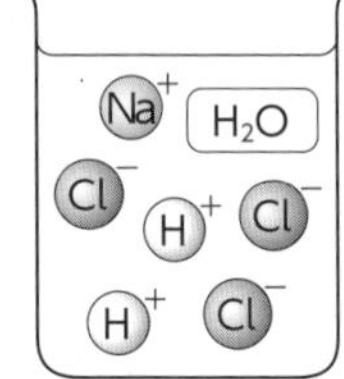

解説 (2) モデルの図から，水酸化ナトリウム水溶液60 cm^3中に，ナトリウムイオンと水酸化物イオンがそれぞれ6個ずつあることがわかる。10 cm^3では，それぞれ1個ずつふくまれている。この水溶液をAの水溶液に加えると，水素イオン1個と水酸化物イオン1個が結びついて水になり，ナトリウムイオン1個，水素イオン2個，塩化物イオン3個が残る。

8 (1) 黄色　(2) $HCl \rightarrow H^+ + Cl^-$
(3) $NaOH \rightarrow Na^+ + OH^-$
(4) $HCl + NaOH \rightarrow NaCl + H_2O$
(5) 水　(6) いえない　(7) 青色

解説 (5) (4)の化学反応式からわかるように，酸とアルカリが中和すると，塩と水ができる。

【2章】生命の連続性

1 生物の成長と細胞分裂

Step 1 基礎力チェック問題 (p.42-43)

1 (1) 細胞分裂 (2) 染色体 (3) 形質
(4) 遺伝子 (5) 体細胞分裂
(6) できるわけではない (7) 染色体, 2つ
(8) 小さい (9) 赤く
(10) タマネギの根の先端

解説 (8) 分裂して細胞の数がふえたあと, 1つ1つの細胞が大きくなることで, からだが成長していく。

2 (1) C (2) D
(3) 細胞分裂を行って細胞の数をふやし, 分裂した細胞が大きくなって根がのびる。

解説 (2) 細胞は一定の大きさになると, 成長が止まる。図のAの部分は間隔が変化していないことから, 細胞はすでに成長が止まっていると考えられる。図のDの部分はさかんに細胞分裂を行っているため, 細胞は小さい。

3 (1) 染色体 (2) ア
(3) 赤色 (4) ウ

解説 (1) 細胞の中央に並んだあと, 両端に移動していく時期の染色体のようすである。
(4) 細胞分裂がさかんに行われているのは, タマネギなどの根の先端部分である。

4 (1) 染色体 (2) 核 (3) (A)→D→B→C

解説 (2) 染色体は, 細胞が分裂するときにだけ現れる。ふだんはDNAが折りたたまれていないため, 細い繊維状で光学顕微鏡では観察できない。
(3) まず核の中に染色体が現れ, 細胞の中央に並び, 両端に移動して分かれていく。続いて, 中央にしきり(動物細胞の場合はくびれ)ができて2個の細胞になる。

Step 2 実力完成問題 (p.44-45)

1 (1) 細胞分裂(体細胞分裂) (2) 染色体 (3) 2本
(4) イ

解説 (3) 染色体は, 同じ形のものが2本ずつ対になっている。1本の染色体は細胞分裂の前に複製され, それが1本ずつ分かれてそれぞれの細胞に入る。
(4) 根の先端付近でさかんに細胞分裂を行い, 細胞の数がふえる。新しくできた細胞が大きくなり, 根がのびていく。したがって, 根の先端よりもやや根もと側が, 最も目盛りの間隔が広くなり, 根もと付近ではほとんど変わらない。

2 (1) b (2) イ

解説 (1) cは分裂前の細胞, dは染色体が現れ, aは中央に並び, eは両端に移動し, bは中央にしきりができた時期の細胞である。

3 (1) ウ
(2) もとの細胞と同じ大きさになる。

解説 (1) Eは染色体が現れ, 核が消えている。Dは分裂が完了して, すでに2個の細胞になっている。

4 (1) 細胞分裂がさかんに行われている部分だから。
(2) ウ
(3) 細胞分裂により細胞の数がふえ, それぞれの細胞が大きくなる。

解説 (1) 細胞分裂は, 植物では根の先端の近くの部分など特定の部分で行われる。動物も細胞分裂が行われるのは限られた部分である。
(2) 塩酸により, 細胞と細胞の接着が切れるので, 細胞がばらばらになり, 顕微鏡で観察しやすくなる。顕微鏡で観察するときには, 観察したい部分をさがしやすいように, はじめは低倍率にする。

2 生殖のしくみ

Step 1 基礎力チェック問題 (p.46-47)

1 (1) 生殖 (2) 無性生殖 (3) 分裂
(4) 出芽 (5) 栄養生殖 (6) 有性生殖
(7) 受精, 受精卵 (8) 発生

解説 (3)〜(5) 無性生殖には, 細胞が分かれてふえる分裂, からだの一部から新しいからだがのびてふえる出芽, いもなどの栄養体をつくり, その栄養体から新しい芽や根が出て個体になる栄養生殖, 接ぎ木やさし木などがある。

2 ア, ウ

解説 無性生殖は，親の細胞がふえて新しい個体になるので，親と完全に同じ形質をもっている。ジャガイモは種子をつくってふえる植物であるが，ふつうは地下茎に栄養分をたくわえてできたいもから，新しい個体が成長してふえる。

3 (1) **やく** (2) **花粉管** (3) **受精**
(4) **胚**

解説 (2)(3) 受粉した花粉からは，花粉管とよばれる管が，胚珠の中の卵細胞に向かってのびていく。その花粉管の中を精細胞が移動していき，精細胞の核と卵細胞の核が合体して受精が行われる。

(4) 受精卵は，細胞分裂をくり返して成長し，胚になる。胚は，動物の場合は自分で食物をとるまでの時期，植物の場合は，種子の中のからだをさす。

4 (1) **ゾウリムシ** (2) **分裂** (3) **無性生殖**
(4) **例：ジャガイモ(サツマイモなど)**

解説 (4) ゾウリムシは，からだが1個の細胞でできた単細胞生物である。ジャガイモやサツマイモは栄養生殖を行う多細胞生物である。

Step 2 実力完成問題 (p.48-49)

1 (1) **A…精巣　B…卵巣** (2) **受精**
(3) **(A →)C → E → B → D**
(4) **8個** (5) **有性生殖**

解説 (1) 雄には，精子をつくる精巣という生殖器官がある。雌には，卵(卵子)をつくる卵巣という生殖器官がある。

(4) 1回の分裂で，細胞の数は2倍にふえる。3回の分裂では，はじめ1個の細胞が，2×2×2=8個になっている。

2 (1) **600倍** (2) **花粉管**
(3) **精細胞** (4) **受粉**

解説 (1) 顕微鏡の観察倍率は，(接眼レンズの倍率)×(対物レンズの倍率)で表される。

(3)(4) 花粉管の中を精細胞が移動し，胚珠の中の卵細胞と受精を行う。花粉がめしべの先端(柱頭)につくことを受粉という。受精と混同しないように。

3 (1) **無性生殖** (2) **イ** (3) **ウ**

解説 (1) アメーバは，図のように分裂によってふえる。分裂によるふえ方は無性生殖の例である。

4 (1) **栄養生殖**
(2) **ウ，エ**
(3) **親と子が完全に同じ形質をもつので，作物の品質を保ちやすいから。**

解説 (1) 無性生殖の中でも，ジャガイモのように植物がからだの一部から新しい個体をつくるものを栄養生殖という。

(3) 好ましい品質をもつ作物と完全に同じ品質のものをつくることができる。

3 遺伝の規則性(1)

Step 1 基礎力チェック問題 (p.50-51)

1 (1) **形質** (2) **遺伝** (3) **遺伝子，染色体**
(4) **減数分裂** (5) **2分の1**
(6) **顕性，潜性** (7) **もとにもどる**

解説 (3) 遺伝子の本体は，DNAとよばれる物質である。いろいろな形質を表すもとになる情報が，DNA上に記録されており，DNAが折りたたまれて染色体になる。

(4)(5) 染色体の数が親の細胞(体細胞)の半分に減るので，生殖細胞をつくるときの細胞分裂を減数分裂という。

2 (1) **エンドウ** (2) **形質** (3) **ア，オ**
(4) **顕性(形質)**

解説 (3) エンドウは，種子の形や色，さやの形のちがいなど，ちがった形質を多くもっていること，また，自家受粉が可能な植物であることから，遺伝の研究に好つごうな植物であった。

3 (1) **遺伝子** (2) **核** (3) **赤花** (4) **赤花**

解説 (2) 細胞のどの部分に，とあるので，染色体ではなく核と答える。

(3) 代々赤花だけをつけるアサガオと，代々白花だけをつけるアサガオとのかけ合わせで，子はすべて赤花となっているので，赤花が顕性形質とわかる。

(4) 子の代ではすべて赤花であるが，遺伝子は赤花と白花のものが1つずつ入っている。顕性の遺伝子が1対の染色体の一方にあればその形質が現れるので，子の自家受粉によってできる孫の代では，顕性の赤花が多く現れる。

4 (1) イ　(2) ア

解説 (2) 卵や精子の染色体の数は，親の体細胞の半分になっている。受精卵では親の体細胞の染色体の数にもどっているので，卵や精子の２倍になっている。

Step 2　実力完成問題　(p.52-53)

1 (1) 遺伝子　(2) ウ

(3) ① エ　② オ　③ ウ

解説 (3) 雌がつくる卵の遺伝子は，雌の体細胞の遺伝子の半分だけを受けついでいる。卵の染色体は，雌の２本のうちの１本だけを，精子も，雄の２本のうちの１本だけを受けついでいる。

2 (1) ① ●　② ○

(2) ③ ア　④ ウ　⑤ ア　⑥ ウ

(3) ③ A　④ A　⑤ A　⑥ A

解説 (1) ①の生殖細胞は，それをつくる親の遺伝子が２つとも●なので，同じ●になる。②の生殖細胞をつくる親の遺伝子は●と○が１つずつなので，②のほうが○になる。

(2) ③には●と●の遺伝子が入る。同様に，④には●と②の○が，⑤には①の●と，他方の親の●が，⑥には①と②が入る。

(3) ③～⑥のどれにも●が入っている。

3 ア, キ, ケ, コ

解説 ケ…ふつうは顕性形質だけが現れる。

4 (1) ウ　(2) 減数分裂

解説 (1)(2) 生殖細胞をつくるときは，染色体の数が親の体細胞の半分になる減数分裂を行う。

5 (1) $\frac{1}{2}$倍

(2) 数…ふえる。大きさ…小さくなる。

解説 (1) 受精卵の染色体の数は，体細胞の染色体の数と同じである。生殖細胞である卵や精子の染色体の数は受精卵の半分。

(2) 受精卵以後は，体細胞分裂と同じ細胞分裂によって細胞数がふえる。体細胞分裂では染色体数は一定に保たれる。細胞数がふえていくと細胞１つ１つの大きさは小さくなっていく。

4　遺伝の規則性(2)

Step 1　基礎力チェック問題　(p.54-55)

1 (1) A　(2) Rr　(3) 高く, 低い

(4) Rとrの２種類　(5) 分離

解説 (1) 生殖細胞は，AAの遺伝子(染色体)を半分ずつ受けつぐので，すべてAと表される。

(2) 卵の核と精子の核が合体するので，Rrとなる。

(3) 潜性の遺伝子がaaのようにそろうと，潜性の形質が現れる。

(4) Rrが１つずつに分かれるので，Rとrの２種類の生殖細胞ができる。

2

a 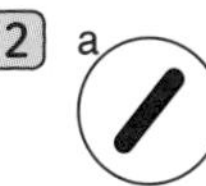
b 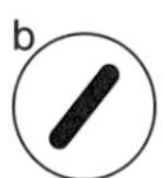
c 

d 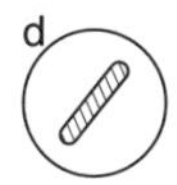
e 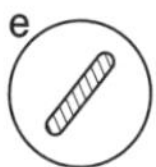

解説 a, bは父親の染色体が１つずつ入る。d, eは母親の染色体が１つずつ入る。cはbとdが合体するので，父親と母親の染色体が１本ずつ入る。

3 (1) ① Aa　② Aa　(2) 高い

(3) ④ AA　⑤ aa

(4) ⑥ 高い　⑦ 低い　(5) 3：1

解説 (1) 背たけが高い親の生殖細胞はAの１種類だけ，背たけの低い親の生殖細胞はaの１種類だけなので，子はすべてAaとなる。

(3)(5) 両親の生殖細胞はどちらもAとaの２種類である。このとき，AAが1，Aaが2，aaが1の比でできるので，背たけの高いものと低いものが，3：1の割合で現れることになる。

Step 2　実力完成問題　(p.56-57)

1 (1) Aa　(2) ② a　③ A

(3) 卵細胞　(4) Aa　(5) 3：1

解説 (1) 精細胞の１つはAなので，①の片方はAである。また，孫にaaが現れているので，精細胞にはaのものがあるとわかる。よって，①はAaである。

(5) 孫のうち，AAとAaが丸い種子である。

2 (1) ① A　② a　(2) Aa

(3) **丸い**　(4) ④ **a**　⑤ **A**

(5) ⑥ **AA**　⑦ **Aa**　⑧ **Aa**　⑨ **aa**

(6) **1：2：1**

解説 (1) 丸い種子の純系の親がもつ遺伝子はAAなので，卵細胞はその半分のAという1種類である。しわの種子の精細胞もaという1種類である。

(4) 子の遺伝子はAaなので，子の卵細胞も精細胞もAとaの2種類できる。

(5) ⑥　精細胞のAと卵細胞のAの組み合わせでAAになる。⑦⑧　Aとaの組み合わせとなる。⑨　精細胞のaと卵細胞の④のaの組み合わせとなる。

(6) (5)の⑥～⑨より，AA：Aa：aa＝1：2：1。

3 (1) **DNA**　(2) **潜性(形質)**

(3) **分離の法則**　(4) ① **ア**　② **イ**

解説 (3) 遺伝の法則のうち，対になっている遺伝子が生殖細胞に分かれて入ることを分離の法則という。

(4) 孫の遺伝子の組み合わせと比は，AA：Aa：aa＝1：2：1で，4個のうち3個の割合で丸い種子ができている。丸い種子が600個なので，しわのある種子の数をxとすると，600：x＝3：1　x＝200個。また，AA:Aa＝1：2なので，Aaの遺伝子をもつ種子の数をyとすると，600：y＝3：2　y＝400個。

5 生物の多様性と進化

Step 1 基礎力チェック問題 (p.58-59)

1 (1) **進化**　(2) **は虫類**　(3) **相同器官**

(4) **は虫類**

解説 (2) 脊椎動物は，水中から陸上へと進化していった。

(3) 外形やはたらきは異なるが，その起源が同じで基本的なつくりが同じ器官のことを相同器官という。相同器官は進化の証拠の1つであり，相同器官をもつ動物は共通の祖先から進化してきたと考えられている。

2 (1) **A…両生類　B…鳥類**

(2) **水中，陸上**　(3) **魚類**　(4) **エ**

解説 (1) 脊椎動物は水中生活するものから，陸上生活するものへと進化してきた。

(4) 始祖鳥は，羽毛や翼は鳥類，歯や骨のある尾はは虫類の特徴をもつ。

3 (1) ① **肺**　② **あし**

(2) ① **哺乳**　② **卵**

Step 2 実力完成問題 (p.60-61)

1 (1) **ウ**　(2) **胎生**　(3) **ひれ**　(4) **遠い**

(5) **魚類は両生類に比べて，哺乳類との共通点が少ないから。**

解説 (1) 脊椎動物は，背骨を中心とする骨格をもっている。

(2) 哺乳類は，子どもを母親の体内である程度まで育ててから産む。これを胎生という。これに対して，ほかのなかまは，卵を産んで(卵生)なかまをふやす。

2 (1) **翼がある。　羽毛がある。**

(2) **翼の先に爪がある。**

口に歯がある。

尾に骨がある。(長い尾がある。)

解説 始祖鳥は，鳥類とは虫類の両方の特徴をもつことから，は虫類から鳥類へと進化したと考えられている。

3 (1) ① **前あし**　② **相同器官**

(2) **新しい地層**　(3) **は虫類，鳥類**

解説 (1) ヒトのうで，クジラの胸びれ，スズメの翼を見ると，形やはたらきはちがっているが，骨を比べてみると，骨の形や並び方は，基本的に同じつくりをしている。このような器官を相同器官という。(3) 始祖鳥に見られる鳥類的特徴…①翼がある。②羽毛がある。始祖鳥に見られるは虫類的特徴…①翼の先に爪がある。②口に歯がある。③尾に骨がある。

4 (1) **エ**

(2) **(例)からだの表面がうろこでおおわれている。**

かたい殻をもった卵を産む。

解説 (1) 陸上で生活する期間に肺で呼吸するので，陸上で生活する期間のある動物のなかまである。水中で生活する動物はえらで呼吸する。

(2) 陸上で生活するためには乾燥に適応することが必要である。

定期テスト予想問題 ③　(p.62-65)

1 (1) **やく**　(2) **受粉**　(3) **花粉管**
(4) **受精**　(5) **エ**

解説 (1) 花粉はやくに入っている。
(4) 図のBは卵細胞で，この核と精細胞の核が合体して受精卵になる。

2 (1) **ア**　(2) **細胞分裂(体細胞分裂)**
(3) **(①)→⑤→④→②→③→⑥**　(4) **染色体**

解説 (1) 細胞分裂のさかんな部分は，根の先端の近くにある。
(3) ⑤は染色体が現れ，④は中央に並び，②は両端に移動し，③は中央にしきりができたときのようす。

3 (1) **(うすい)塩酸**
(2) **酢酸オルセイン(カーミン)液**
(3) **記号…X　大きさ…大きい**
(4) **ア→エ→オ→イ→ウ**

解説 (1) うすい塩酸には，細胞と細胞を切り離してばらばらにし，観察しやすくするはたらきがある。
(3) 図2では染色体が見られ，細胞の大きさも不ぞろいであり，細胞分裂がさかんな部分であるので，根の先端の**X**といえる。**Y**の1つの細胞の大きさは分裂が終わって細胞が大きくなっているので，**X**の細胞分裂時の細胞より大きくなっている。

4 (1) **A…精巣　C…卵巣**
(2) **B…精子　D…卵**　(3) **受精**
(4) **ウ**　(5) **受精卵**

解説 (1)(2) **B**は精子で，**A**の精巣でつくられる。**D**は卵で，**C**の卵巣でつくられる。
(4) **F**は，受精卵が1回細胞分裂をして2個の細胞になっている時期を表している。次に，**F**の分裂面に垂直な方向でもう一度縦に分裂して，**ウ**のようになる。

5 (1) **無性生殖**　(2) **有性生殖**
(3) **ゾウリムシ**　(4) **減数分裂**　(5) **ア，ウ**

解説 (3) 子の細胞がもつ染色体の組み合わせが親のものと完全に同一になるのは無性生殖の場合。
(5) 酵母は出芽，ジャガイモは栄養生殖。

6 (1) **顕性形質**
(2) **イ**
(3) **遺伝子の組み合わせ…AA：Aa：aa**
数の比…1：2：1
(AAが1，Aaが2，aaが1の割合であれば順不同でも正解)

解説 (2) 親の生殖細胞の遺伝子は，純系の丸い種子の方がAだけ，しわのある種子の方がaだけで，この2つの組み合わせ(Aa)が子の遺伝子となる。
(3) 子の生殖細胞は，卵細胞も精細胞もAとaの2種類ができる。したがって，子の自家受粉によってできる孫のもつ遺伝子の組み合わせとその数の比は，右の表に示すように，AA：Aa：aa＝1：2：1となっている。AAとAaが丸い種子となる。

	A	a
A	AA	Aa
a	Aa	aa

7 (1) **減数分裂**　(2) ① **ア**　② **イ**　③ **エ**
(3) **イ**

解説 (2) ①は，子の代の遺伝子への入り方からAであるとわかる。①がAであれば，子の左から2つ目の組み合わせより，②は親Ⅱのaの遺伝子が入ることになる。③は，親Ⅰのaの遺伝子と親ⅡのAの遺伝子の組み合わせとなる。
(3) 子の代で赤い花をつける形質を示すのはAAとAaで，その比は1：2であり，その合計が675株となっている。親Ⅰと同じAaは，その3分の2で約450株である。

8 (1) **水中(海中)**
(2) **乾燥(に耐えられるしくみ。)**
(3) **シーラカンス…ア　始祖鳥…ウ**

解説 (1) 生物が出現するのによい条件がそろっていたのは水中だと考えられる。
(2) 両生類に比べるとは虫類は，卵に殻があったり，子のときから肺で呼吸したり，体表がうろこやこうらでおおわれたりして，乾燥に耐えられるようなつくりになっている。
(3) シーラカンスは進化した魚類，始祖鳥はは虫類と鳥類の両方の特徴をもっている。

【3章】運動とエネルギー

1 力の合成と分解

Step 1 基礎力チェック問題 (p.66-67)

1 (1) 対角線
(2) 合力(ごうりょく), 合成 (3) 分解, 分力(ぶんりょく)
(4) 同じ, 反対 (5) 作用, 反作用

2 (1) 向き…右 大きさ…12 N
(2) 向き…右 大きさ…1 N (3)(4) 下の図
(5) 4 N

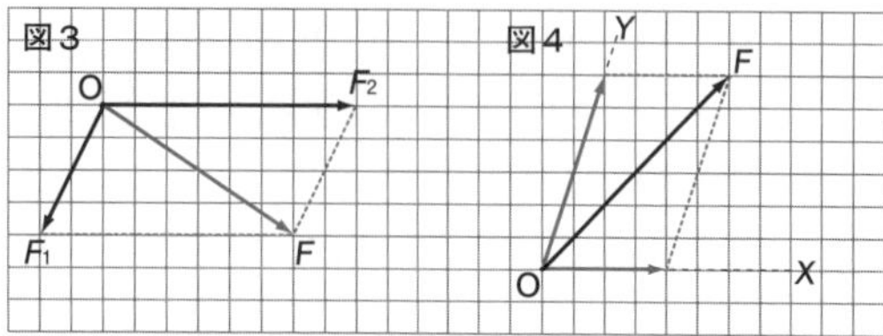

解説 (2) 向きが反対で，一直線上にある2力の合力の大きさは2力の差になり，向きは大きい方の力の向きになる。
(3) F_1, F_2 を2辺とする平行四辺形の対角線が2力の合力になる。
(4) F を対角線とし，OX方向，OY方向を2辺とする平行四辺形をかいたとき，2辺が分力になる。

3 (1) エ (2) (Aが) Bから押(お)し返される力
(3) 2つの物体に別々にはたらく力

解説 (2) AがBを押す力bを作用(さよう)(の力)といい，AがBから押し返される力aを反作用(はんさよう)(の力)という。

Step 2 実力完成問題 (p.68-69)

1 (1) ウ
(2) 図1…右の図
図2…下左の図
図3…下右の図

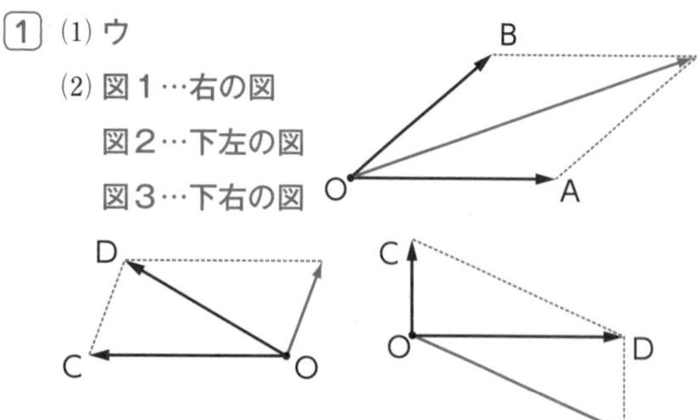

解説 (1) ウでは，2つの力と2つの力の合力の大きさが同じになる。

(2) 図2，図3 力ODと力OCの先端(せんたん)を直線で結び，その直線と平行な直線をO点から引く。次に，力ODの先から力OCに平行な直線を引く。2つの平行線の交点がもう1つの分力の先端になる。

2 (1) C (2) イ (3) D (4) AとB (5) イ

解説 おもりにはたらく重力 W とつり合う力はCのばねがおもりを引く力である。作用(さよう)・反作用(はんさよう)の関係にある2つの力は2つの物体に別々にはたらく力である。

3 (1) 右の図 (2) 反作用

解説 1つの物体がほかの物体に力を加えた場合，同じ大きさの逆向きの力を受ける。

4 (1) 右の図 (2) 垂直抗力(すいちょくこうりょく)
(3) W…変わらない。
P…大きくなる。

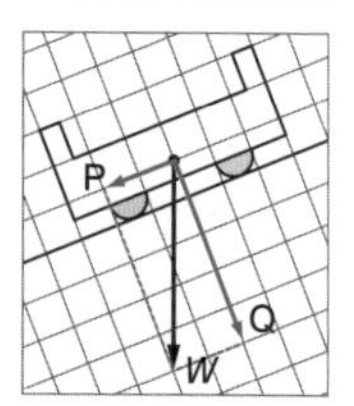

解説 (1) 重力を対角線として平行四辺形を作図する。

5 (1) 4.5 N (2) 小さくなる。 (3) 下の図

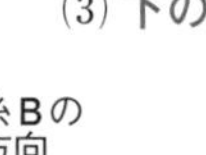
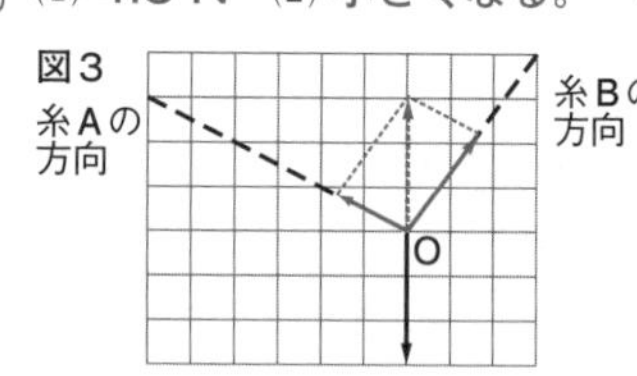

解説 (1) 糸AとBがO点を引く力の合力は，糸CがO点を引く力とつり合っている。糸Cにかかる力は450 gのおもりにはたらく重力なので4.5 N。
(3) 糸Cが引く力と同じ大きさの力をO点から真上に作図し，この力を糸A，B方向に分解する。

2 水圧と浮力

Step 1 基礎力チェック問題 (p.70-71)

1 (1) 水圧(すいあつ) (2) 大きくなる (3) あらゆる向きに
(4) 浮力(ふりょく) (5) 小さい (6) 関係がない (7) 大きい
(8) 3Nより小さい (9) はたらいている

解説 (5) 上面に下向きにはたらく水圧よりも下面に上向きにはたらく水圧(すいあつ)の方が大きいために浮力(ふりょく)が生じる。
(8) 浮力の分だけばねばかりの値が小さくなる。

(9) 沈んでいる物体にも浮力ははたらいている。

2 (1) ア　(2) ア

解説 (1) 水中では水圧がはたらくので，ゴム膜はへこむ。同じ深さでは，物体にはたらく水圧は等しいので，左右同じようなへこみ方になる。

(2) 物体の下面は，上面より深い位置にあるので，下面にはたらく水圧の方が大きい。したがって，下のゴム膜の方がへこみ方が大きくなる。

3 (1) 浮力　(2) 0.1 N　(3) ウ

解説 (2) 浮力＝空気中での重さ－水中での重さなので，0.25 N － 0.15 N＝0.1 N

(3) 浮力の大きさは，水の深さに関係ない。

4 ウ

解説 物体にはたらく水圧は，深いほど大きい。

Step 2 実力完成問題 (p.72-73)

1 ウ

解説 水圧は，水面から深くなるほど大きくなるので，下の穴ほど水がいきおいよく飛び出す。

2 (1) C　(2) A, B　(3) F

解説 (1) 水面からの深さが深いほど，水圧は大きくなる。

(2) 深さが同じときは，水圧は等しい。

(3) 水中にある物体の体積が大きいほど，浮力は大きい。

> **ミス対策**
> 水圧：水の深さが深いほど大きい。
> 浮力：水中にある物体の体積が大きいほど大きい。→深さに無関係

3 (1) A面…10000 N　B面…20000 N

(2) A面…10000 Pa　B面…20000 Pa

(3) 大きくなる。　(4) 10 m

解説 A 面の上にある水の体積は，$1 \text{ m}^3 = 1000000 \text{ cm}^3$。水の密度は 1 g/cm^3 だから，A面の上にある水の質量は 1000000 g で，はたらく重力は 10000 N である。同様に，B面の上にある水の体積は 2000000 cm^3 で，その質量は 2000000 g だから，はたらく重力は 20000 N である。

(2) (1)より，A面にはたらく水圧は，$10000 \text{ N} \div 1 \text{ m}^2 = 10000 \text{ Pa}$，B面にはたらく水圧は，$20000 \text{ N} \div 1 \text{ m}^2 = 20000 \text{ Pa}$

(4) 1000 hPa＝100000 Pa なので，1 気圧では 1 m^2 を 100000 N の空気が押していることになる。

1 m^2 の水の柱では，水面から 1 m 深くなるごとに水の重さが 10000 N ずつふえていくので，100000 N になる深さは，100000÷10000＝10 m である。

4 (1) 15 cm　(2) 1.3 N　(3) イ　(4) イ

(5) 2.5 N

解説 (1) ばねは 0.2 N で 1 cm のびるので，おもりAの重さ 3 N では，1 cm÷0.2 N×3 N＝15 cm のびる。

(2) ばねののびが 8.5 cm のときのばねを引く力は，0.2 N÷1 cm×8.5 cm＝1.7 N　空気中での重さと水中での重さの差が物体にはたらく浮力の大きさなので，3－1.7＝1.3 N

(3) 浮力の大きさは，水中にある物体の体積が大きいほど大きい。図2では，おもりAの半分の体積だけ水中にあるので，全部入れたときよりも，おもりAにはたらく浮力は小さくなる。したがって，ばねののびは 8.5 cm より大きくなる。

(4) おもりBは，おもりAと同じ体積なので，水中に全部入れたときにはたらく浮力の大きさはおもりAと等しい。おもりBはおもりAよりも質量が大きいので，水中に全部入れたときのばねを引く力はおもりBの方が大きい。

(5) 水に浮いている物体は，その物体にはたらく重力と同じ大きさの浮力がはたらいている。

5 ア

解説 おもりAよりもおもりBの方が体積が大きい。水中にある物体の体積が大きいほど，はたらく浮力は大きいので，おもりBにはたらく浮力の方が大きい。したがって，おもりAが下がる。

定期テスト予想問題 ④ (p.74-77)

1 (1) 右の図

(2) ① 10 N

② 10 N

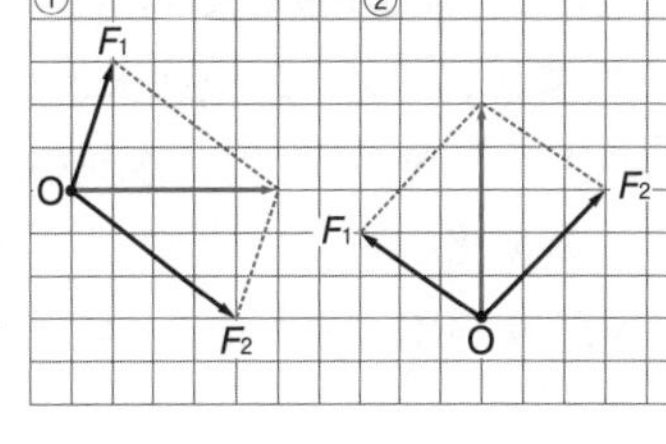

解説 2力を2辺とする平行四辺形の対角線が合力。

2 (1) 力 F (2) 力 B と力 D (3) 力 E と力 H

解説 (2) 力 C を対角線とする平行四辺形の 2 辺は力 B と力 D。

(3) 力 G を対角線とする平行四辺形の 2 辺は力 E と力 H。

3 (1) C, D (2) E (3) C, E

解説 (1) 斜面上の物体にはたらく重力は，斜面に垂直な方向と斜面に平行な方向の分力に分解できる。

(2) 重力の斜面に平行な方向の分力とつり合っている力 E である。

4 (1) ウ (2) 上向きに 30 N (3) 60 N (4) ア

解説 (1) 下向きに，50 − 30 = 20 N の力。

(3) 30 × 2 = 60 N

(4) 滑車Pは，右向きに 30 N，下向きに 30 N の力で引かれている。

5 (1) ウ (2) 1 N

解説 (1) 作用・反作用の力は，たがいに相手の物体にはたらく。

(2) おもりにかかる重力と等しくなる。

6 (1) イ (2) 作用・反作用の法則

解説 (1) A君がオールで岸を押したとき，岸から同じ大きさで逆向きの力を受ける。

7 (1) イ (2) (例) 水の深さが深くなるほど，水圧は大きくなるから。 (3) イ

解説 水の深さが深くなるほど，水圧は大きくなるので，ゴム膜のへこみ方は大きくなる。

8 (1) ○ (2) B (3) オ

解説 (1) 水圧は，深さが深いほど大きくなる。A～Cの底面は，すべて水面から 20 cm の深さなので，底面にはたらく水圧は3つとも等しい。

(2) 圧力を求める式を変形させると，面を垂直に押す力＝圧力×力がはたらく面積 となる。(1)より，容器の底面にはたらく水圧はA～Cで等しく，底面積はBが最も大きいので，底面が水から受ける力はBが最も大きい。

(3) 深さが深いほど水圧は大きい。

9 (1) 1.5 N (2) 小さくなっていく。 (3) 変化しない。

解説 (2) 物体の水中に入っている部分の体積が大きくなっていくので，物体にはたらく浮力が大きくなっていく。したがって，ばねばかりの値は小さくなっていく。

(3) 物体が全部水中に入ったとき，浮力の大きさは物体を沈めた深さに関係しないので，ばねばかりの値は変化しない。

10 (1) 浮力 (2) 0.5 N (3) 2.5 N (4) 浮く

解説 (2) おもりと木片にはたらく重力の合計は 4.8 N。おもりだけが水中に沈んでいるので，おもりにはたらく浮力は，4.8 N − 4.3 N = 0.5 N

(3) 木片とおもりにはたらく浮力は，4.8 N − 1.8 N = 3.0 N。(2)より，おもりにはたらく浮力は 0.5 N なので，木片にはたらく浮力は，3.0 N − 0.5 N = 2.5 N

(4) 物体にはたらく重力よりも浮力の方が大きければ物体は水に浮き，物体にはたらく重力の方が浮力よりも大きければ物体は水に沈む。

木片にはたらく重力は 1.8 N，浮力は 2.5 N だから，木片は水に浮く。

3 物体の運動

Step 1 基礎力チェック問題 (p.78-79)

1 (1) 平均の速さ (2) 瞬間の速さ (3) 大きい (4) 等速直線運動 (5) 斜面方向 (6) 摩擦力 (7) 等速直線運動，静止

2 (1) 144 km/h (2) 40 m/s (3) 示さない。

解説 (1) 720 km ÷ 5 h = 144 km/h

(2) 144 km → 144000 m だから，144000 m ÷ (60 × 60) s = 40 m/s

(3) スピードメーターが示す速さは瞬間の速さ。

3 (1) 等速直線運動 (2) 80 cm/s

解説 (1) 打点の間隔が一定だから，速さも一定。

(2) 1 秒間に 60 回打点する記録タイマーだから，6 打点分の時間は 0.1 秒。したがって，速さ = 8 cm ÷ 0.1 s = 80 cm/s

4 (1) ア (2) エ (3) イ (4) 大きくなる。

解説 斜面上の物体には，重力の斜面方向の分力がはたらくため，速さがだんだん大きくなる運動をする。したがって，記録タイマーの打点の間隔もだんだん大きくなる。また，斜面の角度を急にすると，斜面方向の分力が大きくなる。

Step 2 実力完成問題 (p.80-81)

1 (1) ①大きく(速く) ②一定 (2) 54 cm/s
(3) ア (4) イ

解説 (1) aからbまでは，打点の間隔がしだいに大きくなっている。一方，bからeまでは打点の間隔は一定である。
(2) 速さ＝5.4 cm÷0.1 s＝54 cm/s
(3) bからeまでは等速直線運動をしているから速さは一定である。
(4) 等速直線運動では移動距離(きょり)は時間に比例する。

2 (1) 45 cm (2) 25 cm/s (3) エ

解説 (1) 図2のグラフから読みとる。
(2) 速さ＝30 cm÷1.22 s＝24.5… cm/s
(3) 台車は，50 cm から 70 cm の 20 cm の距離を，1.87－1.58＝0.29 s で下っている。60 cm のところでの瞬間の速さは，50 cm から 70 cm の距離を移動する平均の速さにほぼ等しいので，20 cm÷0.29 s＝68.9… cm/s となる。

3 (1) 0.1 秒 (2) 56 cm/ s (3) ウ

解説 (1) 1秒間に60打点だから6打点では $\frac{1}{10}$ 秒。
(2) 速さ＝5.6 cm÷0.1 s＝56 cm/s
(3) ミス対策 台車が斜面を下るとき，はたらく力は重力の斜面方向の分力。この分力は一定。

4 (1) イ (2) A (3) 慣性(かんせい)

解説 (1) 電車が急に走り出したときは，もとの位置にとどまろうとするので，Aの方向がもとの位置になる。したがって，電車はイの方向に動いた。
(2) 電車が急に止まったときは，これまでの運動を続けようとするので，おもりは運動方向に動く。

5 (1) 図2 (2) イ (3) イ

解説 (1) 物体の速さがだんだん大きくなると，ボールの間隔はだんだん大きくなる。
(2) 図1の物体には，ボールと地面の間に摩擦力(まさつりょく)が運動方向と逆向きにはたらいているので，速さはだんだん小さくなり，ボールの間隔もだんだん小さくなる。

4 仕事

Step 1 基礎力チェック問題 (p.82-83)

1 (1) 積 (2) いわない (3) 200 J
(4) 摩擦力(まさつりょく) (5) 仕事(しごと)の原理(げんり) (6) 2分の1
(7) 2倍 (8) 時間

解説 (3) 10 kgの物体にはたらく重力の大きさは，10000÷100＝100 N

2 (1) 25 N (2) 2 m (3) 100 J (4) ウ

解説 (1) 動滑車(どうかっしゃ)を1個使っているので，半分の，50÷2＝25 N の力が必要である。
(2) 直接引き上げるときの2倍になる。
(3) 仕事＝25 N×4 m＝100 J

3 (1) 0.8 N (2) 0.8 J

解説 (2) このときの力の大きさは，物体の重さではなく，摩擦力に等しい。したがって，仕事＝0.8 N×1 m＝0.8 J になる。

4 (1) 150 J (2) 75 W (3) イ

解説 (1) 仕事＝50 N×3 m＝150 J
(2) 仕事率(しごとりつ)＝150 J÷2 s＝75 W
(3) B君の仕事率＝300 N×2 m÷6 s＝100 W

Step 2 実力完成問題 (p.84-85)

1 ア

解説 仕事は力の大きさと距離(きょり)の積。

ミス対策 台の上で物体を動かすときの力の大きさは，物体の重さではなく，摩擦力の大きさ，つまり，引いた力の大きさになることに注意。

2 (1) 1200 J (2) 240 N (3) 6 m (4) ウ

解説 (1) 物体を3 mの高さまで引き上げるのだから，仕事＝400 N×3 m＝1200 J
(2) ロープを引く距離は5 mだから，力＝1200 J÷5 m＝240 N
(3) 動滑車(どうかっしゃ)を1個使っているので，3×2＝6 m
(4) 仕事(しごと)の原理(げんり)が成り立つ。

3 イ

解説 50 W の仕事率(しごとりつ)で4秒間引き上げたのだから，仕事の大きさは，50 W×4 s＝200 J

したがって，持ち上げた距離＝200 J÷100 N＝2 m になる。

4 (1) 100 W　(2) イ

解説 (1) 仕事率＝300 N×10 m÷30 s＝100 W となる。

(2) 仕事の大きさが同じで，時間が短いのだから，電動機を使ったときの方が仕事率は大きい。

5 (1) 100 N　(2) 100 J　(3) 図1

解説 (1) 定滑車で引き上げているのだから，物体の重さに等しい力で引き上げている。

(2) 仕事の原理より，仕事＝100 N×1 m＝100 J

(3) 仕事率が最も大きいのは，ひもを引く距離(きょり)が最も短い図1になる。

6 (1) 480 J　(2) 450 J

(3) Aさん　(4) (荷物にはたらく)重力

解説 (1) 仕事＝80 N×6 m＝480 J

(2) 仕事＝150 N×3 m＝450 J

(3) 各仕事率は次のようになる。

Aさん…480 J÷20 s＝24 W

Bさん…450 J÷25 s＝18 W

(4) 物体にはたらく地面に向かって鉛直(えんちょく)下向きの力を考える。

5 物体のもつエネルギー

Step 1 基礎力チェック問題 (p.86-87)

1 (1) 位置(いち)エネルギー　(2) 高さ，質量

(3) 運動(うんどう)エネルギー

(4) 一定，力学的(りきがくてき)エネルギー保存　(5) 対流(たいりゅう)

2 (1) 大きくなる　(2) 大きくなる　(3) イ

解説 (3) おもりを落下させる位置を変えているのだから，位置エネルギーについて調べる実験である。

3 (1) ア　(2) ウ　(3) ア

解説 運動エネルギーは物体の質量に比例し，速さが速くなるほど大きくなるので，台車におもりをのせ，速さを速くしたときの木片が移動した距離(きょり)は 10 cm より大きくなる。

4 (1) C　(2) A，E　(3) イ

解説 (1) A点でもっていた位置エネルギーが，最下点のC点ですべて運動エネルギーに移り変わる。

(2) 高さが最も高いA点とE点で位置エネルギーは最大になる。

(3) 力学的エネルギーは一定に保存される。

Step 2 実力完成問題 (p.88-89)

1 (1) 位置エネルギー

(2) イ　(3) ア

(4) 右の図

(5) 約 9 cm

(6) 大きいもの

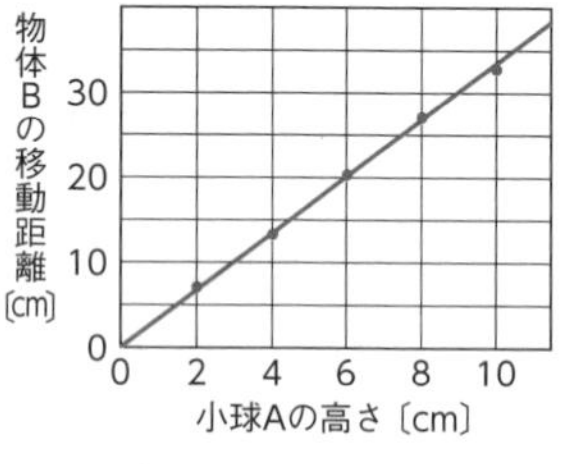

解説 (2) 小球の高さが低くなるので位置エネルギーが減少し，その分運動エネルギーが増加する。

(3) 小球に重力の斜面(しゃめん)に平行な方向の分力(ぶんりょく)がはたらくので，速さはしだいに速くなる。

(5) 高さが 6 cm のとき，ほぼ 20 cm 移動するので，30 cm 移動させるには，1.5 倍の 9 cm にすればよい。

> ミス対策 グラフから，物体の移動距離は小球の高さに比例することをつかもう。

2 (1) 16.0 cm

(2) 位置エネルギー

(3) おもりの高さが高いほど，おもりのもつ位置エネルギーは大きい。

解説 (1) 木片は，おもりの高さが 20 cm のときの2倍動く。

3 (1) イ　(2) エ　(3) D

解説 (1) 力学的エネルギーは保存されるので，A点と同じ高さまで上がる。

(2) 基準面からの高さが低いほど，運動エネルギーは大きい。

(3) A点での位置エネルギーを6とすると，C点での運動エネルギーは6となる。また，D点での運動エネルギーは4となり，E点での運動エネルギーは2となる。

4 (1) イ　(2) ウ

解説 端点(たんてん)Bは端点Aより高さが低いので，小球は飛び出したB点で位置エネルギーと運動エネルギーの両方をもつ。小球は左方向への運動エネル

ギーをもち続けるので，位置はA点まで高くなることはない。

定期テスト予想問題 ⑤ (p.90-93)

1 (1) **摩擦力** (2) **1.2 J**

解説 (1) 床の上で物体を動かす仕事は，摩擦力にさからってする仕事である。

(2) 仕事＝0.6 N×2 m＝1.2 J

2 (1) **220 N** (2) **110 N** (3) **4 m** (4) **440 J**

解説 (1) 100 g の物体にはたらく重力の大きさが1 N だから，22000÷100＝220 N になる。

(2) 動滑車を1個使っているのだから，引き上げるのに必要な力の大きさは，物体にはたらく重力の2分の1になる。

(3) ひもを引く距離は，直接引き上げるときの2倍になる。

(4) 仕事＝110 N×4 m＝440 J　仕事の原理より，仕事＝220 N×2 m＝440 J として求めてもよい。

3 (1) **仕事の原理** (2) **0.9 J** (3) **1 N**

解説 (2) 300 g の物体を 0.3 m の高さまで直接引き上げるときの仕事と同じだから，仕事＝3 N×0.3 m＝0.9 J と求められる。

(3) 力の大きさ＝0.9 J÷0.9 m＝1 N

4 (1) **AとB** (2) **200 J** (3) **40 W** (4) **ウ**

解説 (1) 物体の重さと引き上げた距離の積が同じなら，同じ仕事をしたことになる。

(2) C君の仕事が最大で，仕事＝100 N×2 m＝200 J となる。

(3) 仕事率＝200 J÷5 s＝40 W

(4) 力の向き（重力と反対の向き）に対して物体を動かしていないので，仕事をしていない。

5 (1) **右の図**

(2) **6 N**

(3) **3 J**

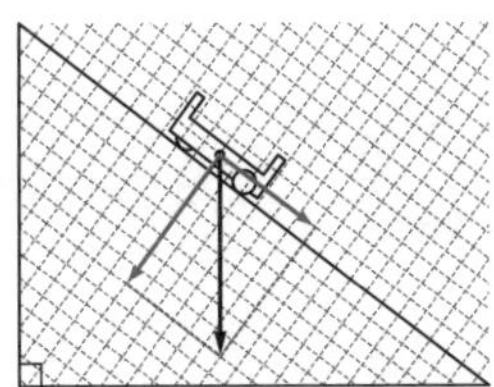

解説 (2) 右の図で，重力の斜面に平行な方向の分力は6目盛り分だから，6 N になる。

(3) 仕事＝6 N×0.5 m＝3 J

6 (1) **0.4 N** (2) **0.12** (3) **おもりの高さ**

(4) **0.84 J**

解説 (1) おもりの高さが 5 cm のときに木片にした仕事が 0.04 J で，木片が動いた距離が 10 cm だから，摩擦力＝0.04÷0.1＝0.4 N となる。

(2)(3) おもりの高さが2倍，3倍，…になると，木片の動いた距離（木片にした仕事）も2倍，3倍，…になるので，位置エネルギーは高さに比例する。

(4) おもりの高さが 20 cm のときの位置エネルギーは，おもりを 20 cm の高さまで引き上げたときの仕事と同じになる。よって，おもりがもっていた位置エネルギーは，5 N×0.2 m＝1 J だから，失われたエネルギーは，1－0.16＝0.84 J

7 (1) **200 J** (2) **E点** (3) **F点** (4) **ウ**

解説 (1) 地面からA点までの高さは，0.5＋2.0＋1.0＋0.5＝4.0 m だから，仕事＝50 N×4 m＝200 J になる。

(2) 運動エネルギーは，地面からの高さが最も低いところで最大になる。

(3) B点での位置エネルギーはA点より小さくなり，D点でもっている運動エネルギーも小さいので，飛ぶ距離はE点より小さくなる。

(4) 斜面を転がる鉄球の速さは鉄球の質量に関係しないので，D点での速さは質量が 5 kg のときと変わらない。

8 (1) **位置エネルギー** (2) **A点** (3) **B点**

(4) **力学的エネルギー** (5) **C点とF点** (6) **イ**

(7) **イ** (8) **エ**

解説 (5) 地面からの高さが同じときである。

(6) 力学的エネルギーは保存されるので，A点と同じ高さまでのぼる。

(7) 物体の質量が変わっても，のぼる高さは同じ。

(8) D点の高さはA点の $\frac{1}{5}$ だから，運動エネルギーは，$1-\frac{1}{5}=\frac{4}{5}=0.8$ になる。

【4章】地球と宇宙

1 宇宙の広がり

Step 1 基礎力チェック問題 (p.94-95)

1 (1) 恒星 (2) 銀河系 (3) 黒点
(4) プロミネンス(紅炎) (5) コロナ (6) 惑星
(7) 衛星 (8) 木星

2 (1) 目をいためるから。 (2) 黒点
(3) まわりより温度が低いから。
(4) 太陽が自転していること。
(5) 球形

3 (1) A…金星 B…火星 (2) ア (3) B

解説 (3) 地球より内側を公転している惑星を内惑星，外側を公転している惑星を外惑星という。

4 (1) 光年 (2) シリウス (3) (約)2.5 倍 (4) ない

解説 (1) 1光年は光が1年かかって進む距離。
(2) 大いぬ座にある。実際には，太陽よりも巨大な星である。
(4) 同じ星座の恒星は，地球から等しい距離にあるわけではなく，星座を形づくっているだけである。

Step 2 実力完成問題 (p.96-97)

1 (1) 地球が自転しているから。
(2) (およそ) 4000 ℃
(3) 気体(ガス) (4) ア

解説 (1) 地球が西から東に自転しているため，太陽の像は視野の外にはみ出してしまう。
(2)(3) 太陽の表面の温度は約 6000 ℃なので，あらゆる物質が気体の状態になっている。黒点の温度はそれより低いので，黒く見える。
(4) 黒点は太陽の表面上では小さく見えるが，太陽の直径は地球の約 109 倍もあるので，黒点の大きさは地球よりはるかに大きい。

2 (1) 明るい恒星…シリウス 暗い恒星…北極星
(2) 北極星
(3) 北極星

解説 (1) 1等星より明るい恒星は，−1.5 のように，「−」をつけて表す。
(2) 太陽と北極星を地球から 30 光年の位置に並べると，太陽は 4.8 等級，北極星は −3.6 等級になる。
(3) 太陽は宇宙空間から見ると黄色に見える。

3 (1) エ (2) C, E
(3) 地球型惑星 (4) A, B

解説 (1) A は最も大きい惑星だから木星，B は円盤状に見える環をもっているから土星，C は地球から真夜中に見ることができないので内惑星の水星か金星だが，公転する時間から金星とわかる。D は地球のすぐ外側を回っているのだから火星，E は最も太陽に近いので水星となる。
(3) 地球型惑星は，水星，金星，地球，火星の 4 つ。
(4) 木星型惑星は，木星，土星，天王星，海王星の 4 つである。

4 (1) 天の川 (2) ウ (3) 太陽系

解説 (1) 銀河系は凸レンズのような円盤の形をしていて，地球をふくむ太陽系はその円盤の端の方にある。このため地球から見ると，多くの恒星が帯状に分布して川のように見える。これが天の川である。
(2) 銀河系は自ら光を出してかがやいている恒星の集まりである。衛星は惑星のまわりを公転する天体，惑星は太陽などの恒星のまわりを公転する天体である。すい星は細長いだ円軌道をえがき，太陽系のはてからやってくると考えられている。

5 (1) ① 月 ② コロナ
③ 太陽を直接見ると，目をいためるから。
(2) まわりより温度が低いから。 (3) 多くなる。

解説 (1) ②コロナは皆既日食のときに，太陽のまわりに見られる，うすいガスの層である。
(3) 太陽の活動は，表面に見える黒点が多いほど活発で，地球では電波障害が起こったりする。また，オーロラの出現も多くなる。

2 地球の自転と天体の動き

Step 1 基礎力チェック問題 (p.98-99)

1 (1) 天球 (2) 地軸，反時計回り (3) 自転
(4) いつも一定に (5) 東，西，西，東
(6) 南中，南中高度 (7) 最高 (8) 15°

2 (1) D (2) A (3) 南中 (4) 一定(同じ)
(5) O

解説 (1) 透明半球上のなめらかな曲線をふちまでのばしたときのふちとの交点が日の出(D)，日の入り(B)の位置。

(5) 透明半球の中心が観測者の位置にあたる。

3 (1) ア…北　イ…西　ウ…南　エ…東

(2) 北極星　(3) ウ

解説 (1)(2) 北の空の星は，北極星を中心に反時計回りに回転しているように見える。

(3) 星の日周運動は，地球の自転による見かけの動きである。

Step 2 実力完成問題 (p.100-101)

1 (1) 北極星　(2) イ　(3) 西から東

解説 (1) 北極側の地軸を延長したところに天の北極があり，北極星が位置している。

(2) 星は東から西に動いているように見える。

(3) 地球が西から東の向きに自転しているので，星は**イ**の向きに動いて見える。

2 (1) A　(2) 午後

(3) T…南中　角度…南中高度

(4) 自転の速さが一定　(5) 天球

解説 (1) 太陽は南の空を通るので，Aが南になる。

(2) Bが日の出の位置だから，Sは午後になる。

(3) A－O－Cは南北の線で，Tは太陽がその真上にきたときだから，南中したときである。

(4) 地球が一定の速さで動いているから，太陽の動き(・で示した間隔)も一定になる。

3 (1) 北斗七星　(2) おおぐま座

(3) a　(4) イ　(5) イ

解説 (3) 北極星を中心にして，反時計回りに回転して見える。

(4) 1時間に15°動くから，6時間では，15×6＝90° 反時計回りに回転した**イ**になる。

4 (1) a　(2) D地点　(3) B地点　(4) C地点

解説 各地点の時刻と，その地点での方角は右の図のようになる。

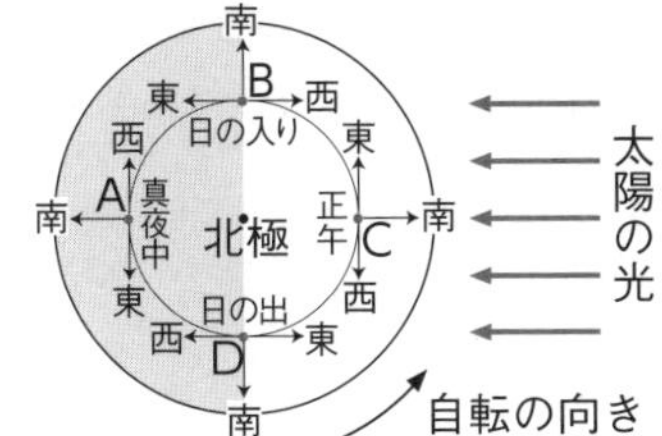

(3) 太陽が西に見えるのは，夕方(日の入り)である。

(4) 太陽の高度が最も高いのは，正午ごろである。

5 (1) ウ

(2) 午後10時

解説 星の日周運動は，地球の自転によって起こる見かけの動きである。星は東から西に1時間に15°ずつ動いて見える。

3 地球の公転と天体の動き

Step 1 基礎力チェック問題 (p.102-103)

1 (1) 公転　(2) 冬　(3) 30°

(4) 西から東，黄道　(5) 傾けた，公転

(6) 夏至　(7) 多く　(8) 夏至

2 (1) オリオン座　(2) B

(3) エ　(4) ウ

解説 (2) 星座の年周運動の向きは東から西だから，Aが12月，Bが4月の位置である。

(3) 2月の位置はAから2か月後だから，2月とAの間の角度は，30×2＝60°　したがって，Aが南中するのは，60÷15＝4時間後になる。

(4) 星座の年周運動は，地球の公転による見かけの動きである。

3 (1) ウ　(2) 66.6°　(3) ウ

(4) D　(5) A

解説 (1) 地球の自転・公転の向きは，北極側から見て反時計回りである。

(2) 地軸は，公転面に立てた垂線に対して23.4°傾いているから，x＝90－23.4＝66.6°となる。

(3) 地球の公転軌道はほぼ円形である。

(4) 北極が太陽の方に傾いているAが夏至。よって，Dが春分，Bが秋分，Cが冬至になる。

(5) 太陽が真東より最も北寄りから出て，真西より最も北寄りに沈むのは，夏至の日である。

Step 2 実力完成問題 (p.104-105)

1 (1) A　(2) 13時間20分

(3) ①遅　②高　③短　(4) ウ

解説 (1) 太陽は南の空を通るので，Cが南になる。

(2) $40 \div 3 = 13\frac{1}{3}$ 時間

(3) ①東の地点ほど南中時刻は早くなる。②緯度

が低いほど，太陽の南中高度は高くなる。

> **ミス対策** ③太陽が真東より北寄りを通るとき，緯度が高いほど昼の長さは長くなる。北極は夏には太陽が沈まない日があることを思い出そう。

(4) 太陽の高度が高いほど，一定面積が受けとる日光の量は多くなり，気温は高くなる。

2 (1) D (2) **おとめ座** (3) イ (4) **ふたご座**

解説 (1) うお座が太陽の真反対にあるとき，真夜中に南中する。

(2) 一晩中見えるのは，真夜中に南中する星座である。

(3)

> **ミス対策** 日没の位置とその地点での方位を，右の図で確かめておこう。

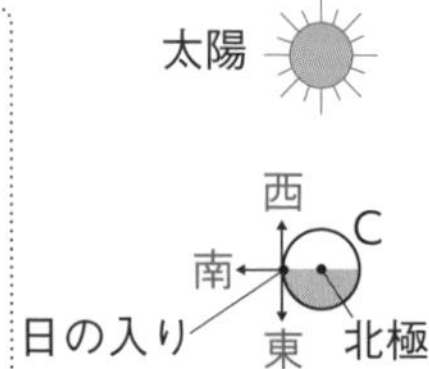

(4) 3か月後(Aの位置)に真夜中に南中する星座。

3 (1) ア (2) B (3) イ (4) D

解説 (3) Bは夏至の日で，北極点では太陽が沈まない白夜になる。

(4) 冬至の日である。

4 (1) エ (2) **地球が自転しているから。**

(3) **オリオン座が太陽と同じ方向にあるから。**

解説 (2) 地球の自転により，星座は動いて見える。

(3) 半年後には，地球の公転によってオリオン座は太陽の方向にある。

5 ア

解説 春分(3月23日ころ)を過ぎると，日の入りの位置は真西より北寄りになる。6月1日から8月22日までの日の入りの位置は矢印のように変化する。なお，太陽が沈む道すじは，季節が変わっても平行である。

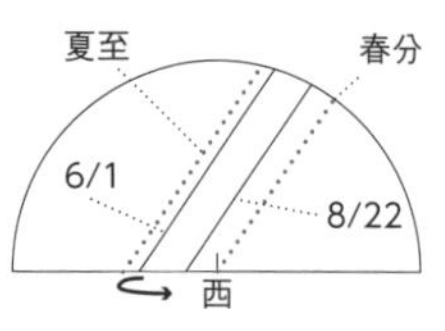

4 月と惑星の見え方

Step 1 基礎力チェック問題 (p.106-107)

1 (1) **上弦の月** (2) **満月**

(3) **日食，新月** (4) **月食，満月**

(5) **東，明けの明星** (6) **西，よいの明星**

2 (1) A…**新月** C…**半月(上弦の月)**

(2) C (3) B (4) イ

解説 (2) 上弦の月は夕方南中する。

(3) 満月は夕方東の空からのぼり，真夜中に南中し，明け方西に沈む。

3 (1) ア (2) ウ

解説 日食のときは，太陽－月－地球の順に並び，月食のときは，太陽－地球－月の順に並ぶ。

4 (1) A (2) イ (3) イ…d エ…a

(4) ア，ウ (5) **明けの明星**

解説 (1) 金星と地球の公転の向きは同じ。

(2) 地球から見て左側にある金星。

(3) **イ**は右側，**エ**は左側が細くかがやいている。

(4) 太陽と重なる金星は見えない。

Step 2 実力完成問題 (p.108-109)

1 (1) b (2) ① a ② g ③ e

(3) オ (4) d (5) ア，イ，ウ (6) c

(7) **地球から太陽までの距離は，地球から月までの距離の約400倍ある。**

(8) g (9) **衛星**

解説 (1) **c**が新月だから，そのすぐあとの**b**である。

(2) ①半月(上弦の月)である。②満月である。③半月(下弦の月)となる。

(4) 左側が細くかがやいているのだから，**e**の下弦の月と**c**の新月の間の月になる。

(5) **d**から2週間後の位置はほぼ**h**である。

(7) 大きさと距離の比が同じなら，同じ大きさに見える。

2 (1) エ (2) B (3) C (4) ウ

解説 (1) 太陽の左側にあるから，よいの明星。

(2) 地球から，太陽と金星に直線を引いたとき，その間の角が最も大きくなるのは，**B**のときである。

(3)(4)

> **ミス対策** ①，④の金星は左側がかがやいているから，**C**か**D**のときである。このとき，地球に近い方が欠け方が大きいことをつかんでおく。

3 (1) **B**

(2) **金星は地球より内側を公転しているから。（金星は内惑星だから。）**

解説 (1) 内側から，金星，地球，火星となる。

(2) 内惑星（ないわくせい）は，真夜中には地平線の下にある。

4 イ

解説 地球と金星の公転周期から，金星が地球の $\frac{1}{0.62}$ 倍の速さで公転することがわかる。地球は1か月で30°公転するが，金星は1か月で $30\times\frac{1}{0.62}$ $=48.38\cdots\fallingdotseq48°$ で公転する。金星は地球に1か月に $48-30=18°$ 追いつく。図の地球と金星は90°離（はな）れているので，$90°\div18°=5$ か月。

定期テスト予想問題 ⑥ （p.110-113）

1 (1) **黒点（こくてん）** (2) **まわりより温度が低いから。**

(3) **球形** (4) **太陽が自転しているから。**

解説 (4) 太陽の自転にともない，黒点も移動する。

2 (1) **右の図**

(2) **地球が西から東へ自転しているから。**

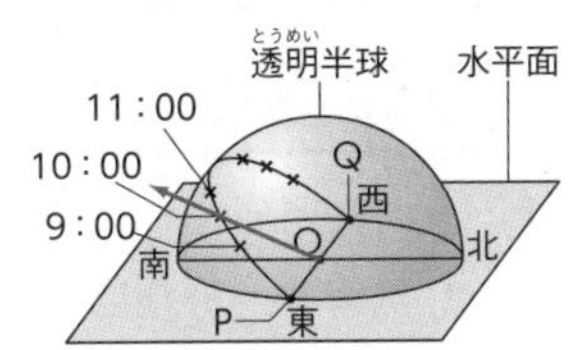

(3) **エ**

解説

(3) 透明半球上を太陽が1時間に動く長さは約25.5 mmだから，$80.5\div25.5=3.15\cdots$時間
→約3時間10分になる。

3 (1) **北極星** (2) **地軸（ちじく）** (3) **ア** (4) **エ**

解説 (3) $30\div15=2$ 時間前になる。

(4) 午後9時に北極星の真上にくるのは，$(360-30)\div30=11$ か月後になる。

4 (1) **自転の向き…ウ，公転の向き…ア** (2) **D**

(3) **S→X→P** (4) **∠YOB（∠BOY）**

解説 (2) Aが夏至，Bが秋分，Cが冬至，Dが春分の日の位置である。

(3) 夏至の日の日の出，日の入りの位置は真東，真西より北寄りになる。

(4) O点と南中時の太陽，地平線がつくる角である。

5 (1) **イ** (2) **エ** (3) **みずがめ座** (4) **(約)9か月後**

解説 (3) 9月の位置は**イ**だから，太陽と反対方向にあるみずがめ座になる。

(4) 例えば，**ア**で真夜中にさそり座が南中し，$270\div30=9$ か月後の**エ**でしし座が真夜中に南中する。

6 (1) **光年** (2) **シリウス** (3) **ウ，エ** (4) **エ**

解説 (2) 等級の前に「－（マイナス）」がつくと，0等星より明るいことを表している。

(3) 恒星（こうせい）の明るさは，恒星自身の大きさや出す光の量によっても変わる。

(4) リゲルは冬の星座であるオリオン座にふくまれている。

7 (1) **A，D** (2) **ア** (3) **C**

(4) **地球より内側を公転しているから。**

解説 (1) 地球から見て，太陽と重なる位置にある金星。

(2) 金星は，明け方は東の空に見える。

(3) 右半分がかがやくのは**C**の位置になる。

(4) 内惑星（ないわくせい）は真夜中には見えない。

8 (1) **イ** (2) **C** (3) **ウ** (4) **E**

解説 (1) 半月（上弦の月）が南中しているから夕方である。

(3) **C**から約1週間後は**E**の位置にくる。

(4) 月が地球の影（かげ）に入るのは**E**のときとなる。

【5章】自然・科学技術と人間

1 科学技術と人間

Step 1 基礎力チェック問題 (p.114-115)

1 (1) 電気 (2) 二酸化炭素 (3) 原子力
(4) 再生可能 (5) 水 (6) 有機物

解説 (4) 化石燃料から得られるエネルギーに比べ，再生可能なエネルギーは環境をよごすおそれが少ないエネルギーである。

2 (1) A (2) 石油(石炭，天然ガス)
(3) 風力発電(太陽光発電，地熱発電，波力発電)

解説 (1) 日本の発電量の割合をエネルギー資源別に見ると，A の火力発電が最も多い。B は原子力発電である。2011 年の原子力発電所の事故以降，原子力の割合が減少し，太陽光発電や風力発電など再生可能なエネルギーの割合が増加している。

3 (1) イ
(2) ファインセラミックス (3) 軽くて
(4) 形状記憶合金

解説 (4) 形状記憶合金は変形させても，ある温度にするともとの形にもどる性質をもっている。

4 (1) 地球環境問題 (2) リサイクル
(3) バイオマス発電

解説 (1) 酸性雨や地球温暖化なども，地球規模の環境問題である。

Step 2 実力完成問題 (p.116-117)

1 (1) ふえている。 (2) イ (3) 化石燃料

解説 (1) 近年，巨大な機械や交通・輸送手段が発達し，資源・エネルギーが大量に消費されている。

2 (1) ア…運動 イ…位置 ウ…化学 エ…熱
(2) ③ (3) ウラン (4) 二酸化炭素
(5) 地表からの熱を逃さないから。(温室効果があるから。)

解説 (2) 原子力発電は，核分裂反応による熱で高温・高圧の水蒸気をつくり，タービンを回して発電する。

3 (1) ① エ ② オ ③ イ ④ ア ⑤ ウ
(2) SDGs

解説 (2) SDGs は持続可能な開発目標のことで，Sustainable Development Goals の略である。

4 (1) ① 光 ② 風力
③ 波力 ④ 地熱
(2) バイオマス
(3) 作物や間伐材などは光合成によって大気中にあった二酸化炭素をとりこんでいるから。

解説 (1)の①～④の発電では電気エネルギーを産み出すときに，汚染物質や二酸化炭素を出さない。

5 (1) ア，ウ (2) PE 名称…ポリエチレン 水に入れたとき…浮く。 PET 名称…ポリエチレンテレフタラート 水に入れたとき…沈む。

解説 (1) プラスチックは有機物で，燃やすと二酸化炭素を発生する。一般的にプラスチックは，軽い，さびない，電気を通しにくいなどの特徴がある。
(2) プラスチックにはいろいろな種類があり，それぞれ性質が異なる。ポリエチレン(PE)は，水に浮き，燃やすととけながら燃える。ポリエチレンテレフタラート(PET)は，水に沈み，燃えにくい。

2 生態系と食物連鎖

Step 1 基礎力チェック問題 (p.118-119)

1 (1) 食物連鎖 (2) 植物 (3) 生産者
(4) 消費者 (5) 植物 (6) ピラミッド
(7) 分解者 (8) 二酸化炭素

解説 (4) 植物やほかの動物を食べて有機物を得る生物を，消費者という。

2 (1) 食物連鎖
(2) 生産者…A 消費者…B, C
(3) エ

解説 (2) 食物連鎖が A から始まっているので，A は生産者である。B は草食動物，C は肉食動物，D は分解者。

3 (1) 有機物
(2) 草食動物 (3) バッタ (4) 食物連鎖

解説 (1) 生態系の中で，植物のように無機物から有機物をつくる生物を，生産者という。

4 (1) 無機物 (2) 菌類，細菌類(順不同)

(3) 二酸化炭素　(4) 呼吸　(5) 有機物

解説 (2) 菌類，細菌類の例を覚えておこう。

Step 2 実力完成問題 (p.120-121)

1 (1) 食物連鎖　(2) 草

(3) 光合成を行って，有機物をつくり出すから。

解説 (2) 有機物をつくり出す植物が自然界の生産者であり，食物連鎖の出発点になる。

2 (1) 食べられる生物　(2) C　(3) ウ

(4) イ　(5) C, B, A の順にいなくなる。

解説 (4) B の生物がふえると，A の生物にとって食物がふえることになる。

3 (1) A…白くにごる。　B…変化しない。

(2) B　(3) ① ア　② イ　③ ア

解説 (1) A の袋の土中には微生物がいて，呼吸をしているが，B の袋に入れた土は焼いてあるため，微生物はいない。

4 (1) 二酸化炭素　(2) 分解者

(3) 光合成

解説 (1) すべての生物は呼吸によって二酸化炭素を放出する。

(3) 植物は光合成によって有機物をつくっている。

5 (1) エ　(2) イ, ウ

解説 (1) トビムシやカニムシなどの土壌生物は高温で湿度が低い環境をきらって土の下へ移動する。

3 自然と人間

Step 1 基礎力チェック問題 (p.122-123)

1 (1) 外来種(外来生物)　(2) 二酸化炭素

(3) 海洋　(4) 境界　(5) 地震　(6) 台風　(7) 災害

解説 (4) 日本列島の太平洋側の大陸プレートと海洋プレートがぶつかっている境界で地震や火山が多い。

2 (1) 絶滅危惧種　(2) レッドデータブック

(3) ある。　(4) イ

解説 (2) 絶滅危惧種の一覧をレッドリストという。レッドデータブックは，絶滅危惧種の生息状況などを掲載したものである。

3 (1) 熱を吸収する性質(温室効果)　(2) イ, ウ

(3) 光合成

解説 (2) 化石燃料を燃やすことによって，発生する二酸化炭素の分だけ大気中の二酸化炭素がふえる。また，光合成でとりこんでいた大気中の二酸化炭素が森林の伐採によってとりこまれなくなる。

4 (1) 河川の氾濫(洪水)　(2) 津波　(3) ハザードマップ

解説 (1) 降水量が多い時期は，台風の接近による影響で河川の氾濫や洪水のほかにも，暴風による建物の崩壊，土砂くずれなどの被害もある。

Step 2 実力完成問題 (p.124-125)

1 (1) C, A, B　(2) C　(3) イ

解説 川の中にすむ水生生物は，環境の影響を受けやすいので，川の水のよごれを調べる指標生物となる。

2 (1) 火砕流　(2) エ　(3) 地熱発電

解説 (2) 火山の噴火時に，マグマがふき飛ばされて空中で冷えて固まってできるものは火山弾である。凝灰岩は，火山灰が堆積してできた岩石である。

3 (1) ウ　(2) C　(3) B

(4) 観察した気孔のうち，よごれた気孔の割合が近いから。

解説 (2)(3) それぞれの地点の大気のよごれの程度を，よごれた気孔の数÷観察した気孔の数から求める。この割合が小さいものほど，大気のよごれが少ない，すなわちよごれの原因となる自動車の交通量が少ないと考えられる。

4 (1) (日本)海溝　(2) ウ

解説 (2) 緊急地震速報は，大きな地震が発生した直後に発表される。また，液状化の現象は，砂丘地帯や三角州，埋め立て地などで発生しやすい。

定期テスト予想問題 ⑦ (p.126-129)

1 (1) ケイソウ　(2) 有機物　(3) 生物の死がいやふんなどを無機物に分解している。

(4) ケイソウ

解説 (1) ケイソウは葉緑体をもち，光合成を行って自ら栄養分をつくり出している。

2 (1) D (2) a…B b…C
(3) イ (4) 光や乾燥をきらう。

解説 (3) c が減少すると，一時的に c に食べられる d は増加し，c を食べ物にしている b は，食べ物が減るので減少する。

3 (1) 無機物 (2) E, F (3) 光合成
(4) 光のエネルギー (5) B, C, D, K
(6) いえない

解説 (6) アオカビは菌類で，葉緑体がない。よって，植物にはあてはまらない。

4 (1) 黄色 (2) 二酸化炭素
(3) 石灰水，気体を通すと白くにごる。
(4) デンプン(有機物)を分解するはたらき。

解説 (3) 二酸化炭素には石灰水を白くにごらせる性質がある。

5 (1) A (2) A (3) C (4) A (5) イ
(6) 熱を吸収しやすい。
(7) ① マグマ ② 空気 ③ 水

解説 (2) 日本では，大規模なダムをつくることのできる場所が少なくなっている。

6 (1) ① ウ ② オ ③ ア
(2) ④ イ ⑤ ア (3) ファインセラミックス

解説 (1) ②…自動車のエンジン部分はかなり高温になるので，熱に強い素材が必要とされる。

7 (1) ① 酸素 ② 光合成 ③ フロン
(2) 夏には植物の光合成がさかんになり，二酸化炭素が多く吸収されるから。
(3) ア，ウ (4) 温室効果
(5) ウ (6) イ (7) ウ

解説 (7) フロンは無色無臭の気体または液体で，電気冷蔵庫の冷媒や発泡剤などに大量に使用されていた。

高校入試対策テスト ① (p.130-135)

1 (1) 水素 (2) ウ
(3) 水にとけにくい。 (4) イ
(5) 中和 (6) 塩

解説 (3) 水にとけにくい気体は，空気より重い，軽いに関係なく，ふつう水上置換法で集める。

(5)(6) 中和反応とは，酸とアルカリが反応して水ができる反応である。このとき，水とともにできる物質を「塩」とよぶ。塩酸と水酸化ナトリウム水溶液の中和によってできる塩は，塩化ナトリウムである。

2 (1) 実像 (2) ウ (3) ⓐ
(4) イ (5) エ (6) イ

解説 (1) 倒立の実像がついたてにうつる。

(2) 凸レンズから物体までの距離が，焦点距離のほぼ2倍になっているから，物体とほぼ同じ大きさの倒立実像ができる。

(3)(4) 倒立の実像ができるが，ついたてを凸レンズ側(ⓐ)の方へ移動させる必要がある。このとき，物体よりも小さい実像ができる。

(5) 物体から凸レンズに入る光の量が半分になるため，像が全体的に暗くなる。できる像が半分になることはない。

(6) この場合は(5)の逆で，凸レンズに入る光の量がふえるため，明るい像ができる。像の大きさに変化はない。

3 (1) 10 Ω (2) 4.5 V (3) 0.15 A
(4) ウ (5) 0.1 A (6) 0.8 A

解説 (3) 合成抵抗は，10＋30＝40 Ωなので，6÷40＝0.15 A。

(4) 並列つなぎの抵抗には，どちらにも電源の電圧がかかる。R_1 に 3 V の電圧がかかると，流れる電流は，グラフより 300 mA＝0.3 A になる。したがって，500 mA まではかれる 500 mA 端子を使う。

(5) R_1 に 300 mA が流れるとき，R_1 にも R_2 にも 3 V の電圧がかかっている。

4 (1) A (2) ア
(3) 気温が高いほど飽和水蒸気量が大きくなるから。
(4) 9.7 g (5) 9 ℃
(6) ① 48 % ② エ

解説 (3) 大気中にふくまれる水蒸気量は，あまり大きく変化しない。したがって，飽和水蒸気量が大きくなると，湿度の公式の分母が大きくなるため，湿度の値は小さくなる。

(4) 15 時における気温は 22 ℃，湿度は 50 %。22 ℃の飽和水蒸気量 19.4 g の 50 %の水蒸気が空気中にふくまれている。